世界分国系列地图册

美国地图册
USA ATLAS

D1052856

中国地图出版社

图书在版编目（CIP）数据

美国地图册／中国地图出版社主编.—北京：中国地图
出版社，2008.1
（世界分国系列）
ISBN 978-7-5031-4619-0

Ⅰ.美… Ⅱ.中… Ⅲ.地图集-美国 Ⅳ.K997.12

中国版本图书馆CIP数据核字（2007）第155092号

美国地图册

编　　著	中国地图出版社		
出版发行	中国地图出版社		
社　　址	北京市西城区白纸坊西街3号	邮政编码	100054
网　　址	www.sinomaps.com		
印　　刷	北京九天志诚印刷有限公司	经　销	新华书店

成品规格	148mm×210mm	印　张	6.0
印　　次	**2015年1月修订**　北京第16次印刷	版　次	2008年1月第1版
印　　数	128001-140000	定　价	30.00元
书　　号	ISBN 978-7-5031-4619-0/K·2853		
审 图 号	GS(2007)1743号		

咨询电话：010-83493032（编辑）、010-83493029（印装）、010-83543956、
　　　　　010-83493015（销售）

目 录 contents

目 录 contents

附录 Appendix

图例 Legend

居民地 Populated Localities

★ 首都 Capital

◎ 主要城市 Main City

⊙ 一般城市 Other City

○ 村、镇 Village/Town

● 州府 Capital of State

境界 Boundaries

—·—·— 国界 International Boundary

······· 州界 State Line

交通 Communications

铁路、火车站 Railroad，Station

高速公路、编号 Expressway and number

—— 主要公路 Main Highway

—— 一般公路 Other Highway

60 (110)
海里(千米) 航海线 Shipping Route (nm/km)

⚓ 港口 Port

✈ 机场 Airport

水系 Stream Systems

河流、瀑布 River，Waterfall

湖泊 Lake

运河 Canal

其他 Others

公园、保护区、娱乐区 Park，Preserve，Recreation Area

☉ 世界遗产 World Heritage

▲ 山峰 Peak

▲ 火山 Volcano

古迹、旅游点 Historic Site，Place of Interest

◆ 其他 Other

城市图 City Maps

城市中心街区、独立建筑物 City Block，Building

主要街道 Main Street

次要街道 Secondary Street

☆ 市政厅 City Hall

博物馆 Museum

高等院校 College and University

◇ 医院 Hospital

影、剧院 Theatre，Cinema

邮局 PO

图书馆 Library

教堂 Church

车站 Station

体育场、体育馆 Stadium，Gymnasium

高尔夫球场 Golf

其它建筑物 Other Building

瀑布 Waterfall

温泉 Hot Spring

滑雪场 Ski field

公园、绿地 Park，Green Land

墓地 Cemetery

序图 Introductory Maps

◎ 首都 Capital

○ 其他城市 Other City

● 州府 Capital of State

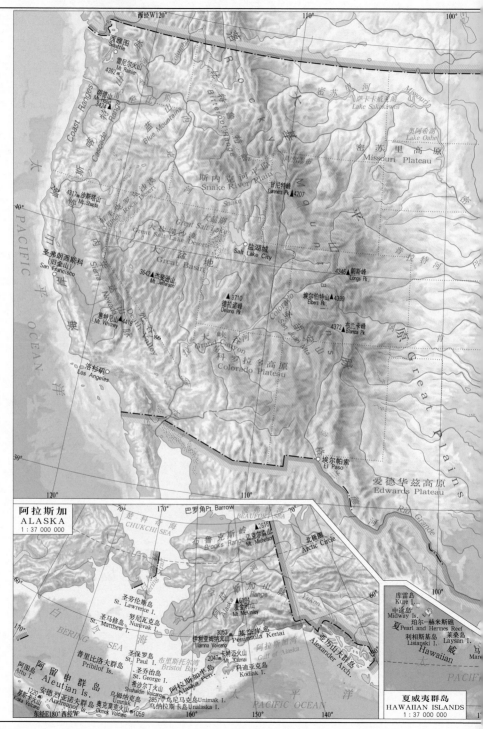

比例尺 1：18 000 000

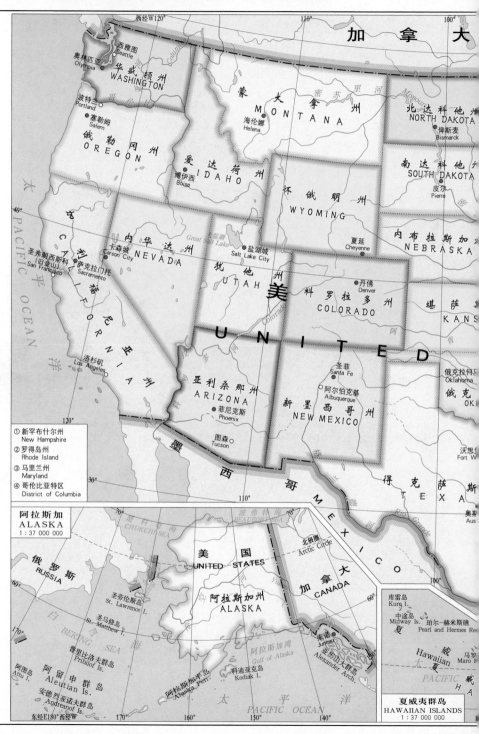

西经W120° 110° 100°

加 拿 大

西雅图
Seattle
奥林匹亚
Olympia
华盛顿州
WASHINGTON

波特兰
Portland

塞勒姆
Salem

俄 勒 冈 州
O R E G O N

蒙 大 拿 州
M O N T A N A

海伦娜
Helena

北 达 科 他 州
NORTH DAKOTA
俾斯麦
Bismarck

南 达 科 他 州
SOUTH DAKOTA
皮尔
Pierre

爱 达 荷 州
I D A H O
博伊西
Boise

怀 俄 明 州
W Y O M I N G

夏延
Cheyenne

内 布 拉 斯 加
N E B R A S K A

40°

大 平 洋
PACIFIC OCEAN

圣弗朗西斯科
(旧金山)
San Francisco

卡森城
Carson City

萨克拉门托
Sacramento

加 利 福 尼 亚 州
C A L I F O R N I A

内 华 达 州
N E V A D A

Great Salt Lake

盐湖城
Salt Lake City

犹 他 州
U T A H

美

科 罗 拉 多 州
COLORADO

丹佛
Denver

堪 萨
K A N S

U N I T E D

洛杉矶
Los Angeles

120°

亚 利 桑 那 州
A R I Z O N A

菲尼克斯
Phoenix

新 墨 西 哥 州
NEW MEXICO

圣菲
Santa Fe

阿尔伯克基
Albuquerque

俄克拉何
Oklahoma

俄 克
OK

① 新罕布什尔州
New Hampshire
② 罗得岛州
Rhode Island
③ 马里兰州
Maryland
④ 哥伦比亚特区
District of Columbia

30°

图森
Tucson

墨

西

哥

110°

得 克 萨 斯
T E X A

沃思
Fort W

奥
Aus

70° 楚科奇海 70° 波弗特海
CHUKCHI SEA BEAUFORT SEA

北极圈
Arctic Circle

美 国
UNITED STATES

俄 罗 斯
RUSSIA

圣劳伦斯岛
St. Lawrence I.

60°

圣马修岛
St. Matthew I.

阿拉斯加州
ALASKA

加拿大
CANADA

60°

170°

普里比洛夫群岛
Pribilof Is.

白 令 海
BERING SEA

阿拉斯加湾
Gulf of Alaska

朱诺
Juneau

亚历山大群岛
Alexander Arch.

库雷岛
Kure I.

中途岛
Midway Is.

珀尔－赫米斯礁
Pearl and Hermes Re

阿图岛
Attu I.

阿留申群岛
Aleutian Is.

科迪亚克岛
Kodiak I.

阿拉斯加半岛
Alaska Penin.

马罗
Maro I

Hawaiian

威
HA

安德烈亚诺夫群岛
Andreanof Is.

太 平 洋
PACIFIC OCEAN

PACIFIC

东经E180°西经W

170° 160° 150° 140°

夏威夷群岛
HAWAIIAN ISLANDS
1:37 000 000

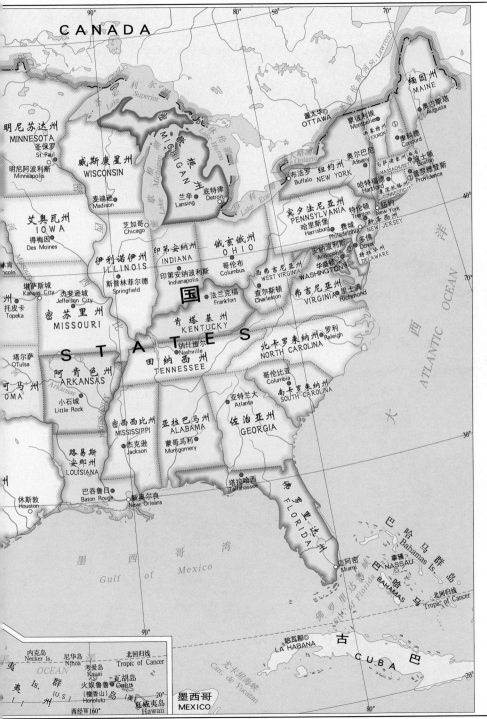

CANADA

明尼苏达州
MINNESOTA
圣保罗
St Paul
明尼阿波利斯
Minneapolis

威斯康星州
WISCONSIN
麦迪逊
Madison

艾奥瓦州
IOWA
得梅因
Des Moines

密苏里州
MISSOURI

堪萨斯城
Kansas City

杰斐逊城
Jefferson City

托皮卡
Topeka

阿肯色州
ARKANSAS
小石城
Little Rock

塔尔萨
OTulsa

休斯敦
Houston

路易斯
安那州
LOUISIANA

巴吞鲁日
Baton Rouge

新奥尔良
New Orleans

密西西比州
MISSISSIPPI
杰克逊
Jackson

亚拉巴马州
ALABAMA
蒙哥马利
Montgomery

佐治亚州
GEORGIA

塔拉哈西
Tallahassee

佛罗里达州
FLORIDA

迈阿密
Miami

芝加哥
Chicago

伊利诺伊州
ILLINOIS

斯普林菲尔德
Springfield

印第安纳州
INDIANA
印第安纳波利斯
Indianapolis

兰辛
Lansing

底特律
Detroit

MICHIGAN

Lake Michigan

Lake Superior

Lake Huron

Lake Erie

俄亥俄州
OHIO
哥伦布
Columbus

法兰克福
Frankfort

肯塔基州
KENTUCKY

纳什维尔
Nashville

田纳西州
TENNESSEE

西弗吉尼亚州
WEST VIRGINIA
查尔斯顿
Charleston

弗吉尼亚州
VIRGINIA
里士满
Richmond

北卡罗来纳州
NORTH CAROLINA
罗利
Raleigh

哥伦比亚
Columbia

南卡罗来纳州
SOUTH CAROLINA

亚特兰大
Atlanta

STATES

国

S T A T E S

OTTAWA
渥太华

蒙彼利埃
Montpelier
VERMONT

缅因州
MAINE
奥古斯塔
Augusta

康科德
Concord

布法罗
Buffalo

纽约州
NEW YORK
奥尔巴尼
Albany

哈特福德
Hartford
CONNECTICUT

MASSACHUSETTS
波士顿
Boston

普罗维登斯
Providence

实夕法尼亚州
PENNSYLVANIA
哈里斯堡
Harrisburg

特伦顿
Trenton
New York
纽约
新泽西州
NEW JERSEY

费城
Philadelphia

多佛
Dover

安纳波利斯
Annapolis

华盛顿
WASHINGTON

特拉华州
DELAWARE

华盛顿哥伦比亚特区

ATLANTIC OCEAN

大

西

洋

Bahamas Is.
巴哈马群岛

NASSAU
拿骚

BAHAMAS
巴哈马

Tropic of Cancer
北回归线

墨 西 哥 湾
Gulf of Mexico

LA HABANA
哈瓦那

CUBA
古 巴

Str. of Florida
佛罗里达海峡

Can. de Yucátan
尤卡坦海峡

内克岛
Necker Is.
尼华岛
Nihoa
考爱岛
Kauai
瓦胡岛
Oahu
火奴鲁鲁
（檀香山）岛
Honolulu
夏威夷岛
Hawaii

北回归线
Tropic of Cancer

OCEAN

西经W160°

夷 Is. 群

MEXICO
墨西哥

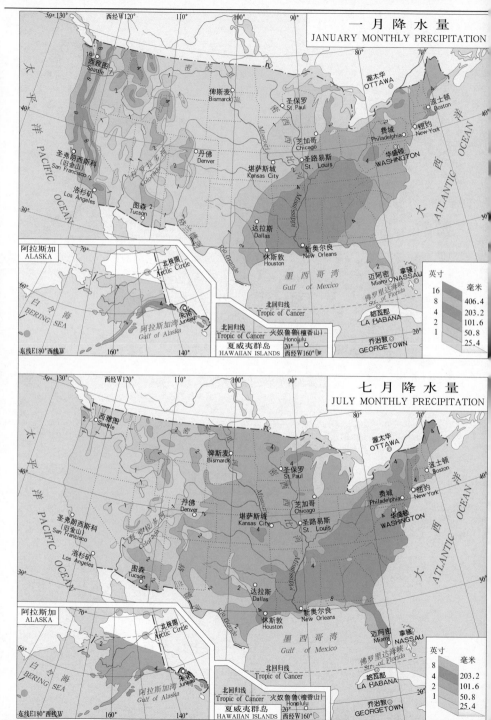

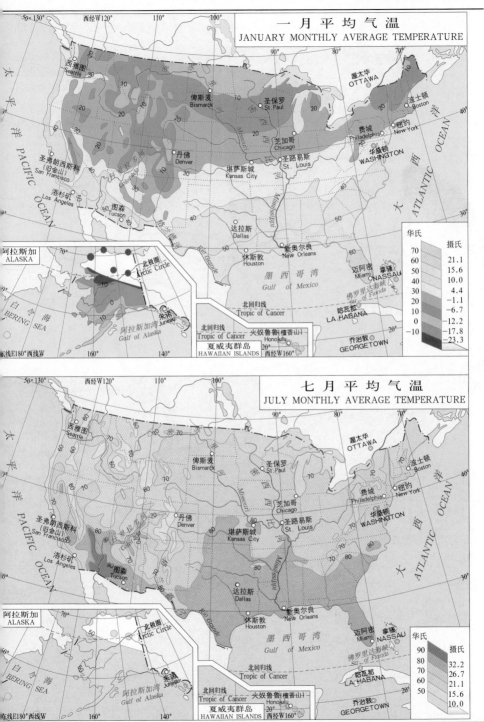

一 月 平 均 气 温
JANUARY MONTHLY AVERAGE TEMPERATURE

七 月 平 均 气 温
JULY MONTHLY AVERAGE TEMPERATURE

比例尺 1：42 700 000

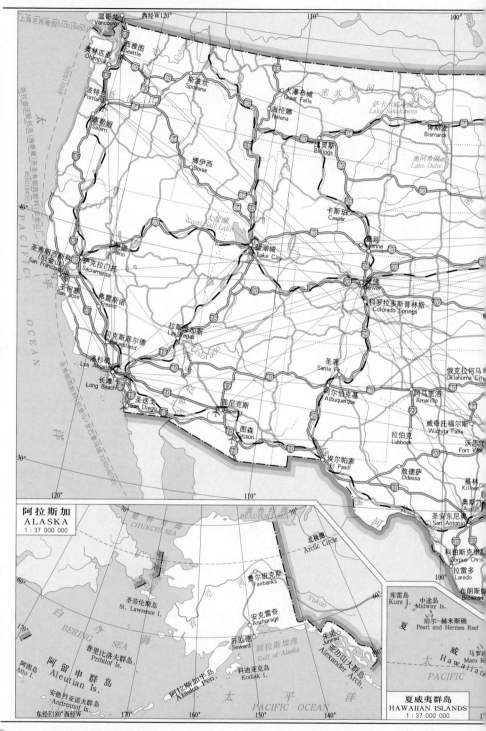

温哥华
Vancouver

西经W120°

上海至西雅图5100（9450）

奥林匹亚
Olympia

西雅图
Seattle

斯波坎
Spokane

大瀑布城
Great Falls

密苏里河

波特兰
Portland

海伦娜
Helena

萨卡卡威亚湖
Lake Sakakawea

塞勒姆
Salem

俾斯麦
Bismarck

博伊西
Boise

灵斯
Billings

奥阿希湖
Lake Oahe

卡斯珀
Casper

大盐湖
Great Salt Lake

盐湖城
Lake City

夏延
Cheyenne

里诺
Reno

圣弗朗西斯科（旧金山）
San Francisco

萨克拉门托
Sacramento

丹佛
Denver

圣何塞
San Jose

弗雷斯诺
Fresno

科罗拉多斯普林斯
Colorado Springs

贝克斯菲尔德
Bakersfield

拉斯维加斯
Las Vegas

科罗拉多河
Colorado

洛杉矶
Los Angeles

圣菲
Santa Fe

俄克拉何马城
Oklahoma City

长滩
Long Beach

圣迭戈
San Diego

菲尼克斯
Phoenix

阿尔伯克基
Albuquerque

阿马里洛
Amarillo

图森
Tucson

威奇托福尔斯
Wichita Falls

拉伯克
Lubbock

沃思堡
Fort Wor

埃尔帕索
El Paso

敖德萨
Odessa

基林
Killee

奥斯汀
Austin

圣安东尼奥
San Antonio

科珀斯克里斯
Corpus Chris

拉雷多
Laredo

布朗斯维
Brown

阿拉斯加
ALASKA
1:37 000 000

楚科奇海
CHUKCHI SEA

波弗特海
BEAUFORT SEA

北极圈
Arctic Circle

费尔班克斯
Fairbanks

圣劳伦斯岛
St. Lawrence I.

安克雷奇
Anchorage

白令海
BERING SEA

育空
Yukon

苏厄德
Seward

阿拉斯加湾
Gulf of Alaska

朱诺
Juneau

亚历山大群岛
Alexander Arch.

普里比洛夫群岛
Pribilof Is.

阿图岛
Attu I.

阿留申群岛
Aleutian Is.

安德烈亚诺夫群岛
Andreanof Is.

阿拉斯加半岛
Alaska Pen.

科迪亚克岛
Kodiak I.

东经E180°西经W

太平洋
PACIFIC OCEAN

库雷岛
Kure I.

中途岛
Midway Is.

珀尔-赫米斯礁
Pearl and Hermes Reef

马罗礁
Maro

夏威夷群岛
HAWAIIAN ISLANDS
1:37 000 000

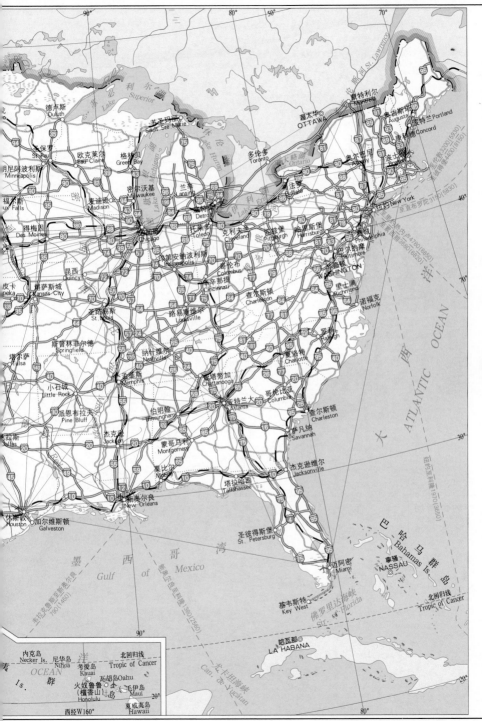

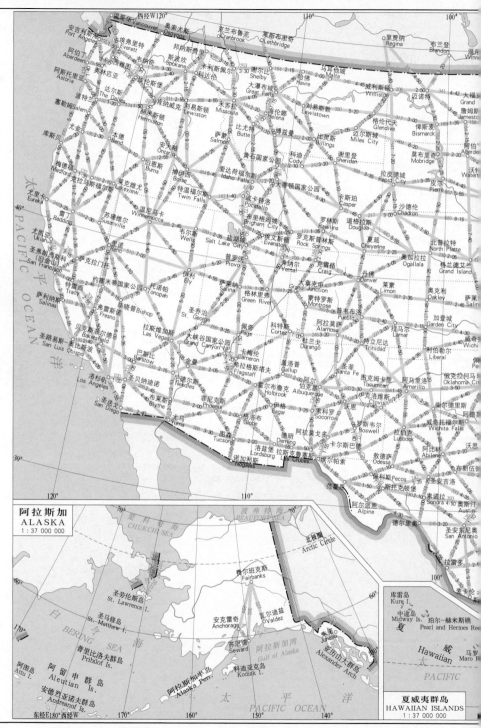

图 例

	州际公路 Interstate Route
	其它公路 Other Route
206	里程(千米)Distance in Kilometer
4:15	大约行车时间 Approximate Travel Time

比例尺 1 : 18 000 000

希宾
○Hibbing
一木一巴斯特霉天铁矿
Minn-Rust Mahoning

彩岩国家湖滨保护区
Pictured Rocks Nat'l. Lakeshore

苏圣玛丽
Soo Locks

圣玛丽
Sault Ste. Maria

渥太华
OTTAWA

蒙彼利埃
Montpelier

阿卡迪亚国家公园
Acadia National Park

米芬角国家纪念地
Merb P. M.

康科德
Concord

米尔湖印第安人保护地
Mille Lacs In. Res.

圣克罗伊河景区国家公园
St. Croix Nat'l. Scenic Riverway

麦基诺桥
Mackinaw Bridge

格林贝
Green Bay

阿波斯托群岛国家
生物、植物保护区
Michigan Is. N. W. R.

尼亚加拉瀑布
Niagara Falls

本宁顿战争纪念碑和博物馆
Bennington Battle. Mon. & Museum

本宁顿
Bennington

波士顿
Boston

佩诺布斯科特印第安保留地
Penobscot Indian Reservation

圣保罗
St. Paul

哈莫尼
Harmony

国家铁路博物馆
Nat'l. R.R. Mus.

贝城
Bay City

五大湖博物馆
Mus. of Great Lakes

布法罗
Buffalo

尼亚加拉瀑布州立公园
Niagara Falls

美国海军潜艇博物馆
& Nautilus Mem.

本宁顿战争纪念碑
Bennington Battle. Mon.

尼亚加拉洞
Niagara Cave

艾菲吉国家历史纪念地
Effigy Mounds Nat'l. Mon.

弗罗利克
Froelich

芝加哥
Chicago

底特律
Detroit

克利夫兰
Cleveland

伊利湖
Lake Erie

宾夕法尼亚大峡谷
Grand Canyon of Pennsylvania

葛底斯堡国家军事公园
Gettysburg Nat'l. Military Park

纽约New York

得梅因
Des Moines

艾奥瓦城
Iowa City

航空博物馆
Air. Mus.

奥马哈
Omaha

国会旧址
Old Capitol

林肯故居
Lincoln Trail Homestead State Park

银矿旧址
Ohio Caverns

凯霍加谷国家休闲区
Cuyahoga Valley
Nat'l. Rec. Area

费城Philadelphia
独立厅
Independence Hall

葛底斯堡
Gettysburg

阿布西肯灯塔
Absecon Lighthouse

移民地国家纪念地
ument Nat'l.

迪凯特
Decatur

印第安纳波利斯
Indianapolis

哥伦布
Columbus

安蒂特姆国家战场
Antietam National Battlefield

华盛顿
WASHINGTON

拉萨尔
le

马克·吐温少年时代旧居和博物馆
Mark Twain Boyhood
Home & Mus.

马克·吐温少年时代旧居和博物馆
Mark Twain Boyhood
Home & Mus.

水上世界探险乐园
Holiday World &
Splashin' Safari

蒙蒂塞洛和弗吉尼亚大学
Monticello and the University of
Virginia in Charlottesville

夏洛茨维尔
Charlottesville

里士满
Richmond

詹姆斯敦
Jamestown

詹姆斯敦国家历史纪念地
Jamestown N. H. S.

堪萨斯城
Kansas City

卡霍基亚遗址
Cahokia Mounds
State Historic Site

圣路易斯
St. Louis

林肯少年时代旧居国家
Lincoln Boyhood
Nat'l. Mem.

法兰克福
Frankfort

里士满国家战场公园
Richmond Nat'l. Battlefield Park

基蒂霍克
Kitty Hawk

莱特兄弟纪念碑
Wright Bros. Nat'l. Mem.

中心
ore

哈里·杜鲁门诞生地
Harry's Truman
Birthplace St. Hist. Site

霍金维尔
Hodgenville

林肯诞生地国家历史纪念地
Abraham Lincoln Birthplace
N'l. Hist. Site

拉马尔
Lamar

世界最小教堂
Worl'l's Smallest Cathedral

大雾山国家公园
Great Smoky Mts. Nat'l. Park

国家军人公墓
Nat'l. Cemetery

威尔明顿
Wilmington

塔尔萨
Tulsa

布兰查德泉洞
Blanchard Sprs. Caverns

多纳尔森堡国家军事公园
Fort Donelson Nat'l. Mil. P.

奇卡莫加和查塔努加国家军事公园
Chickamauga & Chattanooga
Nat'l. Military Park

哥伦比亚
Columbia

U.S.S.北卡罗来纳号战舰
U.S.S.N.C.Battleship Mem.

阿肯色河
Arkansas

孟菲斯
Memphis

图珀洛
Tupelo

NASA马歇尔太空飞行中心
NASA Marshall Space Flight Ctr.

查尔斯顿
Charleston

温泉城国家公园
t Springs Nat'l. Park

温泉城
Hot Springs

图珀洛国家战场
Tupelo Nat'l. Battlefield

伯明翰
Birmingham

亚特兰大
Atlanta

佐治亚石山公园
Georgia's Stone Mtn. Park

萨姆特堡国家纪念地
Ft. Sumter Nat'l. Mon.

默夫里斯伯勒
Murfreesboro

州立钻石火山口公园
Crater of Diamonds S.P.

亚特兰大赛车场
Atlanta Motor Speedway

拉斯
as

蒙哥马利
Montgomery

南部邦联第一"白宫"
First White House of The Confederacy

波弗蒂角遗址纪念地
Monumental Earthworks of Poverty Point

维克斯堡
Vicksburg

杰克逊维尔
Jacksonville

维克斯堡国家军事公园
Vicksburg Nat'l. Mil. Park

威克斯湾河口国家研究基地
Weeks Bay Estuarine Research 'Res.

宪法会议州博物馆
Constitution Convention St. Mus.

休斯敦
Houston

路易斯安那州立博物馆
Louisiana State Museum

斯奥尔良
New Orleans

坦帕
Tampa

奥兰多
Orlando

航天中心游览中心
Visitor Complex

卡纳维拉尔角
Cape Canaveral

约翰逊航天中心
B. J. Space Center

沃尔特·迪斯尼
Walt Disney World
Resort Complex

肯尼迪航天中心
Kennedy Space Center

查萨霍维兹卡国家野生动物保护区
Chassahowitzka N. W. R.

哈马斯群岛
Bahamas Is.

拿骚
NASSAU

大沼泽地国家公园
Everglades Nat'l. Park

印第安礁州历史纪念地
Indian Key St. Hist. Site

迈阿密
Miami

佛罗里达海峡
Str. of Florida

北回归线
Tropic of Cancer

哈瓦那
LA HABANA

ATLANTIC

OCEAN

大
西
洋

40°

30°

墨 西 哥 湾
Gulf   of   Mexico

90°

80°

尤卡坦海峡
Can. de Yucatan

内克岛
Necker Is.

尼华岛
Nihoa

北回归线
Tropic of Cancer

OCEAN
洋

考爱岛
Kauai

瓦胡岛Oahu

火奴鲁鲁
Honolulu

群
岛
Is.

夏威夷火山国家公园
Hawaii Volcanoes
National Park

珍珠港
Pearl Harbor

檀香山

夏威夷岛
Hawaii

西经W 160°

比例尺 1：18 000 000

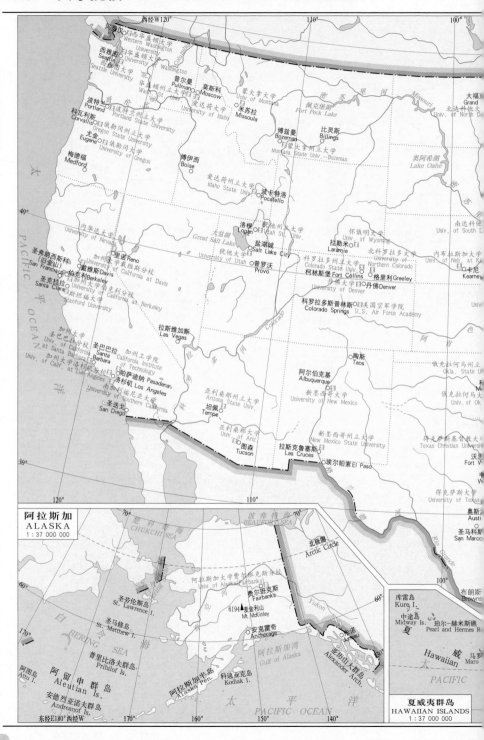

比例尺 1：18 000 000

美国概况 Overview

★ 国名

全称为美利坚合众国（United States of America，缩写 U.S.A.），简称美国(United States，缩写U.S.)。

★ 国花

为玫瑰，象征着美丽、芬芳、热忱和爱情。1985年经参议院通过定为国花。

★ 国鸟

为白头鹰（秃鹰），代表勇猛、力量和胜利。

★ 国旗

为星条旗。主体由13道红、白相间的宽条组成，7道红条、6道白条；旗面左上角为蓝色长方形，其中分9排横列着50颗白色五角星。红色象征强大和勇气，白色代表纯洁和清白，蓝色象征警惕、坚韧不拔和正义。13道宽条代表最早发动独立战争并取得胜利的13个州，50颗五角星代表美利坚合众国的50个州。

★ 国徽

为一只胸前带有盾形图案的白头鹰。盾面上的红、白竖条，其寓意同国旗。鹰之上的顶冠象征在世界的主权国家中又延生一个新的独立国家——美利坚合众国；顶冠内有13颗白色五角星，代表美国最初的13个州。鹰的两爪分别抓着橄榄枝和箭，象征和平和武力。鹰嘴叼着的黄色绶带上用拉丁文写着"合众为一"，意为美利坚合众国由很多州组成，是一个完整的国家。

★ 国歌

是《星条旗之歌》。歌词由美国诗人弗朗西斯·斯科特·基创作。弗朗西斯·斯科特·基1812年在英国入侵美国巴尔的摩的战争时，透过战场上的硝烟，看到经过英军炮轰25小时后星条旗仍在麦克·亨利堡上空高高飘扬，感慨万分，即景创作。曲调取自英国作曲家约翰·斯塔福·史密斯的一首祝酒歌。《星条旗之歌》于1931年被美国国会正式定为国歌。

★ 国庆日

7月4日（美国独立日，1776年）

★ 政体

美国政体为联邦共和制，实行立法、行政、司法三权分立。联邦政府由立法机关、行政机关、司法机关三者组成。三者间相互独立，又相互联系和制约。立法即国会，由参议院（任期6年，每州选2人，共100个席位）和众议院（任期2年，从依人口数量划分的选区中选出，共435个席位）组成，负责立法、对外宣战、批准条约，并有权弹劾总统。行政即总统（任期4年）及由总统提名并经参议院批准的内阁，负责执行基于联邦法律的治理权。司法即最高法院（由总统提名参议院批准的大法官组成，终身任期）及较低级别的联邦法院，负责司法、解释宪法和联邦的法律条文。

政府分为三级架构：联

邦、州和地方政府（县及可辖县的少数都市）。三级政府中的官员由选民进行不记名投票选举产生，或者由民选官员任命。

★ 历史

在世界大国中，美国是最年轻的一个，建国只有230余年。这里的原住民为印第安人，是在10,000多年以前的第四次冰河时期经过白令海峡，从亚洲北部迁徙到这片土地上来的。

1492年意大利航海家克里斯托弗·哥伦布受西班牙国王的派遣，横渡大西洋寻找向西通往中国的道路，发现了美洲新大陆。其后西班牙、荷兰、英国、法国等欧洲列强争相向新大陆殖民。英国凭借其强大的军事实力从1606年起在现今美国的东部海岸殖民，先后建立了弗吉尼亚、马萨诸塞、佐治亚等13个殖民地。1750年殖民地总人口达150余万人。

作为宗主国，英国对北美13个殖民地派驻军队，征课重税，使殖民地负债累累。1765年英国议会颁布的印花税法引发了殖民地人民第一次有组织的联合反对。分散的殖民地联合起来，统一斗争，迫使英国议会废除了印花税法。1770年3月5日，驻扎波士顿的英军和群众发生冲突，开枪射杀手无寸铁的群众。殖民地人民革命情绪进一步高涨，各地纷纷抵制英货。为破坏殖民地抵制英货的运动，英国于1773年由其东印度公司运来大批茶叶，企图低价出售。殖民地抗议者建立警戒线，阻止茶叶上岸。同

年12月16日波士顿的革命组织"自由之子"的成员在塞缪尔·亚当斯的率领下，登上运茶船，将价值15,000英镑的茶叶倾倒到大海中。英国变本加厉采取高压政策。1775年4月18日驻扎波士顿的英军总司令派军队到波士顿附近的康科德搜缴民兵军火，逮捕革命领袖。民兵在英军途经的列克星敦进行了武装抵抗，打响了美国独立战争的第一枪。革命者三天之内集结了20,000民兵，包围了波士顿的英军，推翻了波士顿的亲英政府。5月10日，各殖民地的代表召开第二次大陆会议，决定正式向英国宣战，组织美国大陆军，任命乔治·华盛顿为大陆军总司令。美国的独立战争开始了。1776年7月4日，大陆会议通过了托马斯·杰斐逊(后为美国第三任总统)等人起草的《独立宣言》，庄严宣告北美13个殖民地脱离英国而独

乔治·华盛顿

托马斯·杰斐逊

立。《独立宣言》被大陆会议通过的日子——7月4日规定为美国的国庆节。

《独立宣言》发表后，美国人民在华盛顿等革命领袖的领导下，经过六年的浴血奋战，最后取得胜利。1783年英国正式承认美国的独立。1789年，制定了美国宪法，使分散的各州真正形成了统一的合众国。

美国独立后，通过战争和"购买"的手段，使其版图不断扩张。主要的事件有：1883年美国从法国手中购买了法国原来占领的路易斯安那；通过战争和购买从西班牙手中夺取了佛罗里达、得克萨斯、新墨西哥、加利福尼亚；从俄

签署《独立宣言》

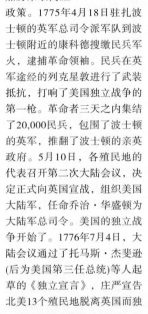

国手中购取了阿拉斯加等大片土地。美国的版图在独立后的80年内增加了8倍。

美国的发展也不是一帆风顺的，发生在1861年~1865年的南北战争，就是美国历史上最为惨痛的一页。南北战争是主张蓄奴的南部11州与反对蓄奴的北方23州的战争。南部11州的农场主为永久维持奴隶制度建立联盟，组织政府，向联邦政府挑起战争，企图分裂合众国，最后遭到了彻底的失败。当时的美国总统亚伯拉罕·林肯在捍卫美国的统一，解放黑人奴隶中做出了杰出的贡献。自此之后，美国本土再未发生过大规模的战争。

★ 民族、语言和宗教

2013年人口30,875万。人口种族构成(2010年)为白人占64%、拉美裔占16.3%、黑人占12.6%、亚裔占4.7%。

通用英语。墨西哥人讲西班牙语，印第安人讲美洲印第安语，各国移民后裔除使用英语外，仍多操祖先语言。

51.3%的居民信奉基督教

★ 行政区划

全国由50个州和一个特区（哥伦比亚特区）组成，有3,042个县。联邦领地包括波多黎各和北马里亚纳；海外领地包括关岛、美属萨摩亚、美属维尔京群岛等。首都华盛顿（哥伦比亚特区）。

新教，23.9%信奉天主教，1.7%信奉犹太教，1.7%信奉摩门教，1.6%信奉其他宗教，不属于任何教派的占4%。

★ 自然环境和资源

美国的面积9,372,614平方千米，居世界第四位。其本土位于北美洲中部，北邻加拿大，南接墨西哥，东濒大西洋，西临太平洋。除本土外，领土还包括北美洲西北端的阿拉斯加州、中太平洋的夏威夷群岛等。

美国的地形较为独特，起于东北沿大西洋边缘向西南延伸的阿巴拉契亚山脉和起于西北与太平洋沿岸平行向西南延伸的落基山脉，在本土上呈现一个倒写的"八字"型。两山之间则是密西西比河。该河长6,262千米，为世界第四大河。密西西比河流域是世界上最大的平原区之一，也是美国和世界最大的粮仓。这样一个基本的地形结构，使北极和大湖区的冬天冷空气有时能直达加勒比海，而加勒比海的夏秋飓风又能北上美国北部和东北各州。阿巴拉契亚山脉绵延2,600千米，一般高度为1,000~1,500米，山脊东侧多瀑布、跌水，称为瀑布线。19世纪以前，水力是最主要的动力源，瀑布线一带水力资源丰富，因而成为早期许多城镇和工业的集中地区。山脉的中南部则多溶洞、怪石，构成了著名的风景带。东部沿海是大西洋沿

岸平原，从东北部海岸一直延伸到墨西哥边境。落基山脉是东部大西洋水系和西部太平洋水系的分水岭，绵延5,000余千米，平均海拔2,000~3,000米，最高峰惠特尼山海拔4,418米。山势宏伟，高耸入云。落基山脉以西为山地及山间高原，中南部少雨多沙漠。多彩多姿的地形及独特的地理位置，使美国的气候有明显的地域差异，复杂多样。东北部沿海和五大湖地区属大陆性温带气候，四季分明。东南部和墨西哥湾沿岸地带属亚热带气候。夏威夷及佛罗里达半岛南端属热带气候。中南部和西南部多沙漠。太平洋沿岸北部华盛顿州等地为太平洋温带雨林区，降水十分充沛，多森林。落基山脉以西地区分为干、雨两季，夏季干旱，冬季多雨。

美国的自然资源丰富。耕地、草原、森林面积均居世界前列。矿产中铁、铜、铅、锌、石油、天然气、钾盐等储量居世界前列。总体说来降水充沛，但大平原区时有旱灾发生；宜耕宜牧土地十分广大，占世界宜耕总面积的12%，可供开发的林区占美国领土的30%。

★ 经济

美国建国初期，经济以农业和手工制造业为主；南北战争后资本主义经济迅速发展，到第一次世界大战时已成为世界第一经济大国。第一次世界大战后的20年代美国经济发展很快，但30年代则陷入了世

美国概况

界性的经济萧条之中。1932年后，富兰克林·罗斯福总统实行了"新政"(主要内容是：刺激私人投资；提高农产品价格，减少农产品产量；新建公共工程，增加就业；给失业者最低限度的社会救济)，美国经济得以恢复，迎来了数十年的繁荣发展期。直至1970年，由于越战等原因，经济出现了长达十余年的停滞期。1980年，罗纳德·里根当选为总统，实行减税，削减开支，任期八年内，国民生产总值增长31%，其后的克林顿总统任期八年中国民生产总值增长38%。但2000年后，特别是2001年9月11日的"恐怖袭击"后，随着网络经济"泡沫"的破灭，经济又遇到较大困难。伊拉克战争则加重了政府的开销。2007年初，美国公债总额为8,978.5亿美元。

2011年，国内生产总值150,940亿美元(按当年价格计算)，其中农业产值约占1.2%，服务业产值约79.6%，工业产值约占19.2%。人均国内生产总值48,147美元(根据IMF数据)。

美国是自由市场经济国家。属于政府的公司、企业较少，绝大多数为民营股份有限公司。政府对经济的干预较少。1980年以来，美国已从世界最大的债权国变为债务国。2005年国债总额已占国民生产总值的64%，是1950年以来的最高点。

美国的主要工业是石油产品、钢铁、汽车、航空设备、电子和通讯设备、化肥、水泥、塑料及新闻纸、机械等。美国的农业中玉米、大豆、小麦产量居世界前茅。进出口中有大量逆差，2010年出口总额为1.83万亿美元。主要出口产品所占份额分别为：大豆、水果、玉米等农产品占9.2%；有机化工品占26.8%；资本商品、半导体、飞机、汽车零件、计算机、通讯器材等占49%；消费商品(汽车、医药品)占15%。主要出口国为加拿大、墨西哥、日本、英国、中国等。

2011年，美国商品和服务贸易总额为4.77万亿美元，较2010年增长14.2%；其中进口额为2.67万亿美元。主要产品有农产品4.9%；工业原料32.9%(其中原油8.2%)；资本商品30.4%(计算机、通讯、汽车零件、办公设备、发电机械)；消费商品(汽车、服装、药品、家具、玩具)31.8%。主要进口国家为加拿大(20%)、中国(15%)、墨西哥(10%)、日本(9%)、德国(5%)。

按中方统计，2011年中美贸易总额达4,466.5亿美元，其中中国对美出口额为3,245亿美元，中

时区 ☆

美国大陆本土横跨4个时间带：即东部标准时间、中部标准时间、山岳地带标准时间、太平洋标准时间。阿拉斯加州和夏威夷州则统一为另一时区。

国自美国进口额为1,222亿美元。中方顺差2,023亿美元，美国、中国为第二大贸易伙伴。

美国重视教育科学研究，完成了人类工业史上的许多重要发明，如工业生产线、飞机、电灯、电话、原子能、宇航、计算机、网络技术等。

纵观美国经济发展，可以看到，美国建国不过200余年，但经济高度发达。综合国力近百余年来一直位居世界首位。目前，美国经济在经历了国际金融危机之后，开始复苏，经济出现一些积极迹象。2008年人均生产总值47,000美元。

美国的工业分布大体可分为三大区域：东北地区，包括新英格兰、芝加哥、匹兹堡、底特律等为"制造业

航空航天

区"；南部地区，包括得克萨斯州、佛罗里达州的广大地区为石油化工、宇航的中心；沿太平洋海岸的西部地区为石油、电子、飞机制造、军事工业及高科技区，圣弗朗西斯科(旧金山)附近的"硅谷"是世界电脑及信息技术的中心。美国的农业高度机械化，农业人口不足总人口的7%，不仅养活了全国的人口，还是世界大豆、小麦等最大的出口国。

美国联邦政府规定的最低工资指数为5.15美元/小时，但许多州的规定则高于此数。

★ 交通运输

汽车运输为美国的主要交通运输手段，高速公路为交通

运输的命脉。人们说：美国是一个建立在汽车轮子上的国家。用此话形容汽车在美国经济和生活中的地位实不为过。在美国辽阔的国土上，高速公路如网织织，大小汽车昼夜奔驰。2008年美国拥有的高速公路总里程约为7,504万千米；汽车共约有2.4亿辆，其中小轿车约为1.4亿辆，大客车约为81万辆，卡车约1.04亿辆。

美国的铁路2005年总长22.5万千米。货运系统繁忙，管理先进，居世界领先地位。但由于幅员辽阔，火车客运从20世纪70年代开始呈下滑趋势，不少客运公司纷纷倒闭，远途客运多被航空取代。

美国的航空运输发达，2004年世界最繁忙的30个客运机场中有17个在美国，哈茨菲尔德杰克逊亚特兰大国际机场的客运吞吐量位居世界前列；世界最繁忙的30个货运机场中有12个在美国，孟菲斯国际机场的货运吞吐量位居世界前列。2010年，美国共有机场约15,079个。

海运的主要集装箱港口有洛杉矶、长滩、纽约等；散货的最大港口则是休斯敦和纽约。

★ 人文

美国是一个移民的国家，除现有的85万印第安人是原住民外，其余的人口都是世界各地的移民及其后裔。美国建国初期，由于土地辽阔，资源丰富，自然条件良好，加之社会环境相对稳定、宽松，能给人们提供更多的机会和挑战，并带给人们较丰厚的报酬，因而吸引了大量的移民向这片土地迁徙。早期的移民主要来自欧洲，按1820年~1970年统计，主要移民族裔为：英国(占全国人口的6.9%)、德国(6.9%)、意大利(5.1%)、爱尔兰(4.7%)、奥地利、匈牙利、俄国、瑞典等。南美洲及加拿大移民也占很大数目。1970年以后，加勒比海地区、墨西哥等地移民和亚洲移民大大增加。1988年的统计显示，当年的欧洲移民只占10%。亚洲移民主要来自中国、印度、韩国、越南等国。移民作为人类社会中最具活力的群体，他们在美国的开发和建设中做出了重大的贡献。没有移民，就没有今日的美国。

各地的移民带来了丰富的民族文化，又都融合于美利坚文化之中。然而这里的种族矛盾和种族歧视仍然是十分尖锐和严重的。

中小学教育主要是由各州教育委员会和政府管理。学校分公立、私立两类。多数州实行十年义务教育。成年人中27.2%受过高等教育。在世界排名前500所大学中，有168所在美国，排名前20所大学中，有17所在美国。很多优秀的学生来到美国留学，最后留在了美国，成了美国杰出的科技人才。

在美国的文化生活中，好莱坞的电影和百老汇的戏剧有很大影响。不少城市都有世界知名的交响乐团。竞技体育中，美式足球、棒球、篮球、冰球、网球、汽车赛车、拳击、高尔夫球等，深受人民的欢迎。

分州介绍

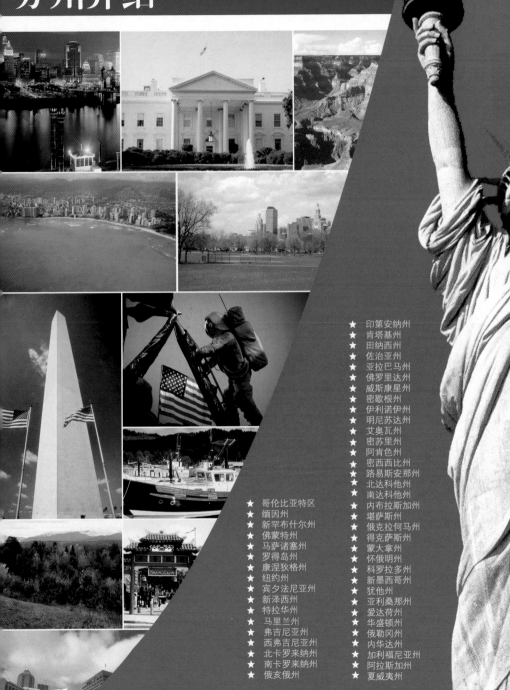

★ 哥伦比亚特区
★ 缅因州
★ 新罕布什尔州
★ 佛蒙特州
★ 马萨诸塞州
★ 罗得岛州
★ 康涅狄格州
★ 纽约州
★ 宾夕法尼亚州
★ 新泽西州
★ 特拉华州
★ 马里兰州
★ 弗吉尼亚州
★ 西弗吉尼亚州
★ 北卡罗来纳州
★ 南卡罗来纳州
★ 俄亥俄州

★ 印第安纳州
★ 肯塔基州
★ 田纳西州
★ 佐治亚州
★ 亚拉巴马州
★ 佛罗里达州
★ 威斯康星州
★ 密歇根州
★ 伊利诺伊州
★ 明尼苏达州
★ 艾奥瓦州
★ 密苏里州
★ 阿肯色州
★ 密西西比州
★ 路易斯安那州
★ 北达科他州
★ 南达科他州
★ 内布拉斯加州
★ 堪萨斯州
★ 俄克拉何马州
★ 得克萨斯州
★ 蒙大拿州
★ 怀俄明州
★ 科罗拉多州
★ 新墨西哥州
★ 犹他州
★ 亚利桑那州
★ 爱达荷州
★ 华盛顿州
★ 俄勒冈州
★ 内华达州
★ 加利福尼亚州
★ 阿拉斯加州
★ 夏威夷州

哥伦比亚特区 DISTRICT OF COLUMBIA

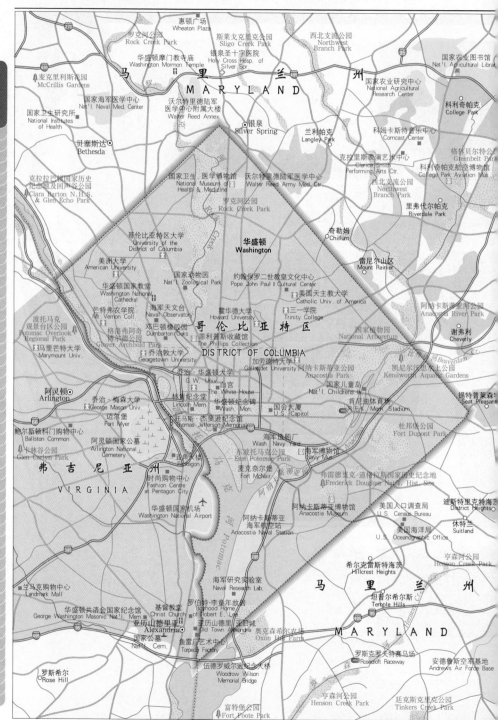

惠顿广场
Wheaton Plaza

罗克河公园
Rock Creek Park

斯莱戈克里克公园
Sligo Creek Park

西北支流公园
Northwest Branch Park

华盛顿摩门教寺庙
Washington Mormon Temple

镇泉圣十字医院
Holy Cross Hosp. of Silver Spr

国家农业图书馆
Nat'l. Agricultural Librar

麦克里利斯花园
McCrillis Gardens

M A R Y L A N D

国家农业研究中心
National Agricultural Research Center

科利奇帕克
College Park

国家海军医学中心
Nat'l. Naval Med. Center

沃尔特里德陆军医学中心附属大楼
Walter Reed Annex

银泉
Silver Spring

兰利帕克
Langley Park

科姆卡斯特音乐中心
Comcast Center

格林贝尔特公
Greenbelt Park

国家卫生研究所
National Institutes of Health

贝塞斯达
Bethesda

国家卫生、医学博物馆
National Museum of Health & Medicine

沃尔特里德陆军医学中心
Walter Reed Army Med. Ctr.

克拉里斯表演艺术中心
Clarice Smith Performing Arts Ctr.

科利奇帕克航空博物馆
College Park Aviation Museum

克拉拉巴顿国家历史纪念地及回声谷公园
Clara Barton N.H.S. & Glen Echo Park

西北支流公园
Northwest Branch Park

里弗代尔帕克
Riverdale Park

罗克河公园
Rock Creek Park

哥伦比亚特区大学
University of the District of Columbia

华盛顿
Washington

奇勒姆
Chillum

美洲大学
American University

国家动物园
Nat'l. Zoological Park

约翰保罗二世教皇文化中心
Pope John Paul II Cultural Center

美国天主教大学
Catholic Univ. of America

雷尼尔山区
Mount Rainier

华盛顿国家教堂
Washington National Cathedral

海军天文台
Naval Observatory

霍华德大学
Howard University

三一学院
Trinity College

波托马克观景台区公园
Potomac Overlook Regional Park

芒弗农学院
Mt. Vernon Coll.

格洛弗博沃德公园
Glover Archbold Park

邓巴顿橡胶园
Dumbarton Oaks

阿纳卡斯蒂亚河公园
Anacostia River Park

哥 伦 比 亚 特 区

菲利普斯收藏馆
The Phillips Collection

国家植物园
National Arboretum

谢弗利
Cheverly

马里芒特大学
Marymount Univ.

乔治敦大学
Georgetown University

DISTRICT OF COLUMBIA

加劳德特大学
Gallaudet University

阿纳卡斯蒂亚公园
Anacostia Park

凯尼尔沃思水上公园
Kenilworth Aquatic Gardens

阿灵顿
Arlington

乔治·梅森大学
George Mason Univ.

乔治·华盛顿大学
G. W. Univ.

白宫
The White House

国家儿童岛
Nat'l. Childrens Is.

锡特普莱森
Seat Pleasant

迈尔堡
Fort Myer

林肯纪念堂
Lincoln Mem.

华盛顿纪念碑
Wash. Mon.

国会大厦
U.S. Capitol

肯迪体育场
R.F.K. / Mem. Stadium

杜邦堡公园
Fort Dupont Park

鲍尔斯顿科门购物中心
Balliston Common

阿灵顿国家公墓
Arlington National Cemetery

托马斯·杰斐逊纪念馆
Thomas Jefferson Memorial

海军造船厂
Wash. Navy Yard

海军博物馆
Navy Mus.

卡林谷公园
Glen Carlyn Park

五角大楼
Pentagon

麦克奈尔堡
Fort McNair

弗雷德里克·道格拉斯国家历史纪念地
Frederick Douglass Nat'l. Hist. Site

迪斯特里克茨海茨
District Heights

V I R G I N I A

时尚购物中心
Fashion Centre at Pentagon City

东波托马克公园
East Potomac Park

美国人口调查局
U.S. Census Bureau

休特兰
Suitland

华盛顿国家机场
Washington National Airport

阿纳卡斯蒂亚博物馆
Anacostia Museum

美国海洋局
U.S. Oceanographic Office

阿纳卡斯蒂亚海军航空站
Anacostia Naval Station

海军研究实验室
Naval Research Lab.

希尔克雷斯特海茨
Hillcrest Heights

亨森河公园
Henson Creek Park

基督教堂
Christ Church

罗伯特·李章年故居
Boyhood Home of Robert E. Lee

坦普尔希尔斯
Temple Hills

M A R Y L A N D

华盛顿共济会国家纪念堂
George Washington Masonic Nat'l. Mem.

亚历山德里亚
Alexandria

老亚历山德里亚城
Old Town Alexandria

奥克森希尔农场
Oxon Hill Farm

国家公墓
Nat'l. Cem.

鱼雷厂艺术中心
Torpedo Factory

罗斯克罗夫特赛马场
Rosecroft Raceway

安德鲁斯空军基地
Andrews Air Force Base

罗斯希尔
Rose Hill

伍德罗·威尔逊纪念大桥
Woodrow Wilson Memorial Bridge

富特堡公园
Fort Foote Park

亨森河公园
Henson Creek Park

廷克斯克里克公园
Tinkers Creek Park

比例尺 1 : 146 000

哥伦比亚特区 District of Columbia

英文缩写：	D.C.
面积：	178平方千米
人口：	60万

　　哥伦比亚特区为联邦直辖特区，首都华盛顿所在地，其行政范围与华盛顿市一致。通常华盛顿也指哥伦比亚特区。本区位于美国东部，近乎东海岸南北的中点。地势平坦，小有起伏。北、东、南三面临马里兰州，西南与弗吉尼亚州接壤。气候温和，四季分明。夏秋之际多受飓风影响，常见雷雨。

　　从1800年起，华盛顿一直是美国的首都。在此之前美国的首都曾经是纽约和费城。该地属美国联邦政府直接管辖，城市的最高权力机构为美国议会，通过市政府实施管理。城市分为东南、南北、西北、西南4个区。城市以美国的第一任总统乔治·华盛顿命名。这里是美国的政治中心。除美国政府的机构外，世界银行、国际货币基金组织、美洲国家组织等国际组织总部也设在这里。华盛顿白天人口近百万，居民人口近60万。居民人口中60%以上是黑人、35%为白人。居民中72%是基督徒。

　　华盛顿的经济在很大程度上和联邦政府关联，27%的居民在联邦政府中就业。其次的就业行业为学校、医院和传媒机构。所以受经济萧条影响较小。2009年的国民生产总值为992亿美元，由于富人多已迁离城区，22.2%的居民生活在贫困线以下。

　　把华盛顿定为首都是由美国建国初期的领袖们讨论决定的。托马斯·杰斐逊等人提出把首都建在"南北自然分界的波托马克河畔，即原先印第安人的荒野沼泽之中"。他的意见得到汉米尔顿的支持，最终的方案得到了华盛顿总统的批准。首都的规划设计是由法国出生的建筑师皮埃尔·夏尔·朗方进行的，最终的设计是：国会选定在市区最高的琴金斯山顶。以国会山和总统官邸(白宫)作为首都的中心。两者要分开距离，以表示立法和行政分离。然后从这两处向四面八方辐射出多条以美国各州的名字命名的街道。除政府办公大楼外，还有许多图书馆、博物馆、纪念碑、纪念堂、剧场、大学等。该城的环境幽静，有300余处大小公园、绿地。人均绿地40平方米。

　　华盛顿市交通方便，有三个机场和四通八达的铁路、公路，是以政府公务和旅游为主的城市。每年接待游客1,750万人。公立大学主要有哥伦比亚特区大学等，私立的乔治敦大学为全国名校。

白宫 The White House

　　美国总统的官邸，也是美国政府的代名词。由美国建筑师詹姆士·霍本设计，1800年初步建成。除华盛顿总统外，历任美国总统都曾居住在这里。对公众开放的部分有东厅、绿厅、红厅、总统图书馆等，包括了白宫的大部分建筑。除有官方活动或主要节日外，一律对外开放。免费领票参观。

白宫

华盛顿纪念碑 Washington Monument

华盛顿纪念碑

　　位于宪法大街和独立大街之间，从白宫沿14街向南走即到。是世界最大的石造碑之一，于1976年为纪念美国建国200周年而建立。碑重约9.1万吨，高169.3米，碑底面积为38.6平方米，周围插有50面州旗。有电梯通达150米高的瞭望台。在碑顶可将华盛顿市区景色尽收眼底。

街 旧石屋
Old Stone House

街 ■消防站
Fire Sta

M

M St.

切萨皮克－俄亥俄运河
Chesapeake and Ohio Canal

哥伦比亚妇女医院
Columbia Hospital for Women

国家地理学会
National Geographi

五月花饭店
Mayflower Hotel

惠斯特高速公路
Whitehurst Freeway

华盛顿广场
Washington Circle

K 街

法拉格特广场
Farragut Square

弗朗西斯·斯科特·基桥
Francis Scott Key Bridge

23rd

乔治·华盛顿大学医院
George Washington Univ. Hospital

Pennsylvania Ave

迪凯特邸宅
Decatur Hous

17th St

乔治·华盛顿大学
George Washington
University

伦威克画廊
Renwick Gallery

乔治敦
Georgetown

水门大厦
Watergate Complex

行政大楼
Executive Office Buildin

西奥多·罗斯福纪念碑
Theodore Roosevelt Memorial

约翰·肯尼迪表演艺术中心
John F. Kennedy Center
for the Performing Arts

美国红十字会
American Red Cross

美国总务管理局
General Services
Adm. Bldg.

八角屋
Octagon Hs

利托尔河 Little River

国务院
State Department

科伦艺术馆
Corcoran Gallery

西奥多·罗斯福岛
Theodore Roosevelt Island

海军军医局
Navy Bureau of
Medicine and Surgery

23

Virginia

内政部
Dept. of
Interior

红十字会
Red Cross

宪法大厅
Constitution Hall

联邦储备委员会
Fed. Reserve Bd

美洲国家组织大楼
Organ. of American States

国家科学院
National Academy
of Sciences

美洲国家组织
OAS Annex

西奥多·罗斯福桥
Theodore Roosevelt Bridge

第二师纪
Second Div
Monumer

硫磺岛海军陆战队纪念碑
U.S. Marine Memorial
(Iwo Jima)

越战退伍军人纪念墙
Vietnam Memorial

宪法公园
Constitution Gardens

倒影池 Reflecting Pool

琼斯纪念碑
John Paul Jones N

荷兰乐钟
Netherlands Carillon

林肯纪念堂
Lincoln Memorial

战争纪念碑
D.C. War Memorial

奥德－韦兹尔门
Ord & Weitzel Gate

阿灵顿桥
Arlington Memorial Bridge

独立大街
Independence Ave

波托马克河
Potomac

哥伦比亚岛
Columbia Island

西波托马克公园
West Potomac Park

潮汐湖
Tidal Basin

阿灵顿纪念路
Memorial

富兰克林·罗斯福纪念公园
Franklin D. Roosevelt Memorial

旅客接待中心
Visitors Center

伯德·约翰逊夫人公园
Lady Bird Johnson Park

肯尼迪墓
John F. Kennedy Grave

哥
Potomac

弗吉尼亚州
VIRGINIA

伯德·约翰逊夫人纪念碑
Lady Bird Johnson Memorial

北停车场
North Parking Area

海军及海军陆战队纪念碑
Navy & Marine Memorial

乔治·梅森桥
George Mason Bridge

阿兰·威廉斯桥
Arland D. Williams Jr.

阿灵顿国家公墓
Arlington National Cemetery

潟湖
Lagoon

长桥
Long B

五角大楼（国防部）
Pentagon (Department of Defense)

托马斯广场
Thomas Circle

西北区
North West

机场巴士站
Airport Bus Terminal

克弗森广场
Pherson Square

退伍军人管理局
Veterans Adm.

圣约翰教堂
St. Johns Ch.

拉法耶特公园
Lafayette Park

财政部
Treasury Dept.

国家剧院
National Theater

谢曼将军像
General Sherman Statue

商务部
Dept. of Commerce

形广场
Ellipse

国家水族馆
Nat. Aquarium

喷水池
aupt Fountains

美国历史博物馆
National Museum of American History

华盛顿纪念碑
Washington Monument

剧院
Sylan Theater

审计办公楼
Auditors Building

印刷局
Bureau of Engraving & Printing

朗方广场
L'Enfant Plaza

伦 比

杰斐逊纪念碑
ass Jefferson Memorial

东波托马克公园
East Potomac Park

乌街
New York Ave

芒特弗农广场
Mt. Vernon Square

富兰克林公园
Franklin Park

城城会议中心
Convention Center

文艺妇女博物馆
National Women in Arts Mus.

马丁·路德金图书馆
Martin Luther King Library

国家肖像陈列馆
National Portrait Gallery

福特剧院
Fords Theater

彼得森邸宅
Petersen Hs

联邦调查局
FBI Building

旧邮局展览馆
Old Post Off. Pavilion

奥斯卡施特劳斯喷泉
Oscar Straus Fountain

劳工部
Labor Dept

宪州商务
Internal Revenue

州际商务委员会
Interstate Commerce

宪 法

雕塑公园
Nat. Sculpture Garden

国家自然史博物馆
National Museum of Natural History

史密森学会
Smithsonian Institution (Castle)

弗里尔美术馆
Freer Gallery

非洲艺术博物馆
Nat. Mus. of African Art

立
Indep

农业部
Dept. of Agriculture

福里斯特大厦
Forrestal Bldg

能源部
Energy Dept

印刷局附属大楼
Bureau Annex

住房和城市发展部
Dept. of Housing & Urban Development

比 亚

弗朗西斯·凯斯桥
Francis Case Bridge

游艇俱乐部
Capitol Yacht Club

DISTRICT OF COLUMBIA

公园警察总部
Park Police Headquarters

图书馆
Library

唐人街
Chinatown

总审计局
General Accounting Office

国家美术博物馆
National Mus. Amercian Art

国家建筑博物馆
National Building Mus.

关税委员会
Tariff Commission Bldg

司法部广场
Judiciary Square

美国海军纪念馆
U.S. Navy Memorial

哥伦比亚地区法院
D.C. Courthouse

司法部
Justice Dept

国家档案馆
National Archives

法
Mall

国家美术馆
National Gallery of Art

街

雕塑园
Sculpture Garden

国家宇航博物馆
National Air & Space Museum

非洲艺术·赫什霍恩博物馆
African Art Hirshhorn Mus.

联邦航空管理局
Federal Aviation Admin

国家航空航天局
NASA

美国之音广播电台
Services Voice of America

联邦勤务总署地方办公楼
GSA Regional Office Building

运输部
Dept. of Trans Portation

市政中心
Municipal Center

劳工部
Department of Labor

法院
U.S. Courthouse

国家美术馆东楼
Nat. Gall. of Art East Bldg

国会山倒影池
Capitol Reflecting Pool

植物园
U.S. Botanic Garden

卫生与公众服务部
Dept of Health & Human

雷本办公大楼
Rayburn Bldg

朗沃思办公大楼
Long Worth Bldg

联邦政府办公大楼
Federal Office Bldg

国会山发电厂
Capitol Power Plant

西南高速公路
Southwest

东南大学
Southeastern University

西南区
South West

兰德尔高中
Randall High Sch

图书馆
Library

竞技舞台剧院
Arena Stage

特
Freeway

加菲尔德公园
Garfield Park

M St

海军造船厂
Washington Navy Yard

"灰狗"巴士站
Greyhound Trailways Bus Terminal

首都儿童博物馆
Capital Childrens. Mus.

政府印刷局
Government Printing Office

市邮局局
City Post Office

哥伦布喷泉
Columbus Mem. Fountain

联邦车站广场
Union Station Plaza

参议院办公大楼
Senate Offices Bldgs

拉塞尔办公大楼
Russell Bldg

德克森大楼
Dirksen Bldg

最高法院
Supreme Court

和平纪念碑
Peace Mon

格兰特雕像
Grant Statue

塔夫脱纪念碑及钟楼
Taft Mem. Garillon

众议院办公大楼
House Office Bldg

坎农办公大楼
Cannon Bldg

麦迪逊大楼
Madison Bldg

国会大厦
U.S. Capitol

国会图书馆
Library of Congress

杰斐逊大楼
Jefferson Bldg

Constitution Ave.

Independence Ave

Washington Channel

Maine Ave

华盛顿市中心
WASHINGTON CENTER
1 : 30 000

林肯坐像

林肯纪念堂 Lincoln Memorial

　　位于国会大厦及华盛顿纪念碑的延长线上，面对华盛顿纪念碑及国会大厦。纪念堂正中是巨大的林肯坐像。南北两面墙壁上刻有林肯在葛底斯堡和就任第二任总统时的演说。

国会大厦 United States Capitol

　　美国国会所在地，是制定法律的地方。大厦依山而建，气势恢宏。主体建筑是威廉姆·索唐的设计，共有550个房间。国会的圆形大厅是世界上最大的圆形大厅之一，厅中展有美国革命历史题材的巨型油画。雕像馆中每州有两名代表人物的立像。这两个大厅及参、众两院会场等都供游人免费参观。

国会大厦

托马斯·杰斐逊纪念堂
Thomas Jefferson Memorial

　　杰斐逊是美国的开国元勋、《独立宣言》的起草人，也是第三任总统，完成"印第安那购并"的人。纪念堂是一个圆形的建筑，在54根汉白玉的石柱中央，矗立着6米高的杰斐逊青铜立像。

托马斯·杰斐逊纪念堂

富兰克林·罗斯福纪念公园
Franklin D. Roosevelt Memorial

位于托马斯·杰斐逊纪念堂和林肯纪念堂之间。用以纪念美国的第32任总统及他在任期中的事件。纪念公园设计别致，独具匠心。丰碑似的巨型花岗岩砌成石墙、瀑布、喷泉、池塘等建筑，将公园分割成相互连接的四个庭院，记述了总统四任中的重大事件。

国家美术馆 National Gallery of Art

由古典的西厅及现代的东厅组成。东厅是美籍华人建筑大师贝聿铭的杰作。西厅主要收藏13世纪以来欧洲绘画及雕塑珍品，以及殖民时期以来的美国美术作品。是世界上著名的艺术珍品收藏地。

国家美术馆

国家宇航博物馆 National Air & Space Museum

是世界最著名的博物馆之一，展出人类航空航天技术的发展历史。飞行馆陈列有莱特兄弟1903年发明的飞机、杰尔斯·林伯格的"圣·路易斯精神号"、约翰格兰的友谊七号飞船、阿波罗11号的指挥舱、火星探测登陆舱等。参观者可以用手触摸来自月球的岩石，也可以到空间站实体中行走。

阿灵顿国家公墓 Arlington National Cemetery

位于市区西部，和林肯纪念堂隔河相望。1864年联邦政府将该地建成国家公墓。该地安葬了上万名美军将士。美国第35任总统约翰·肯尼迪，遇刺殉职后用国葬的礼仪安葬在这里。墓前燃烧着长明的圣火。葬在这里的还有其夫人杰奎琳、儿子、女儿等。

国家自然史博物馆
National Museum of Natural History

位于国家美术馆西面。主要展出鸟类等动物生长史和各个不同的栖息地，并介绍美国印第安人过去和现在的生活实况。该馆一层是特别展厅；二层是长毛象、恐龙的骨骼标本，有世界最大的非洲巨象的标本，据说生前体重达12吨；三层是宝石厅，有44.5克拉名为"希望钻石"的大钻石，产于印度，发现于1640年。另一块是330克拉的"亚洲之星"蓝宝石。

国会图书馆 Library of Congress

在国会大厦的东侧，和最高法院相对。馆内藏书2,000余万部，以及数以百万计的图表、手稿、地图、期刊、报纸、音乐资料、唱片、电影胶卷及其他印刷品，总量达8,000余万件，其中手迹真稿就有3,500万件，是世界上藏书最多的图书馆。

史密森学会

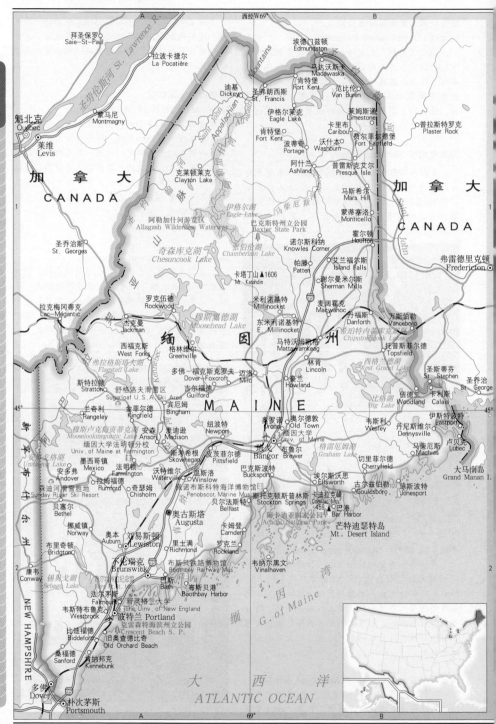

比例尺 1：2 800 000

缅因州 Maine

英文缩写:	ME
面积:	79,939平方千米
人口:	133万
州府:	奥古斯塔
面积排名:	第39位
加入联邦年代:	1820年
州花:	美国白皮松松果及其松针
州鸟:	黑顶山雀

是美国最东北部的州。北靠加拿大，南临大西洋，西接新罕布什尔州。地势北高南低，多山地。阿巴拉契亚山脉起于该州的西北，向西南延伸至佐治亚州。伊斯特波特(B2)和卢贝克(B2)分别是美国最东部的市和镇。本州属大陆性气候，冬季严寒，气温常到-10℃，加上寒风效应，令人感觉像-30℃；夏季温度高达25℃以上。降水充足，但少雷雨。雷雨天气每年不超过20天。

最早到达这里的欧洲人是法国探险家塞缪尔·尚普兰等。1624年定居马萨诸塞普利茅斯的一部分殖民者迁移到现州府所在地定居。

1820年根据"密苏里妥协"的决定缅因州以自由州的身份加入联邦，成为第23个州。本州人口中98%为白人，主要是法国、英国、爱尔兰、意大利后裔。居民中82%信仰基督教(新教52%，天主教25%)。

2009年国民生产总值为506亿美元，人均3.80万美元。主要农产品有禽、蛋、奶、肉牛以及兰莓、枫糖等。渔业曾经是本州经济的支柱，至今龙虾、蚌类水产仍很有名。工业有造纸、木材、森工，以及电子、制革、食品、纺织、生物技术等。

缅因州以风景秀丽著称。沿海山岛耸峙，碧浪滔天；州内山峦起伏，林木茂密，全州森林覆盖率超过90%，有"松林之州"的美誉；2,500多个大小湖泊星罗棋布，风光旖旎。这里夏天可避暑，冬天可滑雪，金秋红叶烂漫，加之盛产美味的龙虾海鲜，使这里一年四季游人如织，故缅因州又称"度假之州"。旅游和户外娱乐是该州的主要收入之一。

1号主要公路从本州起始，沿东部海岸线南下，直达美国国土最南端的基韦斯特。主要高速公路有I—95、I—295。波特兰国际机场和班戈国际机场是本州的主要空港。主要大学有缅因大学(B2)、新英格兰大学(A2)等。

州府奥古斯塔 Augusta (A2)

人口约2.1万。位于肯纳贝克河畔，是本州最早的殖民定居点，也是有名的度假胜地。1827年起为州府所在地。

波特兰 Portland (A2)

人口约6.4万。是本州最大的城市。濒临大西洋，坐落在两个丘陵半岛上。1632年开始有人居住。1820年~1832年曾定为州府。传统的捕鱼、造船、商业都很发达，现在主要是运输与商业中心，两次世界大战中曾经是重要的军舰生产基地。殖民时期的历史建筑有诗人沃兹沃思·朗费洛邸宅、泰特邸宅和波特兰角灯塔等。附近有克雷森特海滨州立公园。还有一个相当规模的艺术和自然史博物馆。

阿卡迪亚国家公园 Acadia National Park (B2)

位于班戈东南的芒特迪瑟特岛上，那里是大西洋最美的海岸线。国家公园内的卡迪拉克峰，高459米，是大西洋沿岸最高的山峰。山下林木茂密，峰顶岩石狰狞，是观赏海岸美景的最好去处。

阿卡迪亚国家公园

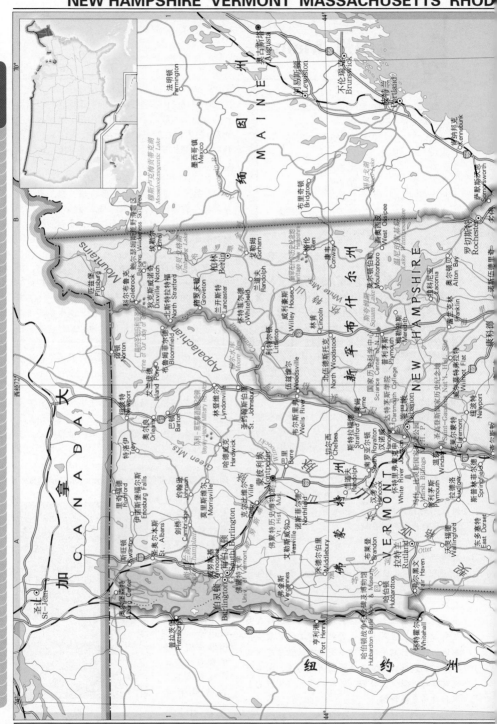

比例尺 1：1 880 000

新罕布什尔州 New Hampshire

英文缩写：	NH
面积：	约23,231平方千米
人口：	132万
州府：	康科德
面积排名：	第44位
加入联邦年代：	1788年
州花：	紫丁香
州鸟：	紫红朱雀

位于美国东北部，北接加拿大，东为缅因州和大西洋。全州大部分是山地，属于阿巴拉契亚山脉的怀特山(B2)。海拔较高，多滑雪胜地，森林覆盖率80%。本州盛产石料，以花岗岩最出名。夏季避暑，冬季滑雪，游人四季不断。这里有美国秋季最美的红叶，也有最恶劣气候的纪录。

1622年英国人约翰·梅森从英国国王那里得到该片授地，以英国罕布什尔郡命名，称为新罕布什尔。1776年宣告脱离英国独立，成为第一个自行制定州宪法，选举州政府的州。1852年本州出生的弗兰克林·皮尔斯当选为第14任美国总统。1952年被定为全美最先进行美国总统选举的州，其选举结果对全国有很大影响，所以备受重视。居民人口中95%为白人，主要是爱尔兰、英国、法国、德国的后裔。居民中85%信仰基督教。

2009年国民生产总值为589亿美元，人均4.46万美元。主要农牧产品有牛奶、肉牛、苹果等。工业有机械、电子设备、橡胶、塑料等。近年宇航工业发达，为美国工业化程度很高的州之一。旅游和户外娱乐是本州的一项主要收入。由于新罕布什尔州没有所得税，吸引了大批企业迁移到本州。

主要高速公路有I—89、I—93等。本州有公立大学7所，私立大学8所，其中私立的达特茅斯学院(A2)是常春藤盟校之一。

州府康科德 Concord (B2)

人口约3.6万。位于梅里马克河畔。早在1660年即为贸易据点，1765年设镇，1808年定为州府。

曼彻斯特 Manchester (B2)

人口约11万。位于本州中南部，为州最大的城市和工业中心。市内柯里尔美术馆建于1929年，收藏有莫奈、毕加索等欧洲名家的绘画作品。

朴次茅斯 Portsmouth (B2)

位于州东南沿海，为大西洋海港，城中多古建筑。1905年美国调停日本和俄国在此签定"朴次茅斯和约"，结束了日俄战争。

佛蒙特州 Vermont

英文缩写：	VT
面积：	23,956平方千米
人口：	63万
州府：	蒙彼利埃
面积排名：	第43位
加入联邦年代：	1791年
州花：	红苜蓿
州鸟：	隐士夜鸫

位于美国东北部的新英格兰地区。多山地，森林密布，主要树种为松树、云杉、铁杉、枞、桦、枫树等。夏季温和，冬季寒冷，气候湿润，冬季降雪1.5米～2.5米深，是滑雪的好地方。金秋时节，各种树木的叶子姹紫嫣红，阳光之下若彩虹洒落在青山，似云霞倒映在碧湖，是驱车赏红叶的胜地。

1609年，法国探险家塞缪尔·尚普兰来到这里，称之为"Les verts mont"（法语"绿色的山"），州名即从此而来。本州最大的湖则以尚普兰命名。1791年3月4日加入联邦，成为美国第14个州。1881年本州切斯特·阿瑟被任命为第21任总统。1923年，本州卡尔文·柯立芝就任第30任总统。1970年，环保法授权佛蒙特州可限制有害环境的重大开发活动。本州人口中白人约占98%，多为法国、英国、爱尔兰后裔。居民中67%信仰基督教，22%不信教。

2009年的国民生产总值为251亿美元，人均

3.98万美元。主要农产品有牛奶、奶制品、肉牛等，生产枫糖。旅游业是本州的主要收入。本州的巴里(A1)盛产花岗岩，品质第一，有"世界花岗岩之都"之称。本州也出产大理石。

主要高速公路有I—89、I—93等。主要大学有佛蒙特大学(A1)等。

州府蒙彼利埃 Montpelier (A1)

人口约8,200。位于格林山脉的主要出口处，有良好的滑雪场。1859年建成的州议会大厦有该州在美国独立战争中的英雄伊桑·艾伦的大理石雕像。

伯灵顿 Burlington (A1)

人口约3.91万。位于尚普兰湖畔，为本州最大的城市，工业、商业中心。也有本州最大的

机场。市北有佛蒙特大学。

本宁顿战争纪念碑和博物馆Bennington Battle Monument and Museum (A2)

位于本州西南角。纪念碑高92米，建于1891年，曾为世界上最高的战争纪念碑。纪念1777年佛蒙特民兵击败英军的战斗。登碑顶可以看到本州及纽约州、马萨诸塞州的景色。附近有博物馆。

马萨诸塞州 Massachusetts

英文缩写：	MA
面积：	20,300平方千米
人口：	655万
州府：	波士顿
面积排名：	第45位
加入联邦年代：	1788年
州花：	五月花
州鸟：	黑顶山雀

位于美国的东北部。名称来自印第安语，意思是"高山顶上的地方"。华人常称之为"麻省"。本州地势西高东低，中间是新英格兰丘陵，土地肥沃宽广。气候四季分明，夏天可到海滨消暑，去山溪中漂流；秋天全州红叶灿烂如霞；冬天这里有不少滑雪胜地。

1620年英国的清教徒乘"五月花号"帆船在本州的普利茅斯(B3)登陆，在这里度过了第一个最困难的冬天。第二年五谷丰收后，他们创立感恩节纪念。至今感恩节仍是美国民间最重要的节日。十年后另一批清教徒来到这里建立了波士顿。美国独立战争中，这里是革命的

中心之一，是独立战争打响第一枪，大陆民兵取得伟大胜利的地方。1788年宣布加入联邦。南北战争中，这里是废奴最坚决的州。人们说，"如果不提及马萨诸塞州，美国历史很多章节就会变成空白"。本州人口的88%为白人，主要是爱尔兰、意大利、法国、英国后裔；居民中79%信仰基督教(新教31%，天主教47%)。马萨诸塞州于2004年5月17日成为美国第一个允许同性婚姻的州。

2009年国民生产总值为3,624亿美元，人均5.53万美元。本州的农渔输出是海鲜、植物苗、牛乳类产品，科德角(B2)的红梅产量为全国第一。工业类的输出主要有机器、电机设备、科学仪器、印刷及出版等。旅游业是支柱产业之一。

主要高速公路有I—90、I—91、I—95、I—495等。本州是美国教育最发达的州。哈佛大学(B2)、麻省理工学院(B2)都在这里。另外还有属于"七姐妹名女校"的霍利奥克山学院(A2)、史密斯学院(A2)和韦尔斯利学院(B2)。公立的马萨诸塞大学(A2)也很有名。这些教育科研机构被称为二次世界大战后的"经济成长动力"，每年对于本州经济有70亿美元的助益。

州府波士顿 Boston (B2)

波士顿市区人口约为65万，加上其附近的城镇，又称大波士顿地区的人口为600万。

波士顿是美国历史最悠久的城市之一。1630年英国清教徒乘坐11艘帆船由约翰·温斯洛普率领在塞勒姆上岸，在查尔斯河畔的半岛上定居。他们以远在英国的家乡小镇波士顿为居住地命名，波士顿由此诞生。17世纪末，波士顿已发展成英国在北美殖民地中最繁忙的港口。

在殖民地和宗主国矛盾日益尖锐的时候，波士顿成为美国自由解放的精神首都。许多早期革命领袖如塞缪尔·亚当斯、约翰·汉考克、约翰·亚当斯都在这里生活和工作过。因此很多重大革命事件，如"波士顿惨案"、"波士顿倾茶事件"、"列克星敦的枪声"、"邦克山战斗"都发生在这里。华裔建筑大师贝聿铭先生，通过一系列现代建筑的设计，使波士顿呈现出传统与现代相结合的新容貌。

波士顿最初是海港商埠，后发展成工业基地，目前则是宇航、导弹、电子技术、学术文化中心。

波士顿的主要名胜：

自由之路是市政当局为游人设计的一条观光路线，用红砖在地面上砌出，长2.5千米。起点是波士顿公园，串连起波士顿最著名的历史遗迹，终结于邦克山纪念碑。波士顿还是著名的文化中心，拥有波士顿交响乐团、芭蕾舞团等一流文艺团体。

波士顿市中心
BOSTON CENTER

科普斯山墓地
Copps Hill Burying Ground

北站：波士顿花园和弗利特中心
North Station–Boston & Garden Fleet Center

旧北教堂
Old North Church

奥尼尔联邦大厦
T.P. O'Neill Federal Bldg.

保罗·里维尔故宅
Paul Revere House

波士顿内港
Boston Inner Harbor

州服务中心
State Service Center

市停车处
Mun. Parking Garage

邮局
Post Office

约翰·肯尼迪联邦大厦
John F. Kennedy Federal Building

滨水公园
Waterfront Park

州政府办公大楼
State Office Bldg.

中央广场
Center Plaza

昆西商场
Quincy Markets

萨福克大学
Suffolk Univ.

新市政府
New City Hall

法尼尔大厦
Faneuil Hall

新英格兰水族馆
New England Aquarium

法院
Ct. Hse.

议会大厦
State House

波士顿惨案遗址
Boston Massacre Site

海关大楼
Custom House

威拉德树林
Willard Woods

汉考克·克拉克故宅
Hancock–Clarke Hou

列克星敦
Lexington Battle Gr

蒙罗酒馆
Munroe Tever

国家遗产保护区
Mus. of our Nat'l. Heri

船运遗迹
Harbor I.

沃尔瑟姆
Waltham

本特利学院
Bentley Co

莱曼庄园
Lyman Estate

普罗斯佩克特山公园
Prospect Hill Park

查尔斯河工业博物馆
Charles River Mus. of Industry

韦兰
Wayland

韦斯顿
Weston

布兰代斯大学
Brandeis Univ.

雷吉斯学院
Regis Coll.

拉塞尔学院
Lasell College

纽顿·韦尔斯利医院
Newton Wellesley Hospital

下游瀑布公园
Lower Falls Park

赫姆洛克峡保护区
Hemlock Gorge Res.

地图、地球仪博物馆
Map & Globe Mus.

内蒂克购物中心
Natick mall

商会
C. of C.

巴布森学院
Babson Coll.

弗雷明汉州立学院
Framingham State Coll.

韦尔斯利学院
Wellesley Coll.

韦尔斯利
Wellesley

尼德姆
Needham

市西哥伦比亚医疗中心
Columbia Metrowest Med. Cen.

内蒂克
Natick

弗雷明汉
Framingham

阿什兰
Ashland

舍本
Sherborn

查尔斯
Charles

波士顿附近
BOSTON & VICINITY
1 : 240 000

韦斯特伍德
Westwood

梅德菲尔德州立医院
Medfield State Hosp.

波士顿

马萨诸塞州

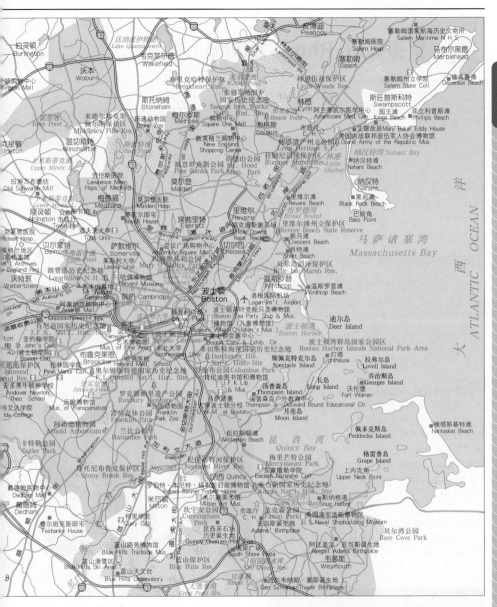

剑桥 Cambridge (B2)

人口约9.6万。与波士顿一河之隔的剑桥是著名的大学区。其中哈佛大学创建于1636年，它是美国最早也是第一流的一所大学，其毕业生中有6位美国总统，30多位诺贝尔奖获得者。现有在校生1.8万人。另一所最著名的大学则为建于1861年麻省理工学院。它位于剑桥南查尔斯河畔，是一所私立的高等学府，以其科学训练和研究闻名于世。历来它的入学考试竞争十分激烈，因而学生素质极高。

哈佛大学校园

罗得岛州 Rhode Island

英文缩写:	RI
面积:	2,707平方千米
人口:	105万
州府:	普罗维登斯
面积排名:	第50位
加入联邦年代:	1790年
州花:	紫罗兰
州鸟:	罗得岛红鸡

位于美国东北部,是美国最小的一个州。本州丘陵起伏,森林茂盛,大小湖泊明澄如镜,海岸线优美绵长,利于各种水上活动。这里一年四季风光旖旎,吸引大量游客。

1524年意大利航海家韦拉扎诺第一次到达这里。1636年罗杰·威廉姆斯从两名印第安酋长处购买了这片土地,建立了定居点,并于1663年获英国国王特许建立了罗得岛殖民区和普罗维登斯种植园。罗得岛虽小,但在美国独立进程中却表现得十分坚决。1774该殖民地宣布禁止奴隶进口,是全国第一个废奴的州。1776年罗得岛州又比其他州早二个月宣布脱离英国独立。1790年5月29日承认联邦宪法,是正式加入联邦的第13个州。本州人口中90%为白人,多意大利、爱尔兰后裔;居民中87.5%信仰基督教(新教21.6%,天主教63.6%)。

本州早期以运输和造船为主,从这里出发的商船去非洲运奴隶,贩卖给西印度群岛,再把那里的热带产品运到北美殖民地,进行所谓"金三角"贸易。现在的产业则主要是珠宝、银器制造。2009年国民生产总值为476亿美元,人均4.53万美元。

主要高速公路有I-95等。本州教育发达,有位于州府的常春藤盟校布朗大学(B3)等。

州府普罗维登斯 Providence (B3)

人口约17万。是工商业和航运的中心,也是美国东北部的主要石油集散地。这里历来是繁荣的小型商品贸易的中心,如今被大规模的远洋贸易所代替。普罗维登斯历史悠久,1636年建立,1680年建成码头,经济得以迅速发展。1831年设市,1900年定为州府(以前与纽波特市同为州府)。

纽波特 Newport (B3)

人口约3万。建于1639年。位于本州南部,是一座海滨旅游度假城市,也是著名的音乐中心

纽波特的大理石大厦

是美国爵士音乐节的发源地。1646年开始造船业。南北战争时是美国海军学校所在地。20世纪初为美国大西洋舰队的主要锚地。现在是海军水下作战训练中心。但是本市最出名的还是19世纪中叶至20世纪初,美国的托拉斯巨头们在这里建造的别墅、公馆、豪宅。这些豪宅依山傍海,占尽地利,设计精美别致,建筑豪华辉煌。现已成为本州重要的旅游资源。纽波特还是品尝海鲜的好地方。

日落时的桥景

康涅狄格州 Connecticut

英文缩写：	CT
面积：	12,550平方千米
人口：	357万
州府：	哈特福德
面积排名：	第48位
加入联邦年代：	1788年
州花：	山月桂
州鸟：	旅鸫

是美国东北部的一个州。地势北高南低，康涅狄格河(A1-3)从北向南流经该州并注入大西洋。本州属湿润大陆性气候，四季分明，降水丰沛。

最早到达此地的欧洲人来自荷兰。1633年开始，马萨诸塞殖民区的英国人陆续向这里迁徙。1662年，小约翰·温斯洛普从英国国王得到建立康涅狄格殖民地的特许，正式建立殖民地。1788年加入联邦。本州人口中白人占86%，主要是意大利、爱尔兰、英国、德国、法国的后裔；黑人占11%，亚裔占3.5%。宗教信仰中天主教占较大比例，新教教派很多，犹太教和伊斯兰教各占1%。但犹太人分布集中，多在几个主要城市。

康涅狄格州因临近纽约、波士顿，繁华而不喧闹，所以一直是富人、名人的首选定居地。本州是美国保险业的发祥地，至今这里仍是许多世界知名大保险公司的总部所在地。主要农产品为蛋、奶、烟草等。工业品主要有直升机、飞机零件、核潜艇、电气设备等。2009年州国民生产总值2,204亿美元，人均6.17万美元。其中新迦南(A3)人均收入近9万元，为全国收入最高的城镇之一。但州府哈特福德城区人均收入仅为1.34万美元。

主要高速公路有I—84、I—91、I—95等。铁路交通也很方便。教育发达，主要大学有耶鲁大学(A3)、康涅狄格大学(A3)等。本州还是许多发明的故乡，主要发明有左轮手枪、手提式打字机、缝纫机、开罐器、吸尘器、拍立得照相机、彩色电视、直升飞机等。

州府哈特福德 Hartford (A3)

人口约14万。位于本州中北部。1810年哈特福德火险公司成立，开保险业之先河。接着数十个大保险公司纷纷在本市成立，使这里成为全美保险业的中心。20世纪80年代，本市的人均收入曾占全国第一。后来富人纷纷搬到郊外，城市人均收入大大降低。市内的沃兹沃思艺术博物馆是美国历史最悠久的博物馆之一。著名作家马克·吐温故居也在这里。

纽黑文 New Haven (A3)
耶鲁大学 Yale University (A3)

纽黑文是长岛海峡边的港口城市，创建于1638年，是最早的殖民区之一，1784年设市。1957全市彻底重建，做到既保留原有古朴风貌，又极富现代气息。市内的耶鲁大学建于1701年，是美国历史第三悠久的私立大学，常春藤名校，尤以大学本科教育知名。它以一贯严格挑选学生、具有很高的学术水平和社会声望在全国大学中名列前茅，为美国培养了一大批政治、经济、外交、金融、科技和文化艺术方面的人才。该校有25座大楼都出自美国名建筑师之手，其中以高62米的哥特式建筑——哈克尼斯钟楼最为著名。耶鲁大学的图书馆藏书600万册，是美国最大的图书馆之一，享有世界声誉。它有一座美术馆，建于1823年，收藏极为广泛，是美国大学中最早设立的美术馆之一。

皮阔特印第安人保留地
Pequot Indian Reservation(B3)

皮阔特印第安人是生活在康涅狄格州东南部古老的印第安人部落，后被英国殖民军屠杀，少数人逃亡。1960年，经联邦政府批准重建了保留地并在保留地中实行特殊经济政策。部落居民投资经营码头、轮渡、林场，还利用保留地的特殊政策开办了金神大赌场，使这里成为美国最富有的印第安人保留地。

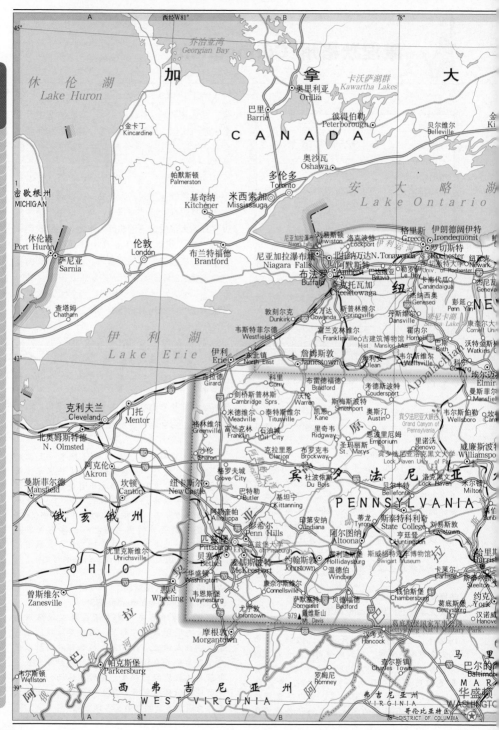

NEW JERSEY

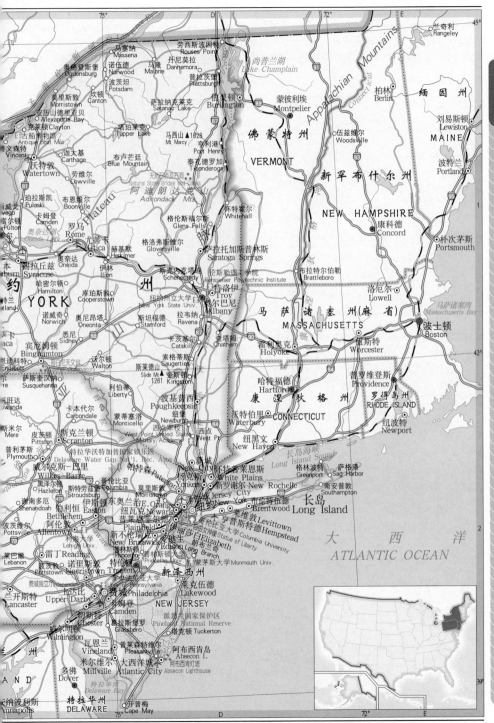

兰奇利
Rangeley

马萨纳 Massena
奥格登斯堡 Ogdensburg
诺伍德 Norwood
马隆 Malone
丹尼莫拉 Dannemora
罗西斯波因特 Rouses Point
尚普兰湖 Lake Champlain
柏林 Berlin
缅 因 州 MAINE

诺茨坦 Potsdam
波茨坦 Potsdam
普拉茨堡 Plattsburg
刘易斯顿 Lewiston

莫里斯敦 Morristown
坎顿 Canton
萨拉纳克莱克 Satanac Lake
伯灵顿 Burlington
蒙彼利埃 Montpelier
波特兰 Portland

亚历山德里亚贝 Alexandria Bay
塔珀莱克 Tupper Lake
马西山 ▲1628 Mt. Marcy

克莱顿 Clayton
古船博物馆 Antique Boat Mus.
佛蒙特州 VERMONT
伍兹维尔 Woodsville

文森特 Vincent
迦太基 Carthage
布卢芒廷 Blue Mountain
泰孔德罗加 Ticonderoga
新罕布什尔州

沃特敦 Watertown
劳维尔 Lowville
怀特霍尔 Whitehall
NEW HAMPSHIRE

珀拉斯凯 Pulaski
布恩维尔 Boonville
阿迪朗达克山 Adirondack Mts.
格伦斯福尔斯 Glens Falls
康科德 Concord

卡姆登 Camden
罗马 Rome
尤蒂卡 Utica
赫基默 Hekimer
萨拉托斯普林斯 Saratoga Springs
朴次茅斯 Portsmouth

奥奈达 Oneida
伊林 Ilion
格洛弗斯维尔 Gloversville
斯克内克塔迪 Schenectady
伦斯勒理工学院 Rensselaer Polytechnic Institute
布拉特尔伯勒 Brattleboro

锡拉丘兹 Syracuse
哈密尔顿 Hamilton
库珀斯敦 Cooperstown
特洛伊 Troy
洛厄尔 Lowell

YORK
诺威奇 Norwich
奥尼昂塔 Oneonta
纽约州立大学 New York State Univ.
奥尔巴尼 Albany
马萨诸塞州(麻省)
波士顿 Boston

悉尼 Sidney
斯坦福德 Stamford
拉韦纳 Ravena
MASSACHUSETTS
马萨诸塞湾 Massachusetts Bay

宾厄姆顿 Binghamton
沃尔顿 Walton
卡茨基尔 Catskill
查塔姆 Chatham
霍利奥克 Holyoke
伍斯特 Worcester

恩迪科特 Endicott
索格蒂斯 Saugerties
普罗维登斯 Providence

萨斯奎汉纳 Susquehanna
斯莱德山 Slide Mt. 1281
金斯顿 Kingston
哈特福德 Hartford
罗得岛州 RHODE ISLAND

利伯蒂 Liberty
康涅狄格州
纽波特 Newport

卡本代尔 Carbondale
蒙蒂塞洛 Monticello
波基普西 Poughkeepsie
沃特伯里 Waterbury
CONNECTICUT

斯克兰顿 Scranton
皮茨顿 Pittston
纽伯格 Newburgh
西点 West Pt.
纽黑文 New Haven

普利茅斯 Plymouth
西点美国军事学院 West Point United States Military Academy
格林波特 Greenport
萨格港 Sag Harbor

威尔克斯-巴里 Wilkes Barre
哈兹尔顿 Hazleton
哥伦比亚 Columbia
怀特普莱恩斯 White Plains
新罗谢尔 New Rochelle
长岛海峡 Long Island Sound
南安普敦 Southampton

谢南多厄 Shenandoah
斯特劳兹堡 Stroudsburg
帕特森 Paterson
扬克斯 Yonkers
长岛 Long Island

伯利恒 Bethlehem
伊斯顿 Easton
东奥兰治 E. Orange
莫里斯敦 Morristown
泽西城 Jersey City
纽约 New York
布伦特伍德 Brentwood

波茨维尔 Pottsville
阿伦敦 Allentown
纽瓦克 Newark
莱维敦 Levittown

雷丁 Reading
新不伦瑞克 New Brunswick
普莱恩菲尔德 Plainfield
伊丽莎白 Elizabeth
自由女神像 Statue of Liberty
亨普斯特德 Hempstead

莱巴嫩 Lebanon
普林斯顿大学 Princeton Univ.
哥伦比亚大学 Columbia University
大 西 洋 ATLANTIC OCEAN

诺里斯敦 Norristown
特伦顿 Trenton
爱迪生 Edison
蒙茅斯大学 Monmouth Univ.

兰开斯特 Lancaster
厄珀达比 Upper Darby
费城 Philadelphia
新泽西州 NEW JERSEY
莱克伍德 Lakewood

切斯特 Chester
卡姆登 Camden
格拉斯伯勒 Glassboro
派恩兰兹国家保护区 Pineland National Reserve
塔克顿 Tuckerton

威尔明顿 Wilmington
瓦恩兰 Vineland
普莱森特维尔 Pleasantville
阿布西肯岛 Absecon I.

多佛 Dover
米尔维尔 Millville
大西洋城 Atlantic City
阿布西肯灯塔 Absecon Lighthouse

安纳波利斯 Annapolis
特拉华州 DELAWARE
开普梅 Cape May
特拉华湾 Delaware Bay

比例尺 1 : 3 800 000

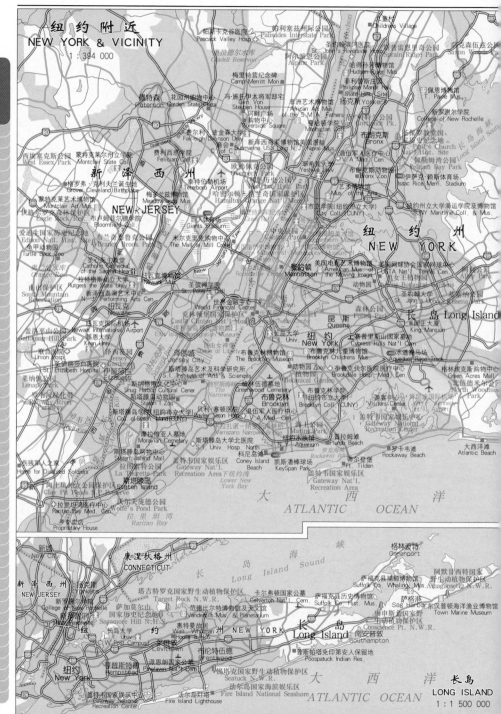

纽约附近
NEW YORK & VICINITY
1 : 394 000

长岛
LONG ISLAND
1 : 1 500 000

纽约市中心
NEW YORK CENTER
1：39 000

纽约州

纽约州

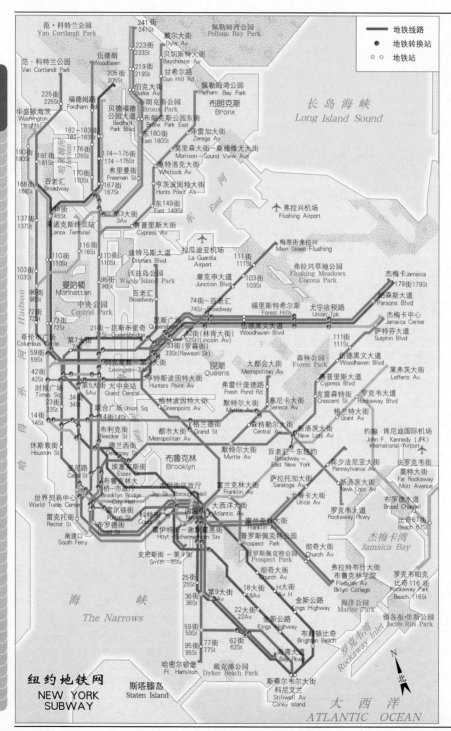

范·科特兰公园
Van Cortlandt Park

241街
241 St

戴尔大街
Dyre Av

佩勒姆湾公园
Pelham Bay Park

长岛海峡
Long Island Sound

范·科特兰公园
Van Cortlandt Park

伍德朗
Woodlawn

223街
223St

贝切斯特大街
Baychester Av

华盛顿海峡
Washington
Heights

225街
225St

福德姆路
Fordham Rd

219街
219St

甘希尔路
Gun Hill Rd

佩勒姆湾公园
Pelham Bay Park

205街
205St

伯克大街
Burke Av

布朗克斯
Bronx

布朗克斯公园
Bronx Park

布朗克斯公园东街
Bronx Park East

贝德福德
公园大道
Bedford
Park Blvd

182-183街
182-183St

东180街
East 180St

泽雷加大街
Zerega Av

190街
190St

176街
176St

174-175街
174-175St

莫里森大街-桑德维尤大街
Morrison-Sound View Avs

181街
181St

170街
170St

弗里曼大街
Freeman St

惠特洛克大街
Whitlock Av

百老汇
Broadway

167街
167St

亨茨波因特大街
Hunts Point Av

168街
168St

145街
145St

第3大街
3 Av

东149街
East 149St

弗拉兴机场
Flushing Airport

137街
137St

莱诺克斯终点站
Lenox Terminal

赛普里斯大街
Cypress Av

116街
116St

110街
110St

迪特马斯大道
Ditmars Blvd

拉瓜迪亚机场
La Guardia
Airport

111街
111St

梅恩街弗拉兴
Main Street Flushing

东
河
East
河

103街
103St

96街
96St

沃兹岛公园
Wards' Island Park

章克申大道
Junction Blvd

103街
103St

弗拉兴草地公园
Flushing Meadows
Corona Park

杰梅卡Jamaica
179街179St

曼哈顿
Manhattan

96街
96St

百老汇
Broadway

74街-百老汇
74St-Broadway

福里斯特希尔斯
Forest Hills

尤宁收税路
Union Tpk

帕森大道
Parsons Blvd

72街
72St

中央公园
Central Park

昆斯广场
Queensboro Plaza

伍德黑文大道
Woodhaven Blvd

111街
111St

杰梅卡中心
Jamaica Center

哥伦布广场
Columbus Circle

72St

21街-昆斯布里奇
21St-Queensbridge

33街(林肯大道)
52St(Lincoln Av)

萨特芬大道
Sutphin Blvd

第71街
71St

33街(罗森街)
33St(Rawson St)

111街
111St

59街
59St

列克星敦-第3大街
Lexington-3Av

昆斯
Queens

大都会大街
Metropolitan Av

森林公园
Forest Park

伍德黑文大道
Woodhaven Blvd

莱弗茨大街
Lefferts Av

42街
42St

第5大街 大中央站
5Av   Grand Central

亨特斯波因特大街
Hunters Point Av

弗雷什庞德路
Fresh Pond Rd

赛普里斯大街
Cypress Blvd

时报广场
Times Sq

34街
34St

格林波因特大街
Greenpoint Av

默特尔大街
Myrtle Av

塞尼卡大街
Seneca Av

克雷森特街
Crescent St

罗克韦大道
Rockaway Blvd

23街
23St

14街14St

联合广场
Union Sq

格兰大街
Grand Av

14街14St

布利克街
Bleecker St

都市大道
Metropolitan Av

森特勒尔大街
Central Av

新洛茨大街
New Lots Av

约翰·肯尼迪国际机场
John F. Kennedy (JFK)
International Airport

休斯敦街
Houston St

德兰西街
Delancey St

默特尔大街
Myrtle Av

哈
得
孙
河

坚尼路
Canal St

埃塞克斯街
Essex St

百老汇-东纽约
Broadway-
East New York

宾夕法尼亚大街
Pennsylvania Av

法兄韦街
Far Rockaway

世界贸易中心
World Trade Center

布鲁克林大
桥-市政厅
Brooklyn Bridge
-City Hall

杰伊街区政厅
Jay St-Borough Hall

富兰克林大街
Franklin Av

萨拉托加大街
Saratoga Av

新洛茨大街
New Lots Av

莫特大街
Mott Avenue

雷克托街
Rector St

富尔顿街
Fulton St

大西洋大街
Atlantic Av

戈蒂大街
Utica Av

布罗德水道
Broad Channel

南渡口
South Ferry

布罗德街
Broad St

内温斯
Nevins

科特街
Court St

富兰克林大街
Franklin Av

罗克韦大道
Rockaway Pkwy

比奇67街
Beach· 67St

霍伊特街-谢尔霍恩街
Hoyt-Schermerhorn Sts

普罗斯佩克特公园
Prospect Park

彻奇大街
Church Av

杰梅卡湾
Jamaica Bay

史密斯街-第9街
Smith-9Sts

罗斯佩克特公园
Prospect Park

彻奇大街
Church Av

海   峡
The Narrows

25街
25St

第9大街
9Av

18大街
18Av

大街
D Av

彻奇大街
Church Av

弗拉特布什大街
Flatbush Av

布鲁克林学院
Bklyn College

罗克韦帕克
比奇116街
Rockaway Park
Beach· 116St

36街
36St

22大街
22Av

金斯公路
Kings Highway

海洋公园
Marine Park

雅各布·里斯公园
Jacob Riis Park

59街
59St

77街
77St

62街
62St

金斯公路
Kings Highway

布赖顿比奇
Brighton Beach

罗克韦湾

95街
95St

海湾大街
Bay Pkwy

N
北

纽约地铁网
NEW YORK
SUBWAY

斯塔滕岛
Staten Island

哈密尔顿堡
Ft. Hamilton

戴克滩公园
Dyker Beach Park

斯蒂尔韦尔大街
Stillwell Av

科尼艾兰
Coney Island

大 西 洋
ATLANTIC OCEAN

地铁线路

地铁转换站

地铁站

纽约州 New York

纽约州

英文缩写：	NY
面积：	122,310平方千米
人口：	1,938万
州府：	奥尔巴尼
面积排名：	第30位
加入联邦年代：	1788年
州花：	玫瑰
州鸟：	东蓝鸲

位于美国东北部，北邻加拿大，南接宾夕法尼亚州，东南角临大西洋。阿巴拉契亚山脉从本州东南部穿过，哈得孙河从北向南流经东部，西部为高原区。全州平均海拔300米。本州属湿润大陆性气候，东南部夏天潮热，西北部冬季严寒多大雪。

这里最早是易洛魁印第安人的家乡。17世纪初欧洲人到此殖民，先是荷兰统治，后改属英国。1788年加入联邦，成为美国第11个州。本州又称"帝国之州"，在美国历史上占据十分重要的地位。美国独立战争中1/3以上的重要战役发生在这里。这里还是4位美国总统的家乡，建

有他们的纪念馆。本州是全美移民增长速度最快的地区之一。本州人口中非洲裔16%、意大利裔14.4%、西班牙裔14.2%、爱尔兰裔12.9%、德国裔11.1%。居民中40%信仰天主教，30%信仰基督教新教，5%信仰犹太教，3.5%信仰伊斯兰教，1%信仰佛教。世界各地移民的源源汇入，使本州没有绝对的主流宗教现象，各宗教团体带着各自的不同特色而共处。

纽约州是美国经济最发达的州之一，对外贸易、海运、金融业均占全国首位。交通运输是它的经济命脉。主要农产品有奶、肉牛、蔬菜、苹果等。工业有出版印刷、科学仪器以及电子产品等。旅游也是本州的主要收入之一。2009年国民生产总值为10,851亿美元，人均5.60万美元。

主要高速公路有I-81、I-86、I-87、I-88、I-90等。教育发达，主要大学有康奈尔大学(C1)、哥伦比亚大学(D2)、纽约州立大学(D1)等。纽约州立大学是美国最大的州立大学，有64个校园，注册学生41万人。世界著名的培养军事指挥人才的西点军校(D2)也坐落在纽约州。

州府奥尔巴尼 Albany (D1)

人口约9.4万。1686年设市，是美国最早的城市之一。1797年起为纽约州首府。本市地处哈得孙河深水航道北端，早在殖民时期就是重要的内河港口，1807年通轮船，1825年本州北部的伊利运河(B1)完工，特别是铁路修通后，本市的交通枢纽地位更显重要。

奥尔巴尼有很多精美的历史建筑。洛克菲勒帝国广场位于市中心，包括州议会大厦、政府机构、表演中心、州博物馆等。

纽约 New York (D2)

人口约839万。位于哈得孙河注入大西洋的河口处，面积830平方千米，是世界上最著名的大都市之一，集金融中心、商业中心、经济中心、文化艺术中心于一体，同时还是联合国总部的所在地。纽约是美国历史最悠久的城市，美国的第一个首都。1789年乔治·华盛顿在此宣誓就

任美国第一任总统。纽约还是美国最大的城市，许多世界顶级大公司的总部所在地。每年游客4,000余万人。本市共分为五个区(县)：曼哈顿、

布鲁克林桥

布鲁克林、昆斯、布朗克斯、斯塔滕岛。

纽约交通便捷，铁路、高速公路纵横成网，空中、海上航线联系全球，城市的公共交通网络尤为完善。1904年起陆续建成的地铁网总长1,056千米，昼夜运行，有468个车站，正常日载客量500万人次，年客运量15.6亿人次。使纽约成为美国少有的只靠公共交通就能方便生活的都市。纽约有3个大型国际机场，肯尼迪国际机场是闻名世界的空港枢纽之一。

1524年韦拉扎诺受法国国王的派遣到新大陆探险，成为第一个到达纽约的欧洲人。1609年英国人亨利·哈得孙受荷兰派遣带船队登陆纽约，宣布纽约是荷兰的殖民地。1624年荷兰人在曼哈顿南部建立新阿姆斯特丹殖民区。1626年荷兰西印度公司的彼得·米纽特用价值86荷兰盾(约24美元)的假珠宝等从当地的印第安人手中购买了曼哈顿。这就是著名的"曼哈顿购买事件"。1644年英国派三艘军舰不战而夺取新阿姆斯特丹殖民区，改名为纽约以纪念当时英王的弟弟约克公爵。1686年纽约成为美洲大陆上英国第一个特许城市。

纽约多岩石海岸，属天然良港，是重要的海运口岸。1825年连接大湖区和哈得孙河的伊利运河修通，纽约的经济及海运地位得到进一步加强。

帝国大厦

纽约是美国的金融中心，时时影响着世界的金融走势。与华尔街相邻的纽约证券交易所成交量世界第一，其每天的行情都牵动着全美国乃至全世界的经济神经。纽约有200多家报纸、350家杂志、数十家一流的电视台。纽约的服装、钻石加工等也驰名世界。

经济实力的强盛，科技的先进，使纽约成为摩天大楼的发源地，并在高层建筑领域独步全球。在曼哈顿曾经被誉为世界最高楼的建筑有：平铁大厦(建于1920年)、伍尔沃斯大厦(建于1913年)、克莱斯勒大厦(建于1930年)、帝国大厦(完工于1931年)、以及毁于2001年9月11日恐怖攻击

港口南街

大都会博物馆

的世界贸易中心等。

作为文化艺术之都的纽约，除拥有驰名全球的商业娱乐区百老汇剧场、艺术家云集的苏豪村、欣赏高雅艺术的林肯表演艺术中心之外，还拥有数以千计的博物馆、图书馆。其中最著名的是大都会博物馆，这是世界上最大的艺术博物馆之一，馆藏极其丰富。有古埃及、古希腊、古罗马的艺术珍品；欧洲及东方的名画雕塑；非洲、大洋洲的文化珍藏；伦勃朗、梵高、莫奈等艺术大师的名画及罗丹等人的雕塑。中国及东方艺术品的收藏也十分丰富。此外，现代艺术博物馆是

欣赏和了解各现代艺术流派的最好场所。美国自然史博物馆里的鸟类馆是世界自然博物馆中收藏最完全的。

纽约的棒球队曾获14次世界系列赛冠军，橄榄球队和篮球队也极负盛名。这里还是美国网球公开赛的举办地。

布法罗 Buffalo (B1)

人口约27万。最初在布法罗定居的是法国皮毛商人。1785年法国人在此建据点，第二年被英军烧毁。1812年该城被英军再次烧毁后又重建。1818年五大湖的第一艘轮船在这里建成下水。1825年从布法罗通奥尔巴尼的伊利运河开通，使布法罗成了加拿大通往美国东部的运输枢纽。这两件事使布法罗在16年内从小镇发展为拥有33万人口的城市。

布法罗

尼亚加拉瀑布 Niagara Falls (B1)

位于布法罗城北30余千米的美加边境上。5万年前，冰河后期，巨大的冰层后退、消融，地面上升时形成了现在的伊利湖、安大略湖等五大湖。12,000年前伊利湖水外溢流入安大略湖，在石灰岩上冲刷形成了尼亚加拉瀑布。瀑布最初在现址北11千米处的刘易斯顿，年久冲刷已经向南移11千米。瀑布一半在美国，另一半在加拿大。尼亚加拉瀑布城(即纽约瀑布城和安大略瀑布城)被通往安大略湖的峡谷分割，有桥相通。

加拿大方的瀑布称为马蹄瀑布，高52.8米，宽660米，呈弯弓形。美方的瀑布高55.2米，较平直，宽322.5米。美方还有一段小的瀑布被山羊岛和尼亚加拉瀑布城分开，称为新娘面纱瀑布。后来这里修了发电厂，瀑布发电装机容量高达400万千瓦，为世界有名的水电站。

最初见到瀑布的欧洲人是法国神父路易·肯列平。1628年肯列平神父见到瀑布时，为其雄伟景象所慑服，惊叹这是"世间绝无仅有的壮观"。瀑布的壮观震撼了所有来此观光的游客。特别是乘上"雾中少女号"游船，一直开到瀑布前方，距落水点十几米的地方。喷着白沫的碧水从天上飞泻而来，飞流水柱铺天盖地，拍打着岩石发出雷鸣似的轰响。谁人不折服于造物主的神奇！

尼亚加拉瀑布

宾夕法尼亚州 Pennsylvania

英文缩写:	PA
面积:	116,083平方千米
人口:	1,270万
州府:	哈里斯堡
面积排名:	第33位
加入联邦年代:	1787年
州花:	山月桂
州鸟:	流苏松鸡

位于美国东部偏北，原是英国在北美的13个殖民地之一。阿巴拉契亚山脉从中部穿过，西北角濒伊利湖，西邻俄亥俄州，西南接西弗吉尼亚州，东部隔新泽西州与大海相望，东北方为纽约州，东南为特拉华州，南边为马里兰州。本州多丘陵及低山，平均海拔336米，最高点是位于西南部的戴维斯山(B2)，海拔979米。

1638年瑞典人在特拉华河畔建殖民区，称为"新瑞典"，至1655年被荷兰人统治。1664年英国从荷兰手中夺取该地。1681年从英王查尔斯二世为归还王室对宾家的欠款，将在该地建立殖民地的特许给予英国贵族威廉·宾，命名该地为宾夕法尼亚，意思是"属于宾家的土地"。宾在此建立了一个政治、宗教都很自由的社会。宾夕法尼亚于1787年12月12日承认联邦宪法，是加入联邦的第2个州。本州曾为美国的革命做出过重大贡献。第一、第二次大陆会议都在这里召开，讨论并通过了"独立宣言"。南北战争的决定性战役在本

州南部的葛底斯堡(C2)进行。本州人口中白人占86%，多德国、爱尔兰、意大利、英国后裔，黑人占11%，亚裔占2.4%。居民主要信仰基督教(新教30%、天主教53%)。

本州自然资源丰富，经济发达，曾是农业大州，蘑菇产量全国第一，鸡、奶、玉米、牛、马等居全国前茅，但由于农业收入低，近年农业地位不断下降。工业方面煤产量居全国第二，钢铁产量占全国1/4。工业产品主要有食品加工、化工产品、机械、电子产品等。2009年国民生产总值为5,479亿美元，人均4.31万美元。

交通方便，主要高速公路有I—7、I—76、I—80、I—81等。教育发达，主要大学有宾夕法尼亚大学(C2)、宾夕法尼亚州立大学(C2)等。

州府哈里斯堡 Harrisburg (C2)

人口约5.3万。1718年英国人约翰·哈里斯在此建立贸易据点和渡口。1812年成为州府。

哈里斯堡

费城 Philadelphia (C2)

人口约155万。美国革命的圣地，是通过美国独立宣言、起草美国宪法的地方。1790年~1800年曾为美国首都。现存主要革命遗址有独立厅，建于1772年。1775年第二次大陆会议在这里决定抵制英

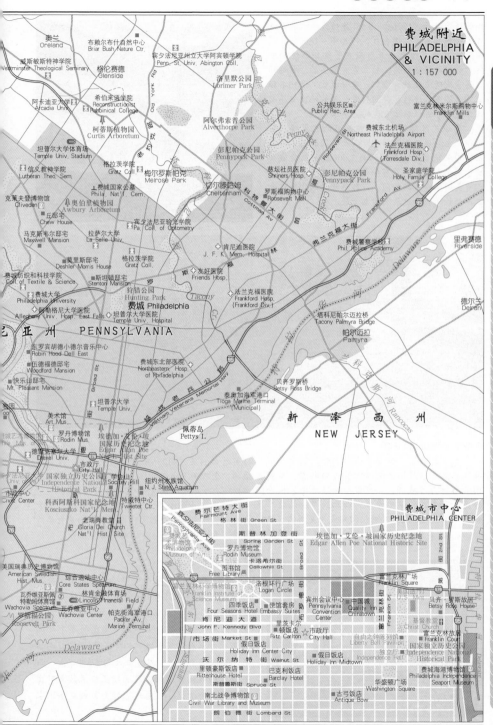

费城附近
PHILADELPHIA
& VICINITY
1:157 000

宾夕法尼亚州

奥兰
Oreland
布赖尔布什自然中心
Briar Bush Nature Ctr.
威斯敏斯特神学院
Westminster Theological Seminary
格伦赛德
Glenside
宾夕法尼亚州立大学阿宾顿学院
Penn. St. Univ. Abington Coll.

阿卡迪亚大学
Arcadia Univ.
希伯来语学院
Reconstructionist
Rabbinical College
洛里默公园
Lorimer Park

柯蒂斯植物园
Curtis Arboretum
阿尔弗索普公园
Alverthorpe Park
公共娱乐区
Public Rec. Area
富兰克林米尔斯购物中心
Franklin Mills

坦普尔大学体育场
Temple Univ. Stadium
格拉茨学院
Gratz Coll.
彭尼帕克公园
Pennypack Park
费城东北机场
Northeast Philadelphia Airport

信义教神学院
Lutheran Theo. Sem.
梅尔罗斯帕克
Melrose Park
慈善社员医院
Shriners' Hosp.
法兰克福医院
Frankford Hosp.
(Torresdale Div.)

克莱夫登博物馆
Cliveden
费城国家公墓
Phila. Nat'l Cem.
彭尼帕克公园
Pennypack Park
圣家庭学院
Holy Family College

奥伯里植物园
Awbury Arboretum
切尔滕哈姆
Cheltenham
罗斯福购物中心
Roosevelt Mall
弗兰克福大街
Frankford Av.

丘邸宅
Chew House
科特曼大街
Cottman Av.

马克斯韦尔邸宅
Maxwell Mansion
拉萨尔大学
La Salle Univ.
里弗赛德
Riverside

莫里斯邸宅
Deshler Morris House
格拉茨学院
Gratz Coll.
肯尼迪医院
J. F. K. Mem. Hospital
费城警察学校
Phil. Police Academy

费城纺织和科技学院
Coll. of Textile & Science
斯坦顿邸宅
Stenton Mansion
友好医院
Friends Hosp.

费城大学
Philadelphia University
狩猎公园
Hunting Park
法兰克福医院
Frankford Hosp.
(Frankford Div.)
德尔兰
Delran

阿勒格尼大学医院
Allegheny Univ. Hosp. East Falls
坦普尔大学医院
Temple Univ. Hospital
费城 Philadelphia
塔科尼帕尔迈拉桥
Tacony Palmyra Bridge

宾夕法尼亚州 PENNSYLVANIA
帕尔迈拉
Palmyra

东罗宾胡德小德尔音乐中心
Robin Hood Dell East

五伍德福德邸宅
Woodford Mansion
费城东北部医院
Northeastern Hosp.
of Philadelphia

快乐山邸宅
Mt. Pleasant Mansion

坦普尔大学
Temple Univ.
贝齐罗斯桥
Betsy Ross Bridge

美术馆
Art Mus.
泰奥加海军港口
Tioga Marine Terminal
(Municipal)
新 泽 西 州
NEW JERSEY

罗丹博物馆
Rodin Mus.
佩蒂岛
Pettys I.

德雷克塞尔大学
Drexel Univ.
埃德加·艾伦·坡
国家历史纪念地
Edgar Allan Poe
Hist. Site

市政厅
City Hall
纽约州水族馆
N. J. State Aquarium

国家独立历史公园
Independence National
Historical Park
社会山
Society Hill
威廉特中心
Tweeter Ctr.

市民中心
Civic Center
科西阿斯科国家纪念地
Kosciuszko Nat'l Mem.
老瑞典教堂
Gloria Dei Church
Nat'l Hist Site

美国瑞典历史博物馆
American Swedish
Hist. Mus.
综合运动中心
Core States Spectrum

瓦乔维亚斯中心
特别纪念体育馆
Wachovia Spectrum
林肯金融球场
Lincoln Financial Field

罗斯福公园
Roosevelt Park
帕克大道海军港口
Packer Av.
Marine Terminal

Delaware

费城市中心
PHILADELPHIA CENTER

费尔芒特大街
Fairmount Ave.
格林街
Green St.
埃德加·艾伦·坡国家历史纪念地
Edgar Allen Poe National Historic Site

宾夕法尼亚大道
Pennsylvania Ave.
斯普林加登街
Spring Garden St.

罗丹博物馆
Rodin Museum
卡罗希尔街
Callowhill St.

费城艺术博物馆
Philadelphia
Museum of Art
图书馆
Free Library
富兰克林广场
Franklin Square

科学博物馆
Franklin Institute of
Science Museum
洛根环行广场
Logan Circle
宾州会议中心
Pennsylvania
Convention
Center
中国城
Quality Inn
Chinatown
贝齐·罗斯故居
Betsy Ross House

四季饭店
Four Seasons Hotel
使馆套房
Embassy Suites
基督教堂
Christ Church

肯尼迪大道
John F. Kennedy Blvd
里茨卡尔
Ritz Carlton
富兰克林苑
Franklin Court

顿饭店
Holiday Inn Center City
市场街 Market St
市政厅
City Hall
自由之钟陈列馆
Liberty Bell Pavilion
费城独立历史公园
Independence National
Historical Park

沃尔纳特街 Walnut St
假日饭店
Holiday Inn Midtown
独立广场
Independence Hall

里顿豪斯饭店
Rittenhouse Hotel
巴克利饭店
Barclay Hotel
华盛顿广场
Washington Square
费城海港博物馆
Philadelphia Independence
Seaport Museum

斯普鲁斯街 Spruce St

南北战争博物馆
Civil War Library and Museum
古弓饭店
Antique Bow

朗伯德街 Lombard St

国的殖民统治，1776年7月4日各殖民地代表在这里签署独立宣言。国会厅，1790～1800年美国国会所在地。约翰·亚当斯宣誓就任总统的地方。自由之钟陈列馆，独立宣言签字后，曾鸣钟召集市民听宣读独立宣言。基督教堂，是15名独立宣言签字人进行礼拜的教堂。其墓地中安葬有富兰克林等五位独立宣言的签字人。

费城艺术博物馆是世界知名的艺术博物馆之一。主要展品为亚洲、欧洲及美国的美术作品及室内装潢作品。展品跨度2,000多年。费城交响乐团、森林剧场都有很多好的演出。费城动物园是美国第一所动物园，以各种珍贵的猫和水禽以及动物的长寿纪录而闻名于世。

费城

费城交响乐团音乐厅

匹兹堡 Pittsburgh (B2)

人口约31万。位于本州西南部阿勒格尼河与莫农格希拉河汇合成俄亥俄河的地方，是美国最大的内河港口。城市位于丘陵地带，风景秀美，有丰富的煤矿资源。南北战争后迅速工业化。19世纪后期至20世纪初期成为美国的"钢都"。但工业污染也使该城一度被称为"烟

匹兹堡

城"。二战后环境治理取得很大成绩。美国钢铁公司总部64层，高256米，由钢铁建造，位于该城的"金三角"商业区，是城市的标志性建筑。市内还有十余家美国前500名大公司的总部。

该城不少的公共建筑曾经受到钢铁大王卡内基的赞助，如卡内基文化中心、卡内基自然博物馆、卡内基美术馆、卡内基科学中心等。

葛底斯堡 Gettysburg (C2)

人口约7,000。这个小镇地处本州中南边界的交通要道，目前有4条交通干线在此交叉。1863年7月1日至3日这里进行了南北战争中最为著名的决战。当时，由乔治·米德将军率领的9.7万北方军在这里迎战了李将军率领的7万南方军，并取得了胜利。双方在此伤亡5.1万人。当年11月19日林肯总统在葛底斯堡公墓落成时发表了重要的演说。该地现已辟为葛底斯堡国家军事公园。

新泽西州 New Jersey

英文缩写:	NJ
面积:	19,215平方千米
人口:	879万
州府:	特伦顿
面积排名:	第46位
加入联邦年代:	1787年
州花:	紫罗兰
州鸟:	北美金翅雀

位于美国东海岸偏北,东邻大西洋,北接纽约州,西隔特拉华河与宾夕法尼亚州相望,西南和特拉华州接壤。该州地势平坦,多河渠,少水库。暴雨常发洪水。气候冬冷夏热。全州50%为森林覆盖。有200余千米的白色沙滩海岸,大面积的沿海湿地,众多的花园,有"花园之州"的美称。

最早在此殖民的欧洲人来自瑞典和荷兰。1664年英国夺取对该地的控制权,将该地的名字改为新泽西。美国独立战争中,华盛顿率领的大陆军司令部驻扎在本州的莫里斯敦(D2)。1776年圣诞节华盛顿率领大陆军强渡特拉华河,在特伦顿大败英军。1787年本州成为美国的第3个州。新泽西地处纽约市和费城之间,有天然的良港,交通运输发达。伟大的发明家爱迪生曾在这里生活过很长时间,1876年托马斯·爱迪生在门洛帕克建立了试验室,完成了包括电灯在内的数十项伟大的发明。在此之前另一个伟大的发明家塞缪尔·莫尔斯则在莫里斯敦发明了电报。今天这里仍有许多著名的研究机构,如贝尔实验室、普林斯顿高级研究所等。本州的农产品中,红梅、桃、番茄等产量为全美第一。制药、化工、食品加工、石油储备及炼油等为本州的主要工业。世界500强企业的总部有近百家都在这里。2009年国民生产总值为4,784亿美元,人均5.44万美元。

主要高速公路有I-76、I-78、I-80、I-87、I-95等。纽瓦克—伊丽莎白港是世界第一个集装箱港,至今仍为世界最大的集装箱港之一。纽瓦克自由国际机场是纽约三大机场之一,世界排名第七位。新泽西州和纽约相邻,所以纽约的很多名胜,可以从这里很方便地到达。本州教育发达,中学统考全美第一,进入高校升学率为54%,占全国第二。主要大学有普林斯顿大学(D2)等。

州府特伦顿 Trenton (D2)

人口约8.9万。地处本州的中部偏西,距费城很近。1714年费城商人威廉·特伦特看到该地的发展潜力,购买了这片土地,以其本人的名字命名为特伦特镇,后改名为特伦顿。

1776年华盛顿率领大陆军在此取得了他领导独立战争后的第一个重大胜利。特伦顿大捷的有关地点现都辟为纪念地对外开放。1790年该城成为州府。著名的景点有建于1792年的州议会大厦、州博物馆等。

大西洋城 Atlantic City (D2)

人口约3.8万。位于本州东南阿布西肯岛的北端。1854年通火车后很快发展为美国东岸著名的休假胜地。汽车和飞机的出现,把东部的游客疏散到更远的地方,这里开始萧条。1978年州政府决定允许在该地设立赌场,给大西洋城带来了新的活力。十几个现代化的大赌场先后占领了大西洋沿岸的最佳位置。这些赌场集赌博、娱乐和食宿为一体,重新给城市带来新的繁荣。

泽西城 Jersey City (D2)

人口约24万。和纽约市隔河相望,是眺望纽约摩天大楼的最佳位置。该市的自由科学中心是可以动手进行操作的互动式科学中心。从这里的自由公园可登船去自由女神像和埃利斯岛移民博物馆。

普林斯顿 Princeton (D2)

人口约1.2万。历史名城,也是著名的普林斯顿大学所在地。大学于1746年建立。1777年华盛顿率领的大陆军在特伦顿大捷之后,又在这里击败英军,取得了另一个胜利。1783年大陆会议在纳索大厅召开时,从欧洲传来英美媾和的消息,得知了独立战争结束的喜讯。

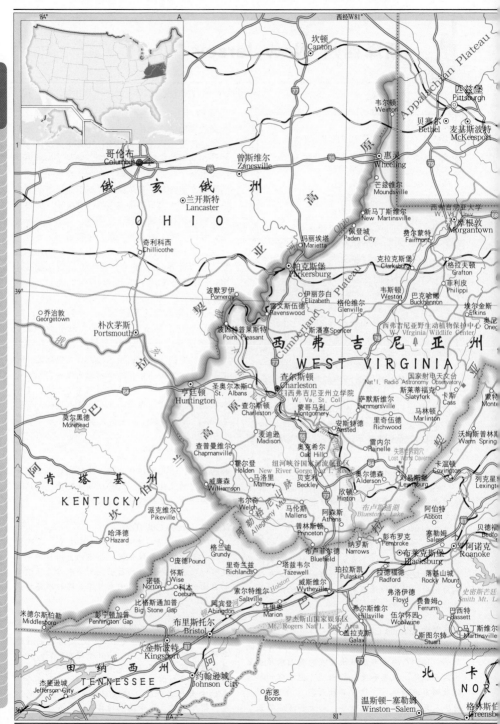

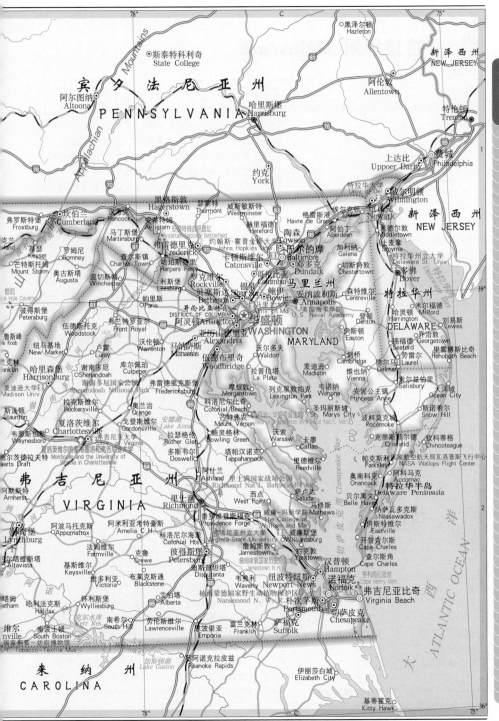

宾夕法尼亚州
PENNSYLVANIA

斯泰特科利奇
State College

阿图图纳
Altoona

哈里斯堡
Harrisburg

黑泽尔顿
Hazleton

阿伦敦
Allentown

新泽西州
NEW JERSEY

特伦顿
Trenton

约克
York

上达比
Upper Darby

费城
Philadelphia

黑格斯敦
Hagerstown

瑟蒙特
Thurmont

威斯敏斯特
Westminster

格雷斯港
Havre de Grace

纽瓦克
Newark

威尔明顿
Wilmington

新泽西州
NEW JERSEY

坎伯兰
Cumberland

汉考克
Hancock

安蒂特姆
Antietam

赫里福德
Hereford

陶森
Towson

阿伯丁
Aberdeen

米德尔敦
Middletown

弗罗斯特堡
Frostburg

马丁斯堡
Martinsburg

查尔斯镇
Charles Town

约翰斯·霍普金斯大学
Johns Hopkins Univ

斯迈纳
Smyrna

弗雷德里克
Frederick

巴尔的摩
Baltimore

加利纳
Galena

特拉华州立大学
Delaware St. Univ

基瑟
Keyser

哈珀斯费里
Harpers Ferry

哥伦比亚
Columbia

邓多克
Dundalk

切斯特敦
Chestertown

多佛
Dover

罗姆尼
Romney

利斯堡
Leesburg

罗克维尔
Rockville

银泉
Silver Spring

马里兰州
MARYLAND

安纳波利斯
Annapolis

森特维尔
Centreville

米尔福德
Milford

芒特斯托姆
Mount Storm

温切斯特
Winchester

贝塞斯达
Bethesda

博伊
Bowie

特拉华州
DELAWARE

哈林顿
Harrington

刘易斯
Lewes

奥古斯塔
Augusta

帕里斯
Paris

哥伦比亚特区
DISTRICT OF COLUMBIA

马里兰大学
Univ of Md

华盛顿
WASHINGTON

美国海军学院
U.S. Naval Academy

登顿
Denton

乔治敦
Georgetown

雷霍博思比奇
Rehoboth Beach

彼得斯堡
Petersburg

伍德斯托克
Woodstock

弗兰特罗亚尔
Front Royal

阿灵顿
Arlington

亚历山德里亚
Alexandria

伊斯顿
Easton

塞尔比维尔
Seaford

德尔马
Delmar

鲁峰
The Knob

新市场
New Market

沃伦顿
Warrenton

马纳萨斯
Manassas

沃尔多夫
Waldorf

剑桥
Cambridge

维也纳
Vienna

索尔兹伯里
Salisbury

海洋城
Ocean City

哈里森堡
Harrisonburg

谢南多厄
Shenandoah

库尔佩珀
Culpeper

拉普拉塔
La Plata

麦迪逊
Madison

韦诺纳
Wenona

安妮公主镇
Princess Anne

斯诺希尔
Snow Hill

麦迪逊大学
Madison Univ

谢南多厄国家公园
Shenandoah National Park

弗雷德里克斯堡
Fredericksburg

摩根敦
Morgantown

列克星敦帕克
Lexington Park

圣玛丽斯城
St Marys City

斯汤顿
Staunton

拉克斯维尔
Rockersville

奥兰治
Orange

科洛尼尔比奇
Colonial Beach

安那波
Anna

圣玛丽莫克城
Pocomoke

韦恩斯伯勒
Waynesboro

夏洛茨维尔
Charlottesville

戈登斯维尔
Gordonsville

芒特弗农
Mount Vernon

沃索
Warsaw

卡廖
Callao

里莫尔兰德
Crisfield

钦科蒂格
Chincoteague

弗吉尼亚大学
University of Virginia

拉彭格伦
Bowling Green

塔帕汉诺克
Tappahannock

里德维尔
Reedville

帕克斯利
Parksley

NASA瓦洛普斯飞行中心
NASA Wallops Flight Center

蒙蒂塞洛和弗吉尼亚大学
Monticello and the University of Virginia in Charlottesville

多斯韦尔
Doswell

阿什兰
Ashland

里士满国家战场公园
Richmond Nat'l Battlefield Park

阿默斯特
Amherst

阿克马克
Accomac

奥南科克
Onancock

德尔马华半岛
Delaware Peninsula

弗吉尼亚州
VIRGINIA

里士满
Richmond

韦斯特波因特
West Point

萨卢达
Saluda

马修斯
Mathews

贝尔黑文
Belle Haven

阿萨瓦多克斯
Assawadox

林奇堡
Lynchburg

阿波马托克斯
Appomattox

阿米利亚考特豪斯
Amelia C.H.

科洛尼尔海茨
Colonial Hts.

普罗维登斯福奇
Providence Forge

威廉-玛丽学院
The College of William and Mary

威廉斯堡
Williamsburg

伊斯特维尔
Eastville

阿尔塔维斯塔
Altavista

法姆维尔
Farmville

弗吉尼亚州立大学
Virginia State University

詹姆斯敦
Jamestown

约克敦
Yorktown

开普查尔斯
Cape Charles

基斯维尔
Keysville

克鲁
Crewe

彼得斯堡
Petersburg

詹姆斯敦国家历史公园
Jamestown N.H.P.

汉普顿
Hampton

开普查尔斯角
Cape Charles

查塔姆
Chatham

哈利法克斯
Halifax

维多利亚
Victoria

布莱克斯通
Blackstone

迪斯普坦塔
Disputanta

韦弗利
Waverly

纽波特纽斯
Newport News

诺福克
Norfolk

弗吉尼亚比奇
Virginia Beach

南波士顿
South Boston

哈利法克斯
Wylliesburg

阿尔伯塔
Alberta

朴次茅斯
Portsmouth

萨福克
Chesapeake

来纳州
CAROLINA

加斯顿湖
Lake Gaston

劳伦斯维尔
Lawrenceville

埃默里亚
Emporia

富兰克林
Franklin

萨福克
Suffolk

罗阿诺克拉皮兹
Roanoke Rapids

伊丽莎白城
Elizabeth City

基蒂霍克
Kitty Hawk

特拉华州 Delaware

英文缩写:	DE
面积:	5,062平方千米
人口:	90万
州府:	多佛
面积排名:	第49位
加入联邦年代:	1787年
州花:	桃花
州鸟:	蓝鸡

位于美国东海岸中部的特拉华湾(C1-2)畔。州内绝大部分地区属于沿海平原，地势低平。最北角地势起伏，人口集中。气候属于亚热带气候向温带气候的过渡区，夏季湿热，植被品种多样。

1609年亨利·哈得孙宣布这一地区为荷兰领地。1631年该地的第一个欧洲移民点全部居民被当地印第安人消灭。1638年瑞典人在威尔明顿建立第一个殖民点，由购买纽约曼哈顿岛的荷兰人彼得·米纽特领导。1664年，特拉华被英国人占领，改属英国，隶属宾夕法尼亚殖民地。1704年宾州领主威廉·宾宣布特拉华的殖民者可根据自己的意愿建立不同的教堂，从而使这里成为一个享有宗教信仰自由的地方。1787年12月大陆会议在多佛召开。会议讨论并通过了美国宪法。作为东道主，特拉华第一个投票赞成，从而成为美国的第1个州。本州人口中76%为白人，21.5%为黑人，3%为亚裔。居民中79%信仰基督教(新教68%，天主教10%)。

特拉华州经济发展在全美处于中上水平。2009年国民生产总值为593亿美元，人均6.59万美元。工业以化工、食品加工、塑料为主。著名的杜邦化学公司总部在本州。

主要高速公路有I—95。主要大学为特拉华州立大学(C1)、特拉华大学(C1)等。

州府多佛 Dover (C1)

人口约2.8万。位于本州中东部，临圣琼斯河。建于1717年。市内格林广场四周有州议会大厦等殖民时期的建筑。城中名胜有美国革命文件重要起草人小迪森·约翰·狄更森故居、特拉华州立博物馆等。

威尔明顿 Wilmington (C1)

本州最大的城市，工业、金融、商业中心及港口。长木公园是原杜邦化学公司创始人皮尔·杜邦的乡村别墅，位于威尔明顿附近，以喷泉、花园、室内植物园的奇花异草出名。有展览馆展出该家族300年的历史。

马里兰州 Maryland

英文缩写:	MD
面积:	25,316平方千米
人口:	577万
州府:	安纳波利斯
面积排名:	第42位
加入联邦年代:	1788年
州花:	黄雏菊
州鸟:	巴尔的摩黄鹂

位于美国东海岸中部南北交界的地方。州的东部地区为沿海平原，属亚热带气候，夏季湿热。向西地势逐渐升高，属潮湿温带气候，夏季湿热，冬季多雪。植被品种多样。州年均降水量为1,000毫米～1,150毫米，西部冬天降雪2.5米。每年约有6次龙卷风。

本州是美国最早的13个州之一。1788年承认联邦宪法，成为加入联邦的第7个州。1862年9月17日南北战争中最残酷的一场战役在安蒂特姆(C1)进行。战争中李将军的4.1万人向北进击，

巴尔的摩
BALTIMORE
1:210 000

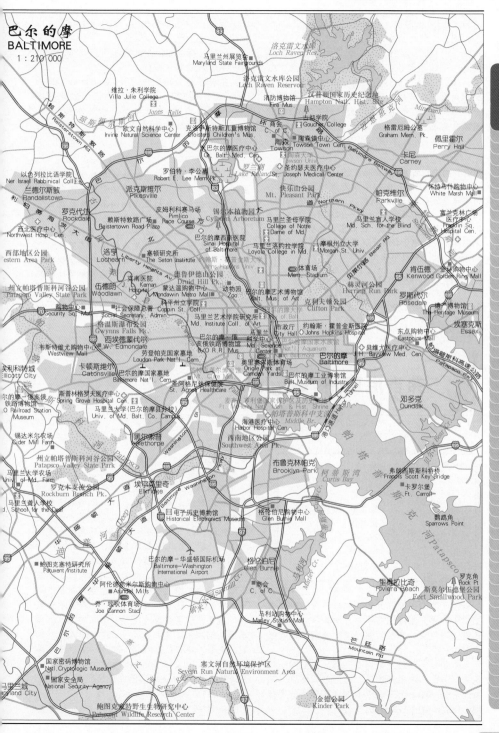

马里兰州

洛克雷文水库
Loch Raven Res.

马里兰州展览馆
Maryland State Fairgrounds

洛克雷文水库公园
Loch Raven Reservoir

汉普顿国家历史纪念地
Hampton Natl. Hist. Site

消防博物馆
Fire Mus.

古彻学院
C. of C.

维拉·朱利学院
Villa Julie College

赖斯特敦大道
Reisterstown Rd

格雷厄姆公墓
Graham Mem. Pk.

佩里霍尔
Perry Hall

Jones Falls

欧文自然科学中心
Irvine Natural Science Center

克洛伊斯特斯儿童博物馆
Cloisters Children's Mus.

古彻学院
Goucher College

陶森镇中心
Towson Town Cen

陶森大学
Towson Univ.

巴尔的摩贝尔特韦路
Baltimore Beltway

卡尼
Carney

巴尔的摩医疗中心
Gr. Balt. Med. Cen.

圣约瑟夫医疗中心
St. Joseph Medical Center

怀特马什购物中心
White Marsh Mall

以色列拉比语学院
Ner Israel Rabbinical Coll

罗伯特·李公墓
Robert E. Lee Mem. Pk.

罗兰湖
Lake Roland

快乐山公园
Mt. Pleasant Park

帕克维尔
Parkville

兰德尔斯敦
Randallstown

派克斯维尔
Pikesville

锡尔本植物园
Cylburn Arboretum

富兰克林广场医疗中心
Franklin Sq. Hospital Cent.

罗克代尔
Rockdale

皮姆利科赛马场
Pimlico Race Course

北道 Northern Pkwy.

马里兰圣母学院
College of Notre Dame of Md.

马里兰盲人学校
Md. Sch. for the Blind

西北医疗中心
Northwest Hosp. Cen.

巴尔的摩西奈医院
Sinai Hospital of Baltimore

赖斯特敦路广场
Reisterstown Road Plaza

马里兰洛约拉学院
Loyola College in Md.

摩根州立大学
Morgan St. Univ.

金代尔购物中心
Kenwood Golden Ring Mall

西部地区公园
Western Area Park

洛恩
Lochearn

塞顿研究所
The Seton Institute

自由高地大道
Liberty Heights Av

体育场
Mem. Stadium

赫灵河公园
Herring Run Park

肯伍德
Kenwood

州立帕塔普斯科河谷公园
Patapsco Valley State Park

伍德朗
Woodlawn

克恩医院
Kernan Hospital

蒙达温购物中心
Mondawin Metro Mall

德鲁伊德山公园
Druid Hill Pk.

动物园
Zoo

巴尔的摩艺术博物馆
Balt. Mus. of Art

克利夫顿公园
Clifton Park

罗斯代尔
Rosedale

遗产博物馆
The Heritage Museum

社会保障总署
Social Secretary. Admin

科平州立学院
Coppin St. Coll.

埃塞克斯
Essex

格温斯福尔斯公园
Gwynns Falls Pk.

马里兰美术学院研究所
Md. Institute Coll. of Art

东点购物中心
Eastpoint Mall

西埃德蒙代尔
W. Edmondale

韦斯特维尤购物中心
Westview Mall

市政厅
City Hall

约翰斯·霍普金斯医院
Johns Hopkins Hospital

埃利科特城
Illicott City

卡顿斯维尔
Catonsville

巴尔的摩国家公墓
Baltimore Natl. Cem.

劳登帕克国家公墓
Loudon Park Natl. Cem.

巴尔的摩铁路博物馆
B.X.O.R.R. Mus.

马里兰科学中心
Md. Science Center

国家水族馆
Natl. Aquarium

贝尤医疗中心
Bayview Med. Cen.

巴尔的摩一俄亥俄铁路博物馆
O Railroad Station Museum

奥里奥尔公园卡姆登场
Oriole Park at Camden Yards

巴尔的摩工业博物馆
Balt. Museum of Industry

邓多克
Dundalk

斯普林格罗夫医疗中心
Spring Grove Hospital Cen.

马里兰大学(巴尔的摩县分校)
Univ. of Md. Balt. Co. Campus

圣阿格尼丝保健院
St. Agnes Healthcare

海港医疗中心
Harbor Hospital Cen.

帕塔普斯科中支流
Middle Br.

弗朗西斯斯科特桥
Francis Scott Key Bridge

锡德米尔农场
Cider Mill Farm

黑尔索普
Halethorpe

西南地区公园
Southwest Area Pk.

卡罗尔堡
Ft. Carroll

州立帕塔普斯科河谷公园
Patapsco Valley State Park

马里兰大学农场
Univ. of Md. Farm

布鲁克林帕克
Brooklyn Park

柯蒂斯湾
Curtis Bay

马里兰聋人学校
School for the Deaf

罗克本支流公园
Rockburn Branch Pk.

埃尔克里奇
Elkridge

巴尔的摩一华盛顿
Baltimore Washington

麻雀角
Sparrows Point

电子历史博物馆
Historical Electronics Museum

格伦伯尼购物中心
Glen Burnie Mall

巴尔的摩一华盛顿国际机场
Baltimore-Washington International Airport

格伦伯尼
Glen Burnie

里维拉比奇
Riviera Beach

罗克角
Rock Pt

鲍图克塞特研究所
Patuxent Institute

斯莫尔伍德堡公园
Fort Smallwood Park

阿伦德尔米尔斯购物中心
Arundel Mills

商会
C. of C.

乔·坎农体育场
Joe Cannon Stad.

马利站购物中心
Marley Station Mall

国家密码博物馆
Natl. Cryptologic Museum

国家安全局
National Security Agency

塞文河自然环境保护区
Severn Run Natural Environment Area

芒廷路
Mountain Rd

金德公园
Kinder Park

马里兰城
Maryland City

鲍图克塞特野生生物研究中心
Patuxent Wildlife Research Center

北方军8.7万人迎击。战争中北方军伤亡1.24万人，南方军伤亡1.07万人。该地现辟为安蒂特姆战争遗址(C1)。1938年，马里兰州成为美国第一个征收所得税的州。居民人口中65%为白人，30%为黑人，5.3%为亚裔。不同族裔人口分布相对集中，英裔主要在东部，德裔主要在西部，意大利裔在巴尔的摩附近。居民中82%信仰基督教(新教56%、天主教23%)，犹太教徒为3%。

本州经济发展在全美处于上等水平。

州府安纳波利斯 Annapolis (C2)

人口约3.4万。1694年成为州府，是美国各州州府中历史最悠久的城市。由于其交通方便，位置适中，1783年11月26日～1784年8月13日美国国会曾在此开会办公。在旧塞文要塞中建有美国海军学院，建于1845年，是美国著名的海军军校，培养大学本科毕业生。

巴尔的摩 Baltimore (C1)

人口约64万。为本州最大的城市和政治、金融中心。建于1729年。城中的芒特克莱尔火车站是美国第一条铁路的起始点，初通往俄亥

2009年的国民生产总值为2,838亿美元，人均4.92万美元。产业中以第三产业为主。水产丰富，多蟹、蚝、蛤。生命科学研究处于领先地位，共有350个研究机构。

主要高速公路有I—70、I—81、I—83、I—91、I—95等。主要机场为巴尔的摩—华盛顿国际机场。主要大学为马里兰大学(C2)、约翰斯·霍普金斯大学(C1)、美国海军学院(C2)等。

俄州。该车站现已辟为芒特克莱尔博物馆。这里还是重要海港，年吞吐量经常居全国前列。城东南的麦克·亨利堡在1814年英勇地抗击了英国军舰25小时的连续炮击，悬挂在城堡上空的国旗一直在飘扬，后辟为麦克·亨利堡国家保护区及历史圣地。这里是美国国歌《星条旗之歌》歌词的诞生地。该市有约翰斯·霍普金斯大学、巴尔的摩大学、陶森大学等大学及研究单位。巴尔的摩国家水族馆位于巴尔的摩内港码头，是美国最大、最现代化的水族馆之一，每年吸引大量游客。

弗吉尼亚州 Virginia

英文缩写:	VA
面积:	102,558平方千米
人口:	800万
州府:	里士满
面积排名:	第36位
加入联邦年代:	1788年
州花:	艳棘木
州鸟:	主红雀

位于美国东部的大西洋沿岸，自然风光秀丽。东部是大西洋沿海平原，地势平坦，属亚热带湿润气候；西部为阿巴拉契亚山脉，属温带湿润气候。

本州是美国历史最悠久的州。史学界一致认为"美国从这里开始"。这里是华盛顿、杰斐逊等8位美国总统的家乡，是美国革命的发祥地，南北战争的主要战场。

1607年美国在北美的第一个永久殖民地在本州东南詹姆斯敦(C2)建立。1699年殖民地的首府从詹姆斯敦迁往威廉斯堡(C2)，1780年又迁往里士满。1775年美国革命战争爆发，本州许多政治家成为革命领袖。1781年英国殖民军在本州东南部的约克敦(C2)向华盛顿统帅的美法联军投降，独立战争结束。1788年本州正式加入联邦，成为美国的第10个州。南北战争中，1865年南方军总司令罗伯特·李将军在阿波马托克斯向北方军总司令格兰特将军投降，结束了南北战争。第二次世界大战时期，本州的诺福克(C2)成为著名的海军基地。在弗吉尼亚旅行，就象在默读美国的历史，不同的地区就象是不同的章节。本州人口中75%为白人，多德国、英国、爱尔兰后裔；21%为黑人，历史上黑人曾占50%以上，工业发展时期多迁徙到北方；5.2%为亚裔。居民中84%信仰基督教(新教69%、天主教14%)。

本州经济发展在全美处于中上水平。

2009年国民生产总值为4,063亿美元，人均5.08万美元。各行业发展均衡。南部以烟草、花生、大豆、肉牛为主；北部以计算机芯片、软件、通讯、服务业为主。

州府里士满 Richmond (C2)

人口约21万。1779年起一直是州府，南北战争时曾为南部邦联的"首都"。可供游览参观的历史建筑很多，如建于1741年的圣约翰教堂、南部联盟博物馆及白宫、建于1788年由杰斐逊设计的州议会大厦、位于城市东南16千米的里士满国家战场公园。

夏洛茨维尔Charlottesville (B2)

主要高速公路有I—64、I—81、I—95。杰斐逊总统创建的弗吉尼亚大学(B2)是全国名校；麦迪逊大学(B2)被誉为美国南方最好的硕士生学校。弗吉尼亚州立大学(C2)在校学生最多。

人口约4万。位于本州中部，是美国第3任总统托马斯·杰斐逊及第5位总统詹姆斯·门罗的家乡，也是弗吉尼亚大学的所在地。

芒特弗农 Mount Vernon (C2)

位于本州东北部，是华盛顿总统的安葬地。乔治·华盛顿诞生地坐落在小山上，俯视波托马克河。这里环境清幽，是众多人凭吊美国第一位总统的地方。

西弗吉尼亚州 West Virginia

英文缩写：	WV
面积：	62,384平方千米
人口：	185万
州府：	查尔斯顿
面积排名：	第41位
加入联邦年代：	1863年
州花：	大杜鹃花
州鸟：	主红雀

位于美国东部，原是弗吉尼亚州的一部份。本州素有"山地之州"之称，阿巴拉契亚山脉构成了东部的边界，全区位于阿巴拉契亚山脉地区，多峡谷、急流、险滩、瀑布、岩洞。全州75%为森林覆盖，原始植被多橡树、栗树等硬杂木。海拔较高地区是湿润温带气候，四季分明；低海拔地区冬季温和，夏季多雨。

南北战争中，弗吉尼亚退出联邦参加南部邦联，西部的40个县愤然离开弗吉尼亚，于1863年6月20日加入联邦，成为美国的第35个州。本州人口中95.5%为白人，3.5%为黑人。

本州经济发展比较落后。2009年国民生产总值为623亿美元，人均3.37万美元。矿产较多，煤产量居全国第一。1859年发现石油，是美国最早发现石油的州，但至今只发现了中小型石油和天然气田。农业发展受山地影响较大。

交通主要靠公路，主要高速公路有I-64、I-68、I-77、I-79等。大学主要有西弗吉尼亚大学(B1)、西弗吉尼亚州立学院(A2)等。但本州成人中只有15.3%取得过学士学位，在美国各州中比例最低。

州府查尔斯顿 Charleston (A2)

人口约6万。建于1794年。市内的州议会大厦建于1932年，位于卡诺瓦河畔。大厦的两翼是州政府及法院所在地。州长官邸及文化中心与大厦相邻。每年五月末的国殇日，议会大厦前的草坪上举办盛大的文化聚会，表演当地的音乐、舞蹈，进行各种比赛和展览。市内的日出博物馆包括科学和艺术两馆。本市的高校有西弗吉尼亚州立学院和查尔斯顿大学等。

贝克利 Beckley (A2)

人口约1.8万。位于本州南部，是本州无烟煤矿的中心。煤矿区散布在贝克利至布卢菲尔德(A2)的广大区域内。

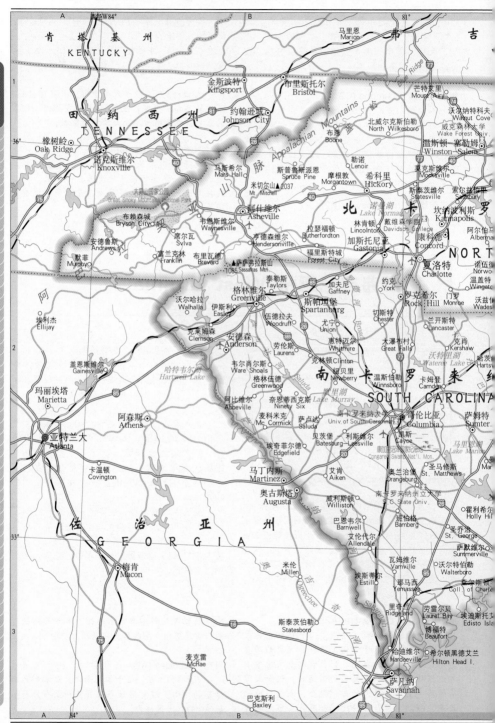

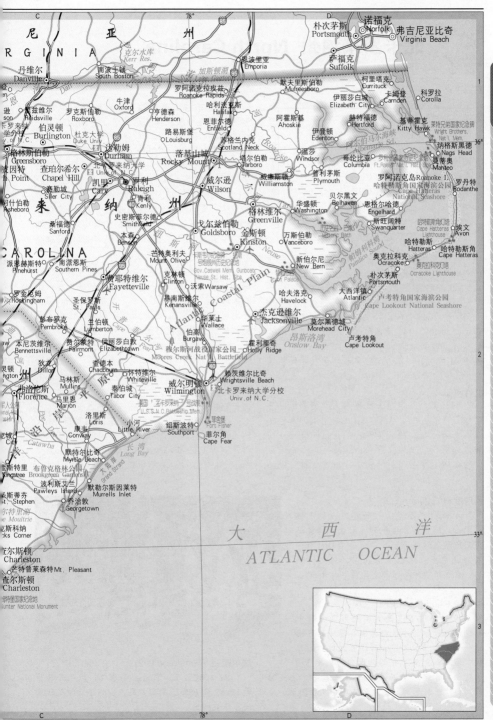

尼　亚　　州
VIRGINIA

朴次茅斯
Portsmouth
诺福克
Norfolk
弗吉尼亚比奇
Virginia Beach

丹维尔
Danville

南波士顿
South Boston

克尔水库
Kerr Res.

恩波里亚
Emporia

萨福克
Suffolk

默弗里斯伯勒
Mufreesboro

柯里塔克
Currituck

卡姆登
Camden

科罗拉
Corolla

罗阿诺克拉皮兹
Roanoke Rapids

伊丽莎白城
Elizabeth City

牛津
Oxford

亨德森
Henderson

哈利法克斯
Halifax

路易斯堡
Louisburg

恩菲尔德
Enfield

阿霍斯基
Ahoskie

赫特福德
Hertford

基蒂霍克
Kitty Hawk

莱兹维尔
Reidsville

罗克斯伯勒
Roxboro

伊登顿
Edenton

莱特兄弟国家纪念碑
Wright Brothers,
Nat'l. Mem.

伯灵顿
Burlington

杜克大学
Duke Univ.

达勒姆
Durham

苏格兰内克
Scotland Neck

温莎
Windsor

纳格斯黑德
Nags Head

格林斯伯勒
Greensboro

落基山城
Rocky Mount

哥伦比亚
Columbia

曼蒂奥
Manteo

查珀尔希尔
Chapel Hill

北卡罗来纳大学
Univ. of N.C.

塔尔伯勒
Tarboro

普利茅斯
Plymouth

罗阿诺克岛Roanoke I.
哈特勒斯角国家海滨公园
Cape Hatteras
Nat'l. Seashore

高点
High Point

凯里
Cary

罗利
Raleigh

威尔逊
Wilson

威廉斯顿
Williamston

罗丹特
Bodanthe

阿什伯勒
Asheboro

塞勒城
Siler City

肯利
Kenly

华盛顿
Washington

贝尔黑文
Belhaven

恩格尔哈德
Engelhard

斯密斯菲尔德
Smithfield

格林维尔
Greenville

斯旺夸特
Swanquarter

埃文
Avon

CAROLINA

本森
Benson

戈尔兹伯勒
Goldsboro

金斯顿
Kinston

万斯伯勒
Vanceboro

哈特勒斯
Hatteras

哈特勒斯角
Cape Hatteras

派恩赫斯特
Pinehurst

南派恩斯
Southern Pines

芒特奥利夫
Mount Olive

新伯尔尼
New Bern

奥克拉科克
Ocracoke

奥克拉科克灯塔
Ocracoke Lighthouse

费耶特维尔
Fayetteville

克林顿
Clinton

朴次茅斯
Portsmouth

罗金厄姆
Rockingham

圣保罗斯
St. Pauls

沃索
Warsaw

大西洋镇
Atlantic

卢考特角国家海滨公园
Cape Lookout National Seashore

彭布罗克
Pembroke

兰伯顿
Lumberton

基南斯维尔
Kenansville

华莱士
Wallace

哈夫洛克
Havelock

本内茨维尔
Bennettsville

费尔蒙特
Fairmont

伊丽莎白敦
Elizabethtown

伯戈
Burgaw

杰克逊维尔
Jacksonville

莫尔黑德城
Morehead City

卢考特角
Cape Lookout

狄龙
Dillon

查德本
Chadbourn

怀特维尔
Whiteville

霍利里奇
Holly Ridge

昂斯洛湾
Onslow Bay

弗洛伦斯
Florence

马林斯
Mullins

泰伯城
Tabor City

赖茨维尔比奇
Wrightsville Beach

北卡罗来纳大学分校
Univ. of N.C.

玛里恩
Marion

洛里斯
Loris

威尔明顿
Wilmington

费希尔堡
Fort Fisher

康韦
Conway

小河
Little River

绍斯波特
Southport

菲尔角
Cape Fear

默特尔比奇
Myrtle Beach

长湾
Long Bay

金斯特里
Kingstree

布鲁克格林公园
Brookgreen Gardens

波利斯艾兰
Pawleys Island

默勒尔斯因莱特
Murrells Inlet

乔治敦
Georgetown

大　西　洋
ATLANTIC OCEAN

查尔斯顿
Charleston

芒特普莱森特Mt. Pleasant

查尔斯顿
Charleston

北卡罗来纳州 North Carolina

<table>
<tr><td>英文缩写:</td><td>NC</td></tr>
<tr><td>面积:</td><td>126,180平方千米</td></tr>
<tr><td>人口:</td><td>954万</td></tr>
<tr><td>州府:</td><td>罗利</td></tr>
<tr><td>面积排名:</td><td>17位</td></tr>
<tr><td>加入联邦年代:</td><td>1789年</td></tr>
<tr><td>州花:</td><td>艳栋木</td></tr>
<tr><td>州鸟:</td><td>主红雀</td></tr>
</table>

位于大西洋沿岸的中南部,北邻弗吉尼亚州,南接南卡罗来纳州。全州大体分为三部分:45%为东部沿海平原,属亚热带湿润气候,由于受大西洋影响气候较温和,夏季不是很热,冬季少见冰雪;20%为阿巴拉契亚山脉的蓝岭,地势高耸,米切尔山(B2)海拔2,037米,是美国东部的最高峰。夏季凉爽,冬季严寒;两区之间,约35%是山麓区,是本州城市的集中区。本州每年约有50天的雷雨天气,有时有大风冰雹,有20余次龙卷风。

1585年,沃尔特·罗利爵士受英国伊丽莎白女王派遣,在罗阿诺克岛(D2)建殖民地,但两年后下落不明。1650年弗吉尼亚殖民区来人在此地建第一个永久居民点。1663年英王查理二世将这块土地授与英国领主,命名卡罗来纳。

1775年宣布脱离英国独立。1789年承认联邦宪法,成为加入联邦的第12个州。南北战争中加入南部联盟,参军人数达12.5万。1898年百事可乐在新伯尔尼(D2)问世,逐渐行销世界。1903年莱特兄弟在本州外环岛成功发明并制造了第一架带动力的飞机。本州人口中75%为白人(德国裔44%、英国裔9.5%、爱尔兰裔7.7%),22%为黑人,1.65%为印第安人,2%为亚裔。2000年~2006年全州人口增长10%,多来自墨西哥、中美等地的非法移民。居民中88%信仰基督教(新教77%,天主教10%)。

本州土地肥沃,历史上曾为主要农业州,盛产烟草、大豆、棉花、禽蛋、猪、肉牛等,是美国烟草、纺织大王的家乡。上世纪后期,工业产出居全美第8位。但上世纪末以来,作为工业支柱的纺织业多已移至中美洲、亚洲等地。反之,科研、信息、金融产业得到很大发展。夏洛特已成为仅次于纽约的第二大金融中心。本州旅游业发达,西部的大雾山国家公园(B2)、东部的外环岛都是著名的旅游胜地。2009年国民生产总值为3,989亿美元,人均4.18万美元。

本州交通发达,主要高速公路有I—26、I—40、I—77、I—85、I—95等。全州公立大学74所,私立大学41所。私立大学中,杜克大学(C1)、戴维森学院(C2)等很有名。

州府罗利 Raleigh (C2)

人口约41万。1792年建市。位于该州中心。城市按方格规划。附近的科技三角园地和大学联成一片,是著名的科研中心。北卡罗来纳艺术博物馆、历史博物馆、自然科学博物馆都免费对游人开放。

夏洛特 Charlotte (C2)

人口约71万。是美国的第二金融中心,仅次于纽约。最初由来自费城的苏格兰——爱尔兰人兴建。后迁入大批德国移民,城市遂以英王乔治三世的德国妻子夏洛特王后命名。美国第7任总统安德鲁·杰克逊与第11任总统詹姆斯·波尔克均出生在附近。他们的故居已辟为文化遗址。

游行

威尔明顿 Wilmington (D2)

人口约5.5万。本州主要港口。位于开普菲尔河口,是殖民时期的首府。1765年反印花税法的革命发源地。

北卡罗来纳州

南卡罗来纳州 South Carolina

英文缩写:	SC
面积:	77,988平方千米
人口:	463万
州府:	哥伦比亚
面积排名:	第40位
加入联邦年代:	1788年
州花:	素馨
州鸟:	卡罗来纳鹪鹩

位于大西洋沿岸中南部，北邻北卡罗来纳州，西南隔萨凡纳河与佐治亚州相望。州的东南部以平原为主，多滩涂、沼泽、沙质土壤丘陵。西北部为阿巴拉契亚山脉。山地和平原交界处多激流、瀑布。本州以亚热带潮湿气候为主，夏季潮热，但多受热带空气涡流影响，8月~10月多雷雨，年均有14次龙卷风。冬季温和，低海拔区罕见冰雪。

1670年第一个英国定居点在阿什利河畔建立，后迁至查尔斯顿。1729年卡罗来纳殖民区分为南北卡罗来纳两部分。1788年南卡罗来纳成为联邦的第8个州。1860年12月该州第一个退出联邦加入南部联盟。1861年4月12日南部联盟在查尔斯顿攻击联邦控制的萨姆特堡，打响了南部联盟反叛的第一枪。1865年北方名将谢尔曼率大军横扫本州，烧毁了州府哥伦比亚。历史上，本州黑人奴隶人口很多，后多北迁。本州人口中69%是白人，多英国、爱尔兰、德国后裔；29.7%是黑人，亚裔为1.3%。居民中92%信仰基督教(新教84%，天主教7%)。

2009年国民生产总值为1,580亿美元，人均3.41万美元，在全美处于低收入地区。农产品以烟草、禽奶、乳牛、猪为主，桃和苹果是主要水果。工业品以纺织、化工、造纸等为主。本州耕地少，多硬杂木林，所以家具业也是重要产业之一。萨凡纳河畔的原子能委员会萨凡纳工厂是美国最大的原子能工厂之一。

本州交通发达，主要高速公路有I—20、I—26、I—77、I—85、I—95等，海港有查尔斯顿、乔治敦等，各大城市都有机场。大学很多，查尔斯顿学院(C3)是全美历史最悠久的大学之一。

州府哥伦比亚 Columbia (C2)

人口约13万。地处本州中心。1786年州府由查尔斯顿迁来此地。市东北部的湖区风光秀美，为旅游胜地。

查尔斯顿 Charleston (C3)

人口约8万。本州重要的深水良港。在美国独立战争和南北战争中，这里都进行过意义重大的战斗。查尔斯顿保留着许多造型优美的古建筑和园林。

萨姆特堡国家纪念地
Fort Sumter National Monument (C3)

是1829年~1960年建在查尔斯顿港湾的一个人工小岛上的要塞。南北战争中，南部联盟于1861年4月12日向要塞发动攻击，打响了反叛的第一枪。经过两天炮击，守卫要塞的北方军投降。该要塞被南方军占领，直至1865年。

大海岸 Grand Strand (C2)

从南北卡罗来纳交界处的小河到桑蒂河口，近百千米的海岸被称为大海岸，是著名的风景区。离海岸不远的康韦是该州最早的城镇，建于1734年。默特尔比奇处于大海岸的中部，已经发展为著名的娱乐中心。该地有水族馆及上百个高尔夫球场及网球中心。布鲁克格林公园原为水稻和靛青的种植园，现陈列着500多件美国19世纪及现代雕塑家的作品，是著名的雕塑公园。乔治

海边的游艇码头

敦是1526年西班牙人试图建立殖民据点的地方，后来瘟疫赶走了这些西班牙人。18世纪成为移民定居地，现辟为重要港口。

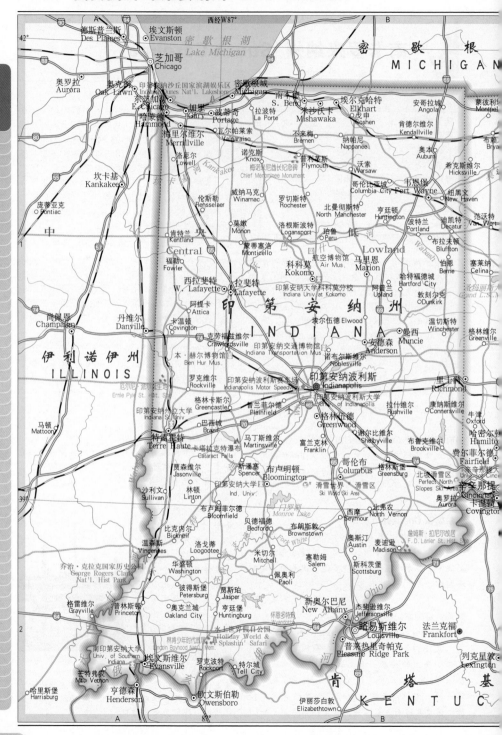

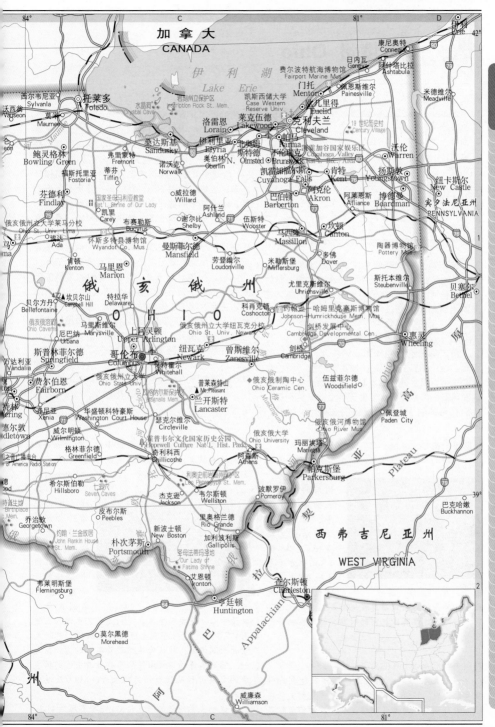

加拿大
CANADA

伊 利 湖
Lake Erie

西尔韦尼亚 Sylvania
托莱多 Toledo
沃西恩 Wauseon
莫米 Maumee
鲍灵格林 Bowling Green
弗里蒙特 Fremont
福斯托里亚 Fostoria
芬德利 Findlay
凯里 Carey
阿达 Ada
肯顿 Kenton
贝尔方丹 Bellefontaine
俄亥俄溶洞 Ohio Caverns
巴巴纳 Urbana
斯普林菲尔德 Springfield
斯达利亚 Vandalia
费尔伯恩 Fairborn
海林 Kering
希尼亚 Xenia
威尔明顿 Wilmington
格林菲尔德 Greenfield
希尔斯伯勒 Hillsboro
乔治城 Georgetown
弗莱明斯堡 Flemingsburg
莫尔黑德 Morehead

水晶屋 Crystal Cave
岩洞州立保护区 Inscription Rock St. Mem.
桑达斯基 Sandusky
诺沃克 Norwalk
威拉德 Willard
阿什兰 Ashland
谢尔比 Shelby
伍斯特 Wooster
曼斯菲尔德 Mansfield
劳登维尔 Loudonville
米勒斯堡 Millersburg
多佛 Dover

洛雷恩 Lorain
莱克伍德 Lakewood
伊利里亚 Elyria
奥伯林 N. Oberlin
北奥姆斯特德 N. Olmsted
不伦瑞克 Brunswick
凯霍加福尔斯 Cuyahoga Falls
阿克伦 Akron
巴伯顿 Barberton
马西隆 Massillon
坎顿 Canton
尤里克斯维尔 Uhrichsville
斯托本维尔 Steubenville

费尔波特航海博物馆 Fairport Marine Mus.
凯斯西储大学 Case Western Reserve Univ
克利夫兰 Cleveland
帕马 Parma
凯霍加谷国家娱乐区 Cuyahoga Valley Nat'l. Rec. Area
肯特 Kent
阿莱恩斯 Atliance
陶器博物馆 Pottery Mus.

门托 Mentor
欧几里得 Euclid
佩恩斯维尔 Painesville
沃伦 Warren
扬斯敦 Youngstown
博德曼 Boardman

康尼奥特 Conneaut
日内瓦 Geneva
阿什塔比拉 Ashtabula
米德维尔 Meadville

纽卡斯尔 New Castle
宾夕法尼亚州 PENNSYLVANIA

俄亥俄州立大学莱马分校 Ohio St. Univ.-Lima
怀恩多特县博物馆 Wyandot Co. Mus.
马里恩 Marion
特拉华 Delaware
上阿灵顿 Upper Arlington
哥伦布 Columbus
俄亥俄州立大学 Ohio State Univ.
奥克利尔森保护区 Oakgnals Mem.
马里斯维尔 Marysville
怀特霍尔 Whitehall
华盛顿科特豪斯 Washington Court House
圆形之家 Circleville
霍普韦尔文化国家历史公园 Hopewell Culture Nat'l. Hist. Park
利奥史密斯州立博物馆 Logan Elm St. Mem.
奇利科西 Chillicothe
七洞 Seven Caves
皮布尔斯 Peebles
约翰·兰金故居 John Rankin House St. Mem.
朴次茅斯 Portsmouth
新波士顿 New Boston
圣母法蒂玛圣地 Our Lady of Fatima Shrine
艾恩顿 Ironton

科肖克顿 Coshocton
俄亥俄州立大学纽瓦克分校 Ohio St. Univ., Newark
纽瓦克 Newark
曾斯维尔 Zanesville
普莱森特山 Mt. Pleasant
兰开斯特 Lancaster
俄亥俄陶瓷中心 Ohio Ceramic Cen.
韦尔斯顿 Wellston
杰克逊 Jackson
里奥格兰德 Rio Grande
加利波利斯 Gallipolis

约翰逊-哈姆里克豪斯博物馆 Johnson-Humrickhouse Mem. Mus.
剑桥发展中心 Cambridge Developmental Cen.
剑桥 Cambridge
伍兹菲尔德 Woodsfield
俄亥俄河博物馆 Ohio River Mus.
玛丽埃塔 Marietta
阿森斯 Athens
俄亥俄大学 Ohio University
波默罗伊 Pomeroy
帕克斯堡 Parkersburg

19世纪历史村 Century Village
本森 Bethel
惠灵 Wheeling
佩登城 Paden City
巴克哈嫩 Buckhannon

俄 亥 俄 州
O H I O

西 弗 吉 尼 亚 州
WEST VIRGINIA

查尔斯顿 Charleston
亨廷顿 Huntington
威廉森 Williamson

巴 拉
Appalachian

高 原
Plateau

俄 亥 俄 河
Ohio

俄亥俄州 Ohio

英文缩写:	OH
面积:	106,067平方千米
人口:	1,154万
州府:	哥伦布
面积排名:	第35位
加入联邦年代:	1803年
州花:	红石竹
州鸟:	主红雀

位于美国中北部偏东，伊利湖以南，属于大湖区地区。州内地势低平，多冰渍平原。州的东南部是阿巴拉契亚高原，地势起伏大。总体说来本州属潮湿大陆性气候，夏季炎热，冬季严寒。只有南端属亚热带气候。耕地占全州面积60%以上，为美国主要的农业州。

俄亥俄在易洛魁印第安语中是"伟大"的意思。这个州曾先后出过8位美国总统，两位宇航的先驱，诞生过包括发明大王爱迪生在内的许多发明家、作家和诗人。美国独立战争胜利后，政府将西部的土地分给参战的老兵作为补偿。

本州的先人就是这些西迁的老兵。1803年建州，成为西北边区中加入合众国的第一个州，也是美国的第17个州。美国工业革命中，这里出现了辛辛那提、哥伦布、克利夫兰等一系列制造业中心。至今它们仍是美国的工业基地，其中机械、汽车、飞机、轮胎制造、钢铁等行业更是名列前茅。这些繁华的城市中有高耸入云的摩天大楼、金融保险中心、商业区、博物馆和学校。另一方面，本州又有广大的农田及无数的小乡村。在那里你可以尽情享受安祥、清新以及大自然赋予人类的田园风光。本州农产品主要有大豆、玉米、西红柿、奶类。伊利湖(C1)畔秀丽的风景每年吸引了数以千万计的游客。本州人口中86%为白人，主要为德国、爱尔兰、英国、意大利后裔；黑人占12.7%，亚裔占1.68%。2009年国民生产总值为4,660亿美元，人均4.04万美元。

主要高速公路有I—70、I—71、I—76、I—77、I—80、I—90等。本州还有"院校之乡"的美称，高等学府数量在全国各州中排第七位，不少学校世界知名，如俄亥俄大学(C1)、辛辛那提大学(B1)等。

州府哥伦布 Columbus (C1)

人口约77万。位于本州的中心。1803年俄亥俄州建立时，州府的问题尚未确定。1812年，富兰克林顿的居民主动提出，提供4,800平方千米土地及5万美元建设州议会大

哥伦布

厦，交换条件是将州府建在他们那里。州议会遂同意将州府建在赛欧托河的对岸，即现在的哥伦布。

克利夫兰 Cleveland (C1)

人口约43万。本州最大的城市及伊利湖畔重要的港口。1796年测师师英塞斯·克利夫兰在这里进行测量，建立了小镇。南北战争前曾经是

逃亡奴隶逃往加拿大的主要经停站。由于地处五大湖的主航道，该地很快发展成为钢铁、交通、石油工业的中心。1910年~1920年，曾为全国第二大汽车城。现在仍为20余家大公司的总部所在地。大学区位于市中心以东，是克利夫兰名副其实的

克利夫兰

文化中心、重要观光区。克利夫兰艺术博物馆藏有4万余件中古时期直至现在的艺术品，包括大量的欧洲名画，被认为是馆藏最丰富的博物馆之一。摇滚乐博物馆展出了从布鲁斯爵士乐到摇滚乐的发展过程及代表作品的录音、MTV及演出盛况。

克利夫兰附近的阿克伦(C1)是世界橡胶制品

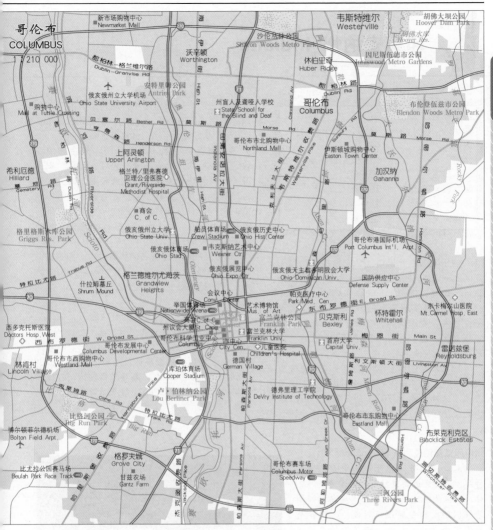

哥伦布
COLUMBUS
1 : 210 000

新市场购物中心
Newmarket Mall

韦斯特维尔
Westerville

胡佛大坝公园
Hoover Dam Park

胡佛水库
Hoover Res.

沙伦丛林公园
Sharon Woods Metro Park

沃辛顿
Worthington

休伯里奇
Huber Ridge

因尼斯伍德市公园
Inniswood Metro Gardens

都柏林—格兰维尔路
Dublin-Granville Rd.

安特里姆公园
Antrim Park

都柏林路
Dublin Rd.

哥伦布
Columbus

俄亥俄州立大学机场
Ohio State University Airport

州盲人及聋哑人学校
State School for the Blind and Deaf

布伦登伍兹市公园
Blendon Woods Metro Park

购物中心
Mall at Tuttle Crossing

贝塞尔路 Bethel Rd.

莫斯路 Morse Rd.

莫斯路 Morse Rd.

亨德森路
Henderson Rd.

哥伦布市北购物中心
Northland Mall

伊斯顿镇购物中心
Easton Town Center

希利厄德
Hilliard

上阿灵顿
Upper Arlington

加汉纳
Gahanna

格兰特/里弗赛德
卫理公会医院
Grant/Riverside
Methodist Hospital

格里格斯水库公园
Griggs Res. Park

商会
C. of C.

俄亥俄州立大学
Ohio State Univ.

船员体育场
Crew Stadium

俄亥俄历史中心
Ohio Hist. Center

哥伦布港国际机场
Port Columbus Int'l. Arpt.

俄亥俄体育场
Ohio Stad.

韦克斯纳艺术中心
Wexner Ctr.

特拉比尤路 Trabue Rd.

什拉姆墓丘
Shrum Mound

格兰德维尔尤海茨
Grandview
Heights

俄亥俄展览中心
Ohio Expo. Ctr.

俄亥俄天主教会圣彼我大学
Ohio-Dominican Univ.

国防供应中心
Defense Supply Center

会议中心
Conv. Center

艺术博物馆
Mus. of Art

帕克医疗中心
Park Med. Cen.

东卡梅尔山医院
Mt. Carmel Hosp. East

全国体育馆
Nationwide Arena

商会 C. of C.

富兰克林公园
Franklin Park

东布罗德街
E. Broad St.

怀特霍尔
Whitehall

西多克托斯医院
Doctors Hosp. West

西布罗德街
W. Broad St.

哥伦布科学工业中心
COSI

州议会大厦
St. Capt.

富兰克林大学
Franklin Univ.

贝克斯利
Bexley

首府大学
Capital Univ.

雷诺兹堡
Reynoldsburg

哥伦布市发展中心
Columbus Developmental Center

哥伦布市西购物中心
Westland Mall

城中心
City Cen.

儿童医院
Children's Hospital

德国村
German Village

梅恩街
Main St.

利文斯顿大街
Livingston Av.

林肯村
Lincoln Village

库珀体育场
Cooper Stadium

卢·伯林纳公园
Lou Berliner Park

德弗里理工学院
DeVry Institute of Technology

哥伦布市东购物中心
Eastland Mall

布莱克利克区
Blacklick Estates

比格兰河公园
Big Run Park

博尔顿菲尔德机场
Bolton Field Arpt.

格罗夫城
Grove City

比尤拉公园赛马场
Beulah Park Race Track

甘兹农场
Gantz Farm

哥伦布赛车场
Columbus Motor
Speedway

三河公园
Three Rivers Park

的中心。著名的汽车轮胎公司固特异、固特瑞、燧石的总部都设在这里。

辛辛那提 Cincinnati (B1)

人口约33.3万。位于本州西南角，俄亥俄河北岸，市中心是群山环抱的小盆地。该市最初建于1788年。为防止印第安人的侵扰，1789年在该地建华盛顿堡。1811年，"新奥尔良"号汽船从密西西比河始航到这里，加之其后迈阿密伊利湖运河修通，大量农产品运到这里交换，使加工业日益繁荣，城市迅速发展。19世纪30年代的移民多来自德国，60年代移民则主要来自爱尔兰。市

内有大量多元文化的遗址。1850年前后，该市曾为世界上最大的生猪生产基地，有"猪肉城"之称。南北战争后又是南北方贸易的重要口岸。现在该城工业多元化，是一些知名公司的总部所在地。

辛辛那提北面的代顿(B1)有世界上最大的军用飞机博物馆，同时展出的还有数届美国总统的专机、海湾战争中使用的导弹、炸弹等。

印第安纳州 Indiana

英文缩写:	IN
面积:	92,904平方千米
人口:	648万
州府:	印第安纳波利斯
面积排名:	第38位
加入联邦年代:	1816年
州花:	牡丹
州鸟:	主红雀

位于美国中北部，北望密歇根湖，属于大湖区的一个州。州的北部多沙丘，中部多耕地、草场、树林，南部为丘陵，多森林、农田、矿产。除最南端属潮湿亚热带气候外，多为潮湿大陆性气候，夏季炎热，冬季严寒，年均降水量1,000毫米。每年有40~50个雷雨天气。在大湖区各州中属于易受龙卷风袭击的地区。

1679年法国探险家罗伯特·卡维里成为第一个到达这片印第安人居住区的白人。后来英国占领了这片土地。1783年划归美国。1787年成为西北边区的一部分。1800年国会决定建立印第安纳边区，1816年建州，成为美国的第19个州。本州人口中89.6%为白人，以德国后裔最多(22.7%)；9.42%为黑人，1.44%为亚裔。

本州地势平坦，四季分明，是主要的农牧区。主要农产品有玉米、大豆、蛋奶、肉牛等。州内制造业发达，西北部是美国最大的钢生产基地。其他主要工业产业有制药、汽车制造、电气设备制造等。本州盛产大理石，采石业是一大行业，生产全国建筑石材的2/3。州北部密歇根湖畔的印第安纳沙丘国家滨湖娱乐区(A1)建于1925年，是著名的旅游胜地。印第安纳大学所在地布卢明顿(B1)是全州风景秀丽的地方。2009年国民生产总值为2,575亿美元，人均3.97万美元。

州南部有一系列有名的石灰岩洞，如怀恩多特洞(B2)。州的最南端则有林肯少年时代故居(B2)。

交通方便，主要高速公路有I-65、I-69、I-64、I-70、I-94等。高等教育发达，在校外州学生数在全美占第四位。主要大学有印第安纳大学(C1)、珀德大学(B1)等十几所。

州府印第安纳波利斯 Indianapolis (B1)

人口约81万。位于州的中心，濒怀特河，地处交通要道，有"美国通衢"之称。该市是1820年由曾担任首都华盛顿副总规划师的拉尔斯顿规划设计，现在是美国中西部的一个十分规范化的重要城市。1911年首次500英里(805千米)汽车赛在本市郊区的印第安纳波利斯赛车场举行，自此每年五月最后一个星期一(即美国国殇日)的印第安纳波利斯汽车赛成了世界

印第安纳波利斯赛车

知名的体育盛事，观众多达30万人。经济上，本城一直是全国牲畜的主要市场和肉类的加工中心。新兴的高科技产业，主要有制药、自动化、计算机软件等。位于市内的印第安纳波利

印第安纳波利斯
INDIANAPOLIS
1：228 000

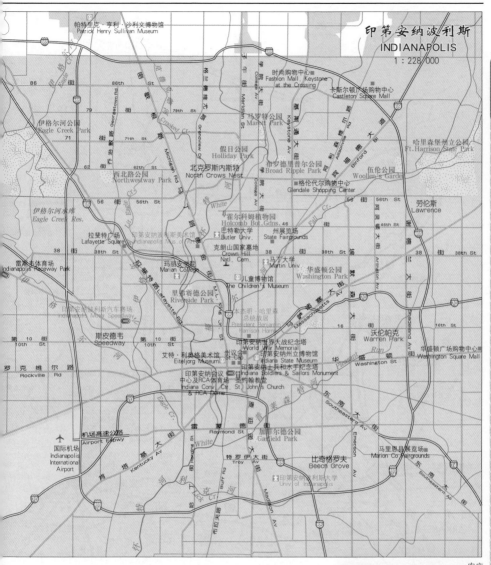

帕特里克·亨利·沙利文博物馆
Patrick Henry Sullivan Museum

86 街 86th St

79 街

71 街 71st St

伊格尔河公园
Eagle Creek Park

62 街 62nd St

西北路公园
Northwestway Park

56 街 56th St

伊格尔河水库
Eagle Creek Res.

拉斐特广场
Lafayette Square

38 街 38th St

雷斯韦体育场
Indianapolis Raceway Park

印第安纳波利斯汽车赛场
Indianapolis Motor Speedway

斯皮德韦
Speedway

第 10 街 10th St

罗克维尔路
Rockville Rd

国际机场
Indianapolis International Airport

机场高速公路
Airport Expwy

肯塔基大街
Kentucky Av

时尚购物中心
Fashion Mall at the Crossing

卡斯尔顿广场购物中心
Castleton Square Mall

玛特公园
Marott Park

假日公园
Holliday Park

北克罗斯内斯特
North Crows Nest

印第安纳波利斯美术馆
Indianapolis Mus. of Art

玛丽安学院
Marian College

里弗赛德公园
Riverside Park

拉法耶特路
Lafayette Rd

本杰明·哈里森总统故居
President Benjamin Harrison Home

艾特·利尔格美术馆
Eiteljorg Museum

印第安纳会议中心及RCA体育馆
Indiana Conv. Ctr. & RCA Dome

布罗德里普尔公园
Broad Ripple Park

格伦代尔购物中心
Glendale Shopping Center

霍尔科姆植物园
Holcomb Bot. Gdns. 46

巴特勒大学
Butler Univ.

克朗山国家墓地
Crown Hill Natl. Cem.

儿童博物馆
The Children's Museum

印第安纳世界大战纪念塔
World War Memorial

印第安纳州立博物馆
Indiana State Museum

印第安纳士兵水手纪念塔
Indiana Soldiers & Sailors Monument

圣约翰教堂
St. John's Church

伍伦公园
Woollen's Garden

州展览场
State Fairgrounds

马丁大学
Martin Univ.

华盛顿公园
Washington Park

劳伦斯
Lawrence

哈里森堡州立公园
Ft. Harrison State Park

56 街 56th St

46 街 46th St

38 街 38th St

沃伦帕克
Warren Park

华盛顿街
Washington St

华盛顿广场购物中心
Washington Square Mall

16 街 16th St

雷蒙德大街
Raymond St

加菲尔德公园
Garfield Park

特罗伊大街
Troy Av

比奇格罗夫
Beech Grove

印第安纳波利斯大学
Univ of Indianapolis

马里恩县展览场
Marion Co. Fairgrounds

斯美术馆展出2,000余件艺术珍品，免费开放。还有美国第23任总统本杰明·哈里森总统故居。

韦恩堡 Fort Wayne (B1)

人口约18万。位于本州东北部两条河流的汇合处。独立战争将军韦恩在此和迈阿密印第安人媾和，城市遂以他命名。由于沃巴什—伊利湖运河的开挖及铁路的修通，本城迅速发展成为本州的贸易中心。市内著名的景点有市中心

的11个博物馆和历史名胜、1928年修建的大使剧场、以及城市东北部的全国最大的湖滨玫瑰园等。

农庄

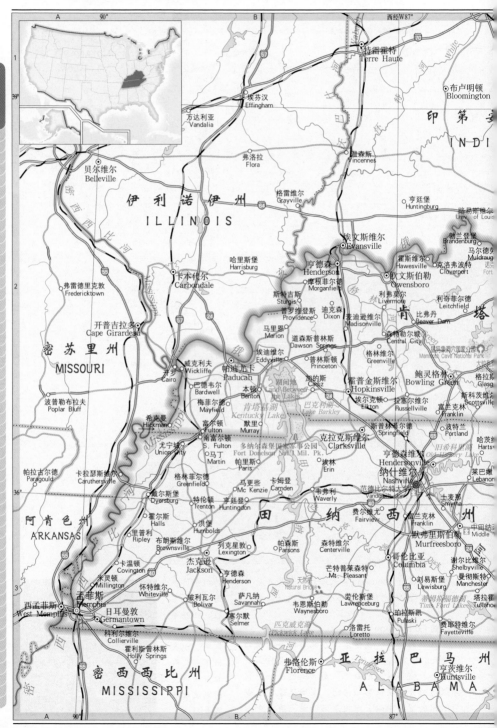

特雷霍特
Terre Haute

布卢明顿
Bloomington

印第安
INDI

埃芬汉
Effingham

万达利亚
Vandalia

弗洛拉
Flora

温森斯
Vincennes

贝尔维尔
Belleville

格雷维尔
Grayville

亨廷堡
Huntingburg

路易斯维尔
Univ. of Louis

伊利诺伊州
ILLINOIS

埃文斯维尔
Evansville

兰德登堡
Brandenburg

霍伊斯维尔
Hawesville

克洛弗波特
Cloverport

穆尔德劳
Muldraug

Fort

哈里斯堡
Harrisburg

亨德森
Henderson

欧文斯伯勒
Owensboro

肯塔

卡本代尔
Carbondale

摩根菲尔德
Morganfield

利弗莫尔
Livermore

利奇菲尔德
Leitchfield

弗雷德里克敦
Fredericktown

斯特吉斯
Sturgis

普罗维登斯
Providence

迪克森
Dixon

比弗丹
Beaver Dam

开普吉拉多
Cape Girardeau

马里恩
Marion

马迪逊维尔
Madisonville

森特勒尔城
Central City

密苏里州
MISSOURI

埃迪维尔
Eddyville

道森斯普林斯
Dawson Springs

格林维尔
Greenville

猛犸象洞穴国家公园
Mammoth Cave National Park

凯罗
Cairo

威克利夫
Wickliffe

帕迪尤卡
Paducah

普林斯顿
Princeton

霍普金斯维尔
Hopkinsville

鲍灵格林
Bowling Green

格拉斯
Glasg

波普勒布拉夫
Poplar Bluff

巴德韦尔
Bardwell

本顿
Benton

湖间地
Land Between
the Lakes

卡迪兹
Cadiz

埃尔克顿
Elkton

拉塞尔维尔
Russellville

斯科茨维尔
Scottsville

梅菲尔德
Mayfield

肯塔基湖
Kentucky Lake

巴克利湖
Lake Barkley

富兰克林
Franklin

希克曼
Hickman

富尔顿
Fulton

默里
Murray

斯普林菲尔德
Springfield

波特兰
Portland

哈茨科
Harts

旧希科里湖
Old Hickory Lake

尤宁坡
Union City

南富尔顿
S. Fulton

多纳尔森堡国家军事公园
Fort Donelson Nat'l Mil. Pk.

克拉克斯维尔
Clarksville

亨德森维尔
Hendersonville

纳什维尔
Nashville

莱巴嫩
Lebanon

帕拉古尔德
Paragould

马丁
Martin

帕里斯
Paris

埃林
Erin

士麦那
Smyrna

中田纳
Middle

卡瑟瑟维尔
Caruthersville

格林菲尔德
Greenfield

特伦顿
Trenton

亨廷登
Huntingdon

卡姆登
Camden

费尔维尤
Fairview

田

纳

西

州

韦弗利
Waverly

范德比尔特大学
Vanderbilt

弗兰克林
Franklin

戴尔斯堡
Dyersburg

麦更些
Mc Kenzie

洪堡
Humboldt

霍尔斯
Halls

布朗斯维尔
Brownsville

列克星敦
Lexington

帕森斯
Parsons

森特维尔
Centerville

天然桥
Natural Bridges

默弗里斯伯勒
Murfreesboro

哥伦比亚
Columbia

谢尔比维尔
Shelbyville

曼彻斯特
Manchester

里普利
Ripley

杰克逊
Jackson

亨德森
Henderson

芒特普莱森特
Mt. Pleasant

刘易斯堡
Lewisburg

塔拉霍马
Tullaho

阿肯色州
ARKANSAS

卡温顿
Covington

怀特维尔
Whiteville

博利瓦尔
Bolivar

萨凡纳
Savannah

韦恩斯伯勒
Waynesboro

劳伦斯伯勒
Lawrenceburg

珀拉斯基
Pulaski

蒂姆斯福德湖
Tims Ford Lake

米灵顿
Millington

塞尔默
Selmer

洛雷托
Loretto

费耶特维尔
Fayetteville

西孟菲斯
West Memphis

孟菲斯
Memphis

日耳曼顿
Germantown

弗洛伦斯
Florence

亚拉巴马州
ALABAMA

亨茨维尔
Huntsville

科利尔维尔
Collierville

霍利斯普林斯
Holly Springs

匹克威克湖
Wickwick Lake

密西西比州
MISSISSIPPI

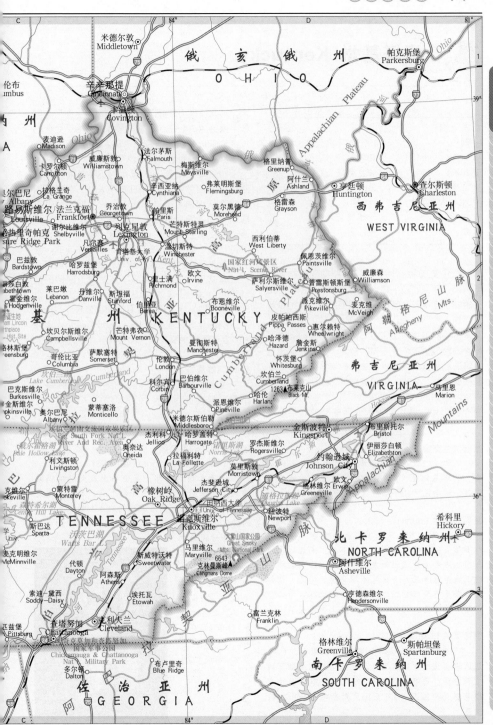

俄 亥 俄 州
OHIO

米德尔敦
Middletown

帕克斯堡
Parkersburg

伦布
mbus

辛辛那提
Cincinnati

卡温顿
Covington

麦迪逊
Madison

格里纳普
Greenup

阿什兰
Ashland

亨廷顿
Huntington

查尔斯顿
Charleston

威廉斯敦
Williamstown

法尔茅斯
Falmouth

梅斯维尔
Maysville

弗莱明斯堡
Flemingsburg

西弗吉尼亚州
WEST VIRGINIA

卡罗尔顿
Carrollton

拉格兰奇
La Grange

辛西纳塔
Cynthiana

莫尔黑德
Morehead

格雷森
Grayson

尔巴尼
7 Albany

路易斯维尔
法兰克福
Frankfort

乔治敦
Georgetown

帕里斯
Paris

西利伯蒂
West Liberty

佩恩茨维尔
Paintsville

谢尔比维尔
sire Ridge Park

Louisville

列克星敦
Lexington

芒特斯特林
Mount Sterling

威廉森
Williamson

巴兹敦
Bardstown

哈罗兹堡
Harrodsburg

尔赛
Versailles

温切斯特
Winchester

国家红河峡景区
Nat'l. Scenic River

萨利斯维尔
Salyersville

普雷斯顿斯堡
Prestonsburg

麦克维
McVeigh

Univ. of Ky

莎白敦
abethtown

莱巴嫩
Lebanon

丹维尔
Danville

斯坦福
Stanford

里士满
Richmond

欧文
Irvine

布兹维尔
Booneville

派克维尔
Pikeville

基

霍金维尔
Hodgenville

地
坎贝尔斯维尔
Campbellsville

伯里亚
Berea

皮帕帕西斯
Pippa Passes

惠尔赖特
Wheelwright

阿
莱
Place Lincoln
st. Site

州 KENTUCKY

曼彻斯特
Manchester

哈泽德
Hazard

詹斯
Jenkins

格林斯堡
eensburg

哥伦比亚
Columbia

萨默塞特
Somerset

伦敦
London

怀茨堡
Whitesburg

弗吉尼亚州
VIRGINIA

Lake Cumberland

巴克斯维尔
Burkesville

金伯利
pkinsville

奥尔巴尼
Monticello

科尔宾
Corbin

巴伯维尔
Barbourville

派恩维尔
Pineville

坎伯兰
Cumberland

哈伦
Harlan

1263 布莱克山
Black Mt.

马里恩
Marion

蒙蒂塞洛
Monticello

米德尔斯伯勒
Middlesboro

金斯波特
Kingsport

布里斯托尔
Bristol

大南福河交流国家游乐区
Big South Fork Nat'l.

哈罗盖特
Harrogate

杰利科
Jellico

罗杰斯维尔
Rogersville

伊丽莎白顿
Elizabethton

威斯劳河州
Pale Hollow Lake

奥奈达
Oneida

拉福莱特
La Follette

莫里斯敦
Morristown

约翰逊城
Johnson City

欧文
Erwin

利文斯顿
Livingston

诺里斯湖
Norris Lake

格林维尔
Greeneville

蒙特雷
Monterey

橡树岭
Oak Ridge

杰斐逊城
Jefferson City

纽波特
Newport

克维尔
okeville

田纳西大学
Univ. of Tennessee

希科里
Hickory

TENNESSEE

诺克斯维尔
Knoxville

道格拉斯湖
Douglas Lake

北卡罗来纳州
NORTH CAROLINA

斯巴达
Sparta

汉弗里湖
Watts Bar L.

马里维尔
Maryville

大烟山国家公园
Great Smoky
Mts. National Park
6643

阿什维尔
Asheville

麦克明维尔
McMinnville

代顿
Dayton

斯威特沃特
Sweetwater

克林曼斯峰
Clingmans Dome

亨德森维尔
Hendersonville

索迪-黛西
Soddy-Daisy

阿森斯
Athens

埃托瓦
Etowah

富兰克林
Franklin

奇卡莫加
Chickamauga

查塔努加
Chattanooga

克利夫兰
Cleveland

格林维尔
Greenville

斯帕坦堡
Spartanburg

兹堡
Pittsburg

奇卡莫加和查塔努加
国家军事公园
Chickamauga & Chattanooga
Nat'l Military Park

布卢里奇
Blue Ridge

南卡罗来纳州
SOUTH CAROLINA

多尔顿
Dalton

佐 治 亚 州
GEORGIA

肯塔基州 Kentucky

英文缩写:	KY
面积:	102,907平方千米
人口:	434万
州府:	法兰克福
面积排名:	第37位
加入联邦年代:	1792年
州花:	一枝黄花
州鸟:	主红雀

位于美国中部偏东。阿拉契亚山脉绵亘于东部，西部则较平坦，属小高原和草原区。由于地处潮湿亚热带气候向潮湿大陆气候的过渡带，加之地形复杂，本州气候也有较大的变化。夏季月平均温度可达30.9℃，冬季则为-4.9℃。复杂的地形也带来了丰富的资源。例如，这里有最好的兰色牧草区，世界最大的岩洞地貌，人均最多的野鹿、火鸡、大角麋鹿等，美国最丰富的煤矿。本州的自然景观首推以坎伯兰山口(D2)为中心的山地，其次是中部偏西的石灰岩溶洞地

区，再其次则为草原。草原区即本州中部列克星敦平原的兰色牧草区，盛产早春时节略呈兰色的长茎软草，是牧马的最佳草料。这里有200多个马场。赛马是当地的传统体育项目。

1750年托马斯·沃卡找到了穿越阿巴拉契亚山的坎伯兰山口。1769年丹尼尔·布恩带领狩猎者从坎伯兰山口到达本州的中部定居。布恩走过的道路后来成为美国人向西迁徙的主要通道。尽管当时的山口只能通过骡马，还不能通行马车，但在1775年~1810年的35年中，就有20万人沿着这条路来到本州或更远的西部。1792年这里正式建立肯塔基州，成为联邦的第15个州。本州人口中白人约为91%，黑人约为8%，亚裔约为1%。居民主要信仰基督教。

2009年国民生产总值为1,546亿美元，人均3.56万美元。主要农畜产品有马、牛、烟草、大豆、玉米等。工业主要有汽车生产(产量为全国第四)、煤炭等。

主要高速公路有I-65、I-75、I-64等。主要大学有肯塔基大学(C2)、路易斯维尔大学(C2)等十余所。

州府法兰克福 Frankfort (C2)

人口约2.7万。位于本州中北部的山林之中，肯塔基河呈"S"型流经城市中心。城北是老区，城南是1910年后修建的新区。

路易斯维尔 Louisville (C2)

人口约57万。是本州最大的城市，位于州北部俄亥俄河畔，是内河航运港口，南北战争的军事据点和南方逃亡奴隶的中转站。城南的邱吉尔山地是每年五月肯塔基州赛马会的场地。相邻的肯塔基赛马博物馆以"最伟大的比赛"为名介绍了历届赛马、马具、马车情况及赛马冠军们。

列克星敦 Lexington (C2)

人口约30万。是本州第二大城市，兰色草原区的商业中心。这里盛产良种马，也是烟草的主要产区。每年输出烟草5万吨。城市附近的肯塔基赛马公园每年3月至10月向参观者展出24种名马。

猛犸象洞穴国家公园
Mammoth Cave National Park (C2)

位于本州的西部，是世界上最大的猛犸象洞穴，已探明的总洞长500余千米，其中猛犸大厅高60米，而最深的石潭深约31米。数以千万计的钟乳石、石花、石笋、石幔千恣百态，构成了一个奇妙的洞中世界。

猛犸象洞穴

本州中部的霍金维尔是美国第16任总统亚伯拉罕·林肯的诞生地，1809年林肯出生的一间小木屋，现已辟为国家纪念地。

田纳西州 Tennessee

英文缩写:	TN
面积:	106,758平方千米
人口:	635万
州府:	纳什维尔
面积排名:	第34位
加入联邦年代:	1796年
州花:	鸢尾花
州鸟:	嘲鸫

位于美国中南部偏东。东为阿巴拉契亚山脉，西濒密西西比河。地势东高西低，大体可分为三大区域：东部山区，为阿巴拉契亚山脉的蓝岭及大雾山等，平均海拔1,500米；中部是坎伯兰高原(C2-3)和纳什维尔盆地，土地肥沃；西部为滨海平原向北延伸的地区，平原散布在山间的河谷地带。本州属亚热带湿润气候，高海拔地区则属湿润大陆性气候。墨西哥湾的暖气流对本州影响很大，年平均雷雨天气约50天，降水量为1,300毫米，偶受龙卷风袭击。

1540年西班牙人索托跨过密西西比河到达今天的孟菲斯地区。1673年法国人索拉宣布这一地区归属法国。1763年英国占领这一地区。1796年建州，加入联邦，成为美国的第16个州。南北战争时，退出联邦，参加南部联盟。在本州西南部的萨凡纳(B3)附近及东南部的查塔努加(C3)都曾发生过南北两军具有重大意义的战役。战后本州是南方各州中最早重新加入联邦的州。20世纪30年代的大萧条时期，本州执行罗斯福总统的"新政"，成立田纳西谷地管理局，用"以工代赈"的方法在田纳西河上大兴水利，筑坝修堤，植树造林，治理了河流，发展了水电事业。以后该局还经营火电、核电，使本州成为电力最丰富的州，吸引了大批工业家来此投资建厂，建立了诸如美国铝业等大公司。本州人口中81%是白人，17.2%是黑人，亚裔为1.47%。居民中83%信仰基督教(天主教10%，其它为新教)。

本州的主要产品有棉花、纺织、肉牛、电力。2009年国民生产总值为2,419亿美元，人均3.81万美元。

主要高速公路有I—24、I—26、I—40、I—65、I—75等。本州教育发达，有数十所大学，主要大学有田纳西大学(D3)、范德比尔特大学(C2)等。

州府纳什维尔 Nashville (C2)

人口约61万。位于本州的中北部坎伯兰河畔。建于1779年。1818年坎伯兰河通航轮船，1854年铁路修到这里，促进了城市的迅速发展。本市有高等学校16所，并有"南方雅典"之称。纳什维尔以乡村音乐出名，有"世界乡村音乐之都"的美誉。

孟菲斯 Memphis (A3)

人口约68万。是本州最大的城市，位于州西南角。曾为密西西比河上最大的内陆港口、棉花市场及美国中南部最大的奴隶市场。本城独特的经历使其成为布鲁斯爵士音乐的发祥地。布鲁斯爵士乐风格忧郁而缓慢，起源于黑人奴隶悲哀的歌谣，经黑人作曲家汉迪整理发展成为美国著名的艺术形式。1977年美国国会宣布本市为"布鲁斯爵士乐之乡"。这里还是摇滚乐歌手"猫王"(E·普雷斯里)的家乡。由于历史的原因，这里种族歧视影响严重，1968年4月4日，民权斗士马丁·路德·金在此被暗杀。

查塔努加 Chattanooga (C3)

人口约16万。位于田纳西河畔，佐治亚州和田纳西州的边界，地处交通枢纽。1815年始建，1839年设镇，1851年设市。经济以旅游、保险、商品经销业为主。城市的南郊为奇克莫加和查塔努加国家军事公园，是南北战争的战场。

大雾山国家公园
Great Smoky Mountains National Park (D3)

建于20世纪30年代，位于北卡罗来纳州和田纳西州之间。大雾山山青水秀，但由于这里植被产生的碳氢化物和水汽结合经常成雾，笼罩整个山顶，名为大雾山。这里是联合国世界自然遗产及旅游胜地，每年接待游客900万人次。

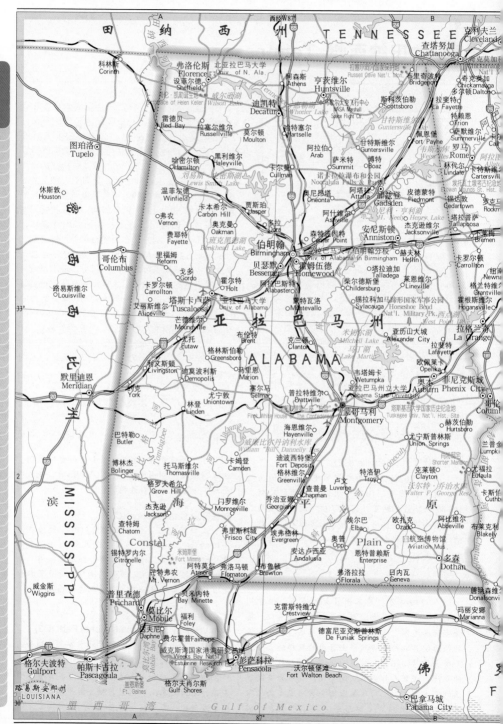

比例尺　1：3 200 000

佐治亚州 Georgia

英文缩写：	GA
面积：	150,010平方千米
人口：	969万
州府：	亚特兰大
面积排名：	第21位
加入联邦年代：	1788年
州花：	切罗基玫瑰花
州鸟：	褐矢嘲鸫

　　本州南靠佛罗里达州，北邻北卡罗来纳州和田纳西州，东望大西洋，是美国东南部面积最大的州。本州中部偏北是阿巴拉契亚山脉南端的蓝岭，最高点布拉斯敦峰(C1)海拔1,458米。本州地形大体可分为四部分：西北山区、蓝岭山区、山麓区、沿海平原区。属潮湿亚热带气候，夏季炎热，多午后雷雨，年降水量1,000～2,000毫米，常受飓风影响。

　　1540年西班牙人索托曾率领600名士兵和一些传教士到本州东南部探险。1760年英国和西班牙开始争夺这一地区，后成为英国在北美的13个殖民地之一。1788年1月2日加入联邦成为美国的第四个州。1838年原住本州的切罗基印第安人被迫迁往俄拉何马州的保留地，迁徙途中备受艰辛，大量死亡，所经之处称之为"眼泪之路"。南北战争重视南部联盟的主要成员。本州曾经是美国独立战争及南北战争的主要战场，遗址很多。最著名的有奇克莫加和查塔努加国家军事公园(B1)，跨落在本州西北部和田纳西州东南部。1863年北方军著名将领谢尔曼率6万北方军在向东海岸的进军中抢掠并烧毁了佐治亚州。该州出现过许多名人，如1929年出生于亚特兰大的马丁·路德·金和1976年当选美国总统的詹姆斯·卡特等。1980年，CNN有线新闻网在亚特兰大创建开播，1996年，夏季奥运会在亚特兰大召开等。本州人口中67%为白人，30%为黑人，3%为亚裔。居民中85%信仰基督教(新教76%，天主教8%)。

　　佐治亚州土壤肥沃，是历史上著名的棉花产区，还盛产烟叶、桃、胡桃、花生等。森林资源丰富，木材以松木为主。埃尔伯顿(C1)素有"世界花岗岩之都"之称。纺织一直是本州的传统产业。近年来汽车制造、化工、食品加工、电子产品等发展很快。经济发展在全美处于中上水平。2009年国民生产总值为3,934亿美元，人均4.06万美元。

　　主要高速公路有I—16、I—20、I—59、I—75、I—85、I—95等。主要大学有佐治亚大学(C1)、佐治亚州立大学(B1)等30余所。

州府亚特兰大 Atlanta (B1)

　　人口约54万。是美国东南部的工业、商业、金融中心。1837年兴建，1845年设市。南北战争中曾为南方的战略要地。1864年被北方军将领谢尔曼夷为平地。战后重建，现高楼林立。为可口可乐、洛克希德飞机公司和CNN总部所在地。闹市区桥下的一段街道为战火中唯一幸免被毁的地段，已修复原状留作纪念。该城东部的佐治亚石山公园是平原上突兀而起的一座光秃秃的花岗岩石山，长2,000米，宽1,000米，高500米。山北的石崖上有南方军著名将领绰号"石城"的杰克逊、南方军总司令罗伯特·李将军及南方联盟"总统"戴维斯三个人骑马前进的浮雕像。全部浮雕面积12平方千米，李将军像约九层楼高。

联盟纪念雕刻

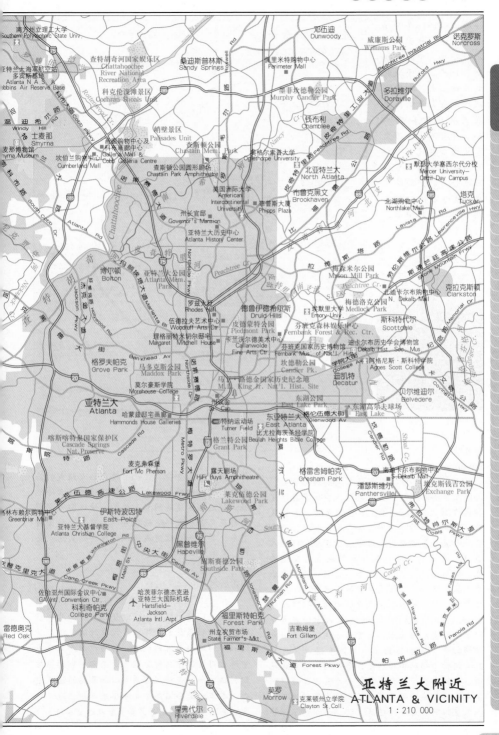

南方州立理工大学
Southern Polytechnic State Univ.

邓伍迪
Dunwoody

威廉斯公园
Williams Park

诺克罗斯
Norcross

亚特兰大海军航空站
Atlanta N.A.S. &
多宾斯空军基地
Robbins Air Reserve Base

查特胡奇河国家娱乐区
Chattahoochee
River National
Recreation Area

桑迪斯普林斯
Sandy Springs

佩里米特购物中心
Perimeter Mall

科克伦浅滩景区
Cochran Shoals Unit

墨菲坎德勒公园
Murphy Candler Park

多拉维尔
Doraville

温迪希尔
Windy Hill

士麦那
Smyrna

峭壁景区
Palisades Unit

钱布利
Chamblee

默瑟大学塞西代分校
Mercer University—
Cecil-Day Campus

麦那博物馆
Smyrna Museum

欧德购物中心及
科布画廊中心
Galleria Mall &
Cobb Galleria Centre

查斯顿纪念公园
Chastain Mem'l Park

奥格尔索普大学
Oglethorpe University

塔克
Tucker

坎伯兰购物中心
Cumberland Mall

查斯顿公园圆形剧场
Chastain Park Amphitheatre

北亚特兰大
North Atlanta

北湖购物中心
Northlake Mall

美国洲际大学
American
Intercontinental
University

布鲁克黑文
Brookhaven

克拉克斯顿
Clarkston

州长官邸
Governor's Mansion

菲普斯大厦
Phipps Plaza

梅森米尔公园
Mason Mill Park

亚特兰大历史中心
Atlanta History Center

博尔顿
Bolton

亚特兰大公园
Atlanta Mem'l Park

梅德洛克公园
Medlock Park

北卡布购物中心
N. Dekalb Mall

斯科特代尔
Scottdale

罗兹大厅
Rhodes Hall

德鲁伊德希尔斯
Druid Hills

埃默里大学
Emory Univ.

伍德拉夫艺术中心
Woodruff Arts Ctr.

皮德蒙特公园
Piedmont Park

芬班克森林娱乐中心
Fernbank Forest & Rec. Ctr.

阿格尼斯科特学院
Agnes Scott College

理格丽特米切尔寓宅
Margaret Mitchell House

卡兰沃尔德美术中心
Callanwolde
Fine Arts Ctr.

芬班克国家历史博物馆
Fernbank Mus. of Nat'l.

迪卡布县历史学会博物馆
Dekalb Hist. Soc. Mus.

格罗夫帕克
Grove Park

马多克斯公园
Maddox Park

坎德勒公园
Candler Pk.

迪卡特
Decatur

莫尔豪斯学院
Morehouse College

马丁·路德金国家历史纪念地
M.L.K. King Jr. Nat'l. Hist. Site

贝尔维迪尔
Belvedere

亚特兰大
Atlanta

哈蒙兹邸宅画廊
Hammonds House Galleries

东湖公园
East Lake Park

东亚特兰大
East Atlanta

格伦伍德大街
Glenwood Av.

东湖高尔夫球场
East Lake

喀斯喀特泉国家保护区
Cascade Springs
Nat'l. Preserve

特纳运动场
Turner Field

比尤拉海茨圣经学院
Beulah Heights Bible College

麦克弗森堡
Fort Mc Pherson

格兰特公园
Grant Park

格雷舍姆帕克
Gresham Park

南迪卡布购物中心
S. Dekalb Mall

林布赖尔购物中心
Greenbriar Mall

露天剧场
HiFi Buys Amphitheatre

潘瑟斯维尔
Panthersville

坎斯钱吉公园
Exchange Park

伊斯特波因特
East-Point

莱克伍德公园
Lakewood Park

亚特兰大基督学院
Atlanta Christian College

莱克伍德高速公路
Lakewood Frwy.

黑普维尔
Hapeville

南赛德公园
Southside Park

佐治亚州国际会议中心
GA Int'l. Convention Ctr.

科利奇帕克
College Park

哈茨菲尔德杰克逊
亚特兰大国际机场
Hartsfield—
Jackson
Atlanta Intl. Arpt.

福里斯特帕克
Forest Park

吉勒姆堡
Fort Gillem

雷德奥克
Red Oak

州立农贸市场
State Farmer's Mkt.

莫罗
Morrow

里弗代尔
Riverdale

克莱顿州立学院
Clayton St. Coll.

亚特兰大附近
ATLANTA & VICINITY
1 : 210 000

浮雕工程1915年开始兴建，1970年完工，历时55年，中间曾间断了36年。位于城北的亚特兰大历史中心城珍藏有大量的历史及内战文物和艺术品，并有不少具历史意义的古建筑。可口可乐世界介绍了可口可乐公司的产品及历史。奥运园和CNN新闻中心位于市中心，对外开放。

亚特兰大

亚特兰大市中心
ATLANTA CENTER

福克斯剧院 Fox Theatre
佐治亚理工学院 Georgia Institute of Technology
贝德福德—派恩公园 Bedford-Pine Park
埃默里大学克劳福德朗医院 Crawford Long Hosp. of Emory Univ
可口可乐总公司 Coca-Cola Hdqrs.
市政中心公园 Civic Center Park
市政中心会议厅 Civic Cen. Conv. Hall
市政中心礼堂 Civic Cen. Auditorium
佐治亚浸礼会保健中心 Georgia Baptist Health Care System
佐治亚国际会议中心 Georgia World Congress Center
百年纪念公园 Centenial Park
商会 C. of C.
大商场 Mdse. Mart
皮奇特里中心(桃树中心) Peachtree Center
欧姆尼会议中心 Omni Conv. Cen.
CNN 新闻中心 CNN Center
亚特兰大公立图书馆 Atlanta Fulton Public Library
欧姆尼国际中心 Omni Int'l Cen.
邮局 P.O.
埃比尼泽基督教浸礼会教堂 Ebenezer Baptist Church
佐治亚圆顶大厦 Georgia Dome
欧姆尼娱乐场 Omni Coliseum
亚特兰大历史中心城 Atlanta History Center Downtown
马丁·路德金国家历史纪念地 M.L. King Jr. Nat'l. Hist. Site
伍德拉夫公园 Woodruff Pk.
赫特公园 Hurt Park
格雷迪医院 Grady Mem. Hosp.
联邦大厦 Federal Bldg.
多教派神学院 Interdenominational Theological Cen.
旅游咨询处 Vis. Info. Cen
佐治亚州立大学 Georgia State University
巴特勒公园 Butler Park
亚特兰大地下街纪念地 Underground Atlanta
富尔顿县法院 Fulton Co. Ct. Hse.
可口可乐世界 World of Coca-Cola Atlanta
市政厅 City Hall
公园 Park
州议会 St. Cap.
奥克兰公墓 Oakland Cemetery
州办公大楼 State Office Bldgs.
州档案大楼 State Archives Bldg.
罗森·华盛顿公园 Rawson Washington Park
菲尼克斯1号公园 Phoenix Park No.1
富尔顿县少年法庭 Fulton Co. Juvenile Court
格兰特公园 Grant Park

萨凡纳
Savannah (C2)

人口约13.8万。本州最著名的历史古城、海港及旅游胜地。1733年英国人在这里建立了英国在新大陆的第13个、也是最后一个殖民地，主要用以对抗西班牙势力向北扩张，后来发展形成了佐治亚州。该城位于萨凡纳河的入海口。良好的地理位置使其很快成为交通要地。本州出产的棉花和烟草，是当地的主要出口产品。此地也曾经是主要的奴隶市场。南北战争中，北方军名将谢尔曼从西向东一直攻到这里，在该城遇到南方军的猛烈抵抗。在麦克阿里斯塔要塞陷落后，南方军哈迪将军为避免该城毁灭，主动撤出，从而使其得以保存。20世纪初，棉花市场崩溃，萨凡纳几乎变成死城。直到二次世界大战前，由于其他工业得到了发展，该城才死而复生。新的发展曾使不少人大量拆毁历史性的建筑。1955年组织了保护萨凡纳历史基金会。这一主要由妇女组成的基金会，通过收购数百个历史性建筑再转卖给能够保护这些古建筑的私人机构，使这些早年曾为棉花交易和海洋运输服务的古建筑再被保留下来，其中一些改建成了风格独特的商店、餐馆、娱乐中心。

奥古斯塔 Augusta (C1)

位于本州东部，是一个内河港口，临萨凡纳河。1789年设镇，1798年设市。南北战争时期南部联盟最大的弹药厂设在此地，该厂高达54米的烟囱保留到现在，作为纪念南北战争中阵亡将士的纪念碑。这里是南部早期的棉纺织村镇之一，是棉花贸易中心和重要的纺织中心。本市还是全国高尔夫球俱乐部所在地，每年的高尔夫球优秀选手锦标赛就在这里举行。

亚拉巴马州 Alabama

英文缩写：	AL
面积：	131,443平方千米
人口：	478万
州府：	蒙哥马利
面积排名：	第29位
加入联邦年代：	1819年
州花：	山茶花
州鸟：	金翼啄木鸟

位于美国南部偏东，由于历史上这里是美国的南方，所以至今仍被称为南方。州的北部与田纳西州接壤，东部为佐治亚州，南靠佛罗里达州及墨西哥湾，西为密西西比州。北部是山区，地势最高550米；南部为平原，向密西西比河与墨西哥湾倾斜。气候属亚热带，是美国最热的州之一，夏季平均气温高达30℃以上。年平均降水量1,400毫米。

1519年西班牙人曾经到达莫比尔湾(A2)。其后200余年间法、西、英相互争夺这片土地。1702年法国在路易斯堡建立殖民点。1783年归美国。1819年加入联邦，成为第22个州。南北战争中曾退出联邦，为南部联盟的重要力量。

1860年全州人口100万，其中黑人奴隶人口占近一半。长期以来种族问题严重。1955年黑人妇女R·帕克丝因没在公共汽车上给白人让座而被捕，激起了大规模的人权斗争。1965年人权领袖马丁·路德·金组织了从塞尔马(B2)到蒙哥马利(B2)的大示威，争取黑人的选举权，取得了胜利。本州人口中白人占72%，黑人占27%。居民中92%信仰基督教(80%信仰新教)。

本州有"棉花州"之称。州的中部曾经是单一的植棉区。1915年这里发生致命的棉花象鼻虫病。植棉业受到致命打击。吸取这一教训，其后农业改为多种经营。主要农产品有棉花、花生、大豆、玉米、禽、蛋、奶、肉牛等。主要工业产品有钢铁、煤炭、木材等。1960年在亨茨维尔(B1)建立马歇尔太空飞行中心(B1)，专门生产火箭助推器，对当地经济有较大促进。近年来，汽车制造业发展很快，已成为美国第二大汽车制造基地，并有望在2009年在产量上超过底特律。2009年国民生产总值为1,684亿美元，人均3.52万美元。

主要高速公路有I—20、I—59、I—65、I—85。全州有14所公立大学，十几所私立大学。主要大学有亚拉巴马大学(A1)等。

州府蒙哥马利 Montgomery (B2)

人口约20万。位于本州中部的亚拉巴马河畔。1819年设市，1847年成为州府。南北战争中为南部联盟的第一个首府。该地的州议会大厦被称为"南方的国会山"。大厦旁的二层木楼为南部联盟的第一座"白宫"，是南方"总统"戴维斯宣誓就任南部联盟总统、下令向萨姆特堡开火、打响南北战争的地方。

伯明翰 Birmingham (B1)

人口约23万。本州最大的城市，1871年设市，是南方的重要工商业中心。1850年发现铁矿、煤及石灰石，开始出现钢铁工业。内战中则为南方军队钢铁供应基地，有"南方匹兹堡"之称。目前，亚拉巴马大学伯明翰分校是当地的主要大学。该校的医学部心脏外科手术领先全国，柯克利姆医院是著名华裔建筑师贝

聿铭的作品。阿灵顿战前的希腊式房屋及花园建于1840年，是南北战争前的著名建筑。

莫比尔 Mobile (A2)

人口约19万。位于亚拉巴马河的入海口处，是本州唯一的海港。建于1702年。南北战争中为南部联盟的重要据点。该城的历史区有大量的古建筑。亚拉巴马战舰纪念公园是纪念历次战争老兵的地方，展出有第二次世界大战太平洋战区的功勋战舰"亚拉巴马号"及"USS Drum号"舰艇。

亨茨维尔 Huntsville (B1)

人口约18万。是本州的第一个英国殖民区。1960年美国宇航局在此建立马歇尔太空飞行中心，是美国空间技术研究开发制造的基地。其太空与火箭中心是世界上最大的宇航展览中心之一，展出各种宇航设施等。

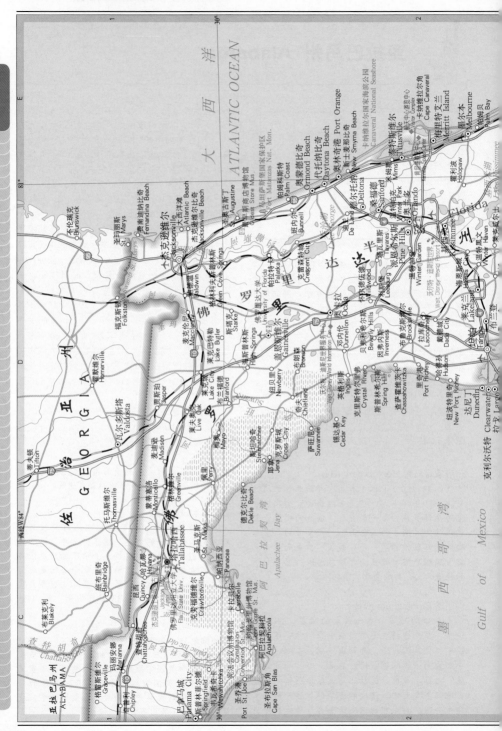

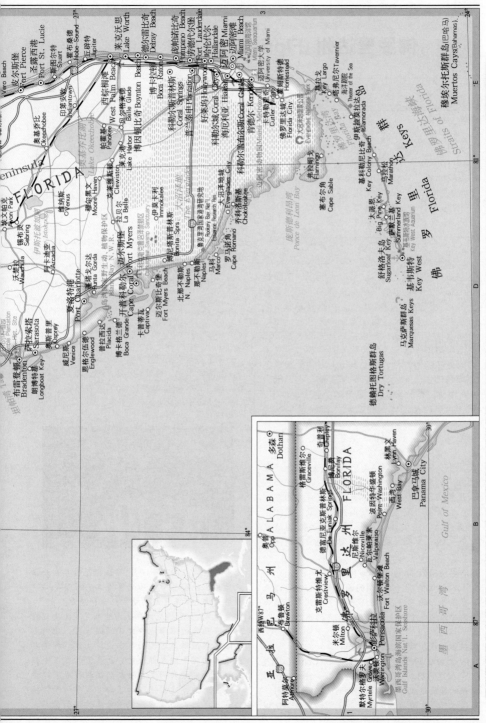

佛罗里达州 Florida

英文缩写:	FL
面积:	139,697平方千米
人口:	1,880万
州府:	塔拉哈西
面积排名:	第22位
加入联邦年代:	1845年
州花:	橘花
州鸟:	嘲鸫

位于美国东南部的一个大半岛上，北邻佐治亚州和亚拉巴马州，东望大西洋，西面是墨西哥湾。州内地势低平，是美国平均海拔最低的州，最高点只有105米。本州除南部属热带气候外，多数地区属潮湿亚热带气候，每年春末至秋初降雨多，且多午后雷雨。大西洋和墨西哥湾的气流交互作用使本州中部成为美国闪电最多的地方，并多龙卷风、飓风危害。冬天降雨较少，气候宜人，风景秀丽，有"阳光州"之称，是冬季旅游、避寒的绝佳去处。

本州是美国本土上欧洲人定居最早的地方。1513年西班牙人瑞安·彭斯·德·里昂为寻找神话中的"青春泉"来到这里，并在圣奥古斯丁(D2)登陆，宣称这一地区属西班牙所有。其后不久法国人来到这里殖民。1565年西班牙人阿韦利斯捣毁了法国的殖民地，建立圣奥古斯丁殖民地。从那时起，这里一直有人居住，从而使圣奥古斯丁成为北美大陆上最古老的、一直保留下来的殖民点。1763年英国通过交出古巴哈瓦那城从西班牙手中得到佛罗里达。

1783年英国又根据第二次巴黎和约将该地交还西班牙。1819年西班牙在战败的情况下，将该地卖给美国。1845年建州，成为联邦的第27个州。这段扑朔迷离的历史，反映了欧洲列强对新大陆的争夺。本州人口中81.5%为白人，主要为德国、爱尔兰、英国、意大利的后裔；16%为黑人，2.5%为亚裔。居民中81%信仰基督教(新教54%，天主教26%)。

本州地势平坦，土壤肥沃，水源充沛，盛产柑橘等各种水果及蔬菜。历史上甘蔗、烟草、草莓、肉牛曾是支柱产品。旅游业、农业、磷酸盐矿、航天业依次是本州收入最多的产业。2009年国民生产总值为7,295亿美元，人均3.88万美元。每年来自世界各地的游客多达2,500万。这里的沃尔特·迪斯尼世界(D2)、肯尼迪航天中心(E2)、迈阿密滩(E3)等更是人人皆知的游览胜地。

主要高速公路有I—4、I—10、I—75、I—95。劳德代尔堡、好莱坞、迈阿密、奥兰多等国际机场，年客流量都在1,500万人次以上。主要大学有佛罗里达州立大学(C1)等。

圣奥古斯丁的老房

州府塔拉哈西 Tallahassee (C1)

人口约13万。位于州的西北部。1823年以来一直是本州的首府。南北战争中，本州参加南部联盟。该城是唯一没被北方军攻克的州府。

奥兰多和沃尔特·迪斯尼世界
Orlando and Walt Disney World Resort Complex(D2)

人口约24万。位于本州的中部。1880年铁路从纽约修到这里，北方人开始到这里避冬旅游。第二次世界大战后国防工业和宇航的发展，使该

地重新繁荣。1971年10月1日迪斯尼世界在此正式开幕，使奥兰多成为世界著名的旅游中心。旅游为该地带来了新的就业机会和繁荣。

沃尔特·迪斯尼世界是由迪斯尼先生决定在奥兰多西南的沼泽地中建设的娱乐区，他借鉴了洛杉矶迪斯尼乐园的基本设计主线，把迪斯尼乐园的几个组成部分充分扩展，开发了全新的概念，充分采用了各种新的高科技成果建设而成。此外，这里还增加了许多娱乐场所，使之真正成为老幼皆宜，完整独立的娱乐世界。

奥兰多
ORLANDO
1:360 000

佛罗里达州

沃尔特·迪斯尼世界包括魔幻王国、埃普科特、迪斯尼—米高梅影片公司和迪斯尼动物王国等几个主题公园，以及三个水上主题公园。

魔幻王国中你可以见到著名的童话故事和动画中的各种人物，还能回到19世纪美国的城镇等地活动。王国的中心是18层楼高的灰姑娘城堡。王国中有45处异想天开的专题游乐项目。埃普科特包括未来世界和世界风光两部分。未来世界主要表现的是空间技术、宇宙航行、星际大战等空间题材。你可以乘坐宇航车到银河

沃尔特·迪斯尼世界
WALT DISNEY WORLD RESORT COMPLEX

米奇卡通城
Mickey's Toontown

开拓者的土地
Frontierland

梦幻东园
Fantasyland

动物王国
Critter Country

未来
Tomorro

新奥尔良广场
New Orleans Square

主街
Main
Street

青险乐园
Adventureland

迪斯尼旅馆
Disneyland Hotel

系中遨游，在声、光、电的效应中经历宇宙的爆炸、行星的碰撞，忽而冲入高空，忽而跌入深渊的种种刺激。它用娱乐的方式向人们介绍了科学技术的发明和发展。世界风光则表现的是墨西哥、中国、挪威、德国、意大利、日本、法国、摩洛哥、加拿大、美国等10国的著名风光，在360度和180度的影厅中你好像亲临八达岭长城、浩淼的长江和美国、加拿大边境的五大湖、巴黎的卢浮宫等。入夜，这里还有盛大的游行和焰火晚会。迪斯尼/米高梅影片公司既是游乐场所，又是真正的制片公司。在这里你可以看到以知名的电影及百老汇演出为蓝本编排的演出。迪斯尼动物王国中心是一棵14层楼高的生命之树，树上300余个动物代表了生物发展史上不同的物种，展示了生命发展的历程。美国恐龙园再现了6,500万年前恐龙的时代。原始初期园则是创世初期的火山喷发；非洲、亚洲园则分别表现了非洲莽林及亚洲急流冒险。奥兰多海洋世界有鲸、海豚、海豹等动物的精彩表演，游人可以接近各种水生动物，在人工湖上游泳、划水、赛艇，你还可以登上潜艇到海底去发现消失在大西洋中的城市。发现湾位于奥兰多海洋世界的旁边。这里三个大水槽中有经过驯养的海豚。在驯养员的指导下，游客可以入池和海豚一起游泳、照相。游客可以在水平透明隔板的保护下和鲨鱼、梭鱼等面对面地游戏，戴上潜水面具和热带鱼一起游泳。游人还可以乘船漂流在热带河流上，进入鸟的世界，触摸各种鸟类。还可以到小岛上的园中接触各种驯养的动物。

肯尼迪航天中心
Kennedy Space Center (E2)

　　位于奥兰多以东75千米的大西洋岸边，是美国国家航空航天局NASA的宇航中心。建于1950年，1961年美国的首次载人空间轨道飞行，1969年第一艘登月飞船及数百次航天飞机都是从这里发射的。航天中心游览中心有影剧场，旅游车接待游客、组织游客参观月球火箭、实体飞船、航天飞机、阿波罗—土星V火箭、空间站中心、39号发射台等。如遇实际发射，游客还可以购票到现场参观发射的实际情况。

宇航中心

阔恩·马歇尔—洛克萨哈奇
国家野生动物保护区
Arthur R.Marshall-Loxahatchee
National Wildlife Refuge

德尔雷社区医院
Delray Comm. Hosp.

博卡拉顿
Boca Raton

林恩大学
Lynn Univ.

佛罗里达大西洋大学
Florida Atlantic Univ.

甘博林博自然中心
Gumbo Limbo
Nature Center

西博卡医疗中心
W. Boca Med. Cen.

博卡拉顿镇中心
Town Cen. at Boca Raton

国际卡通艺术博物馆
Int'l. Mus. of Cartoon Art

商会
C. of C.

大沼泽野生生物管理区
Everglades Wildlife
Management Area

Hillsboro Canal

迪尔菲尔德比奇
Deerfield Beach

哥伦比亚西北医疗中心
Columbia Northwest
Med. Cen.

科科纳特克里克赌场
Coconut Creek Casino

蝴蝶世界
Butterfly World

竞技场
Amphitheater

科勒尔斯普林斯
Coral Springs

珊瑚广场购物中心
Coral Sq. Mall

固特异软式飞艇基地
Goodyear Blimp Base

体育场
Stadium

科勒尔斯普林斯医疗中心
Corat Sprs. Med. Cen.

帝王角医疗中心
Imperial Point Med. Cen.

庞帕诺比奇
Pompano Beach

北里奇医疗中心
North Ridge Med. Cen.

北岭医疗中心
N. Ridge Med. Cen.

森赖斯
Sunrise

劳德代尔堡
Fort Lauderdale

索格拉斯米尔斯购物中心
Sawgrass Mills Mall

普兰泰申
Plantation

休·泰勒·伯奇州立公园
Hugh Taylor Birch S.P.

邦尼特豪斯
Bonnet Huose

布劳沃德购物中心
Broward Mall

科学与探索博物馆
Mus. of Discovery & Science

国际游泳名人厅
Int'l. Swimming
Hall of Fame

戴维
Davie

青年艺术儿童博物馆
Young at Art Children's Mus.

诺瓦大学
Nova Univ.

玉王林
Jungle Queen

劳德代尔堡会议及旅游局
Ft. Lauderdale Conv.
& Tourism Office

邦花明戈花园
Flamingo Gardens

戴维罗德奥竞技场
Davie Rodeo Arena

劳德代尔堡国际机场
Ft. Lauderdale Arpt

丹尼亚回力球场
Dania Jai-Alai

好莱坞印第安人保留地及西米诺尔赌场
Hollywood Ind. Res. & Seminol Gaming

彭布罗克派恩斯
Pembroke Pines

好莱坞大道 Hollywood Bl.

格雷夫博物馆
Graves Mus.

安妮·科尔布自然保护中心
Anne Kolb Nature Ctr.

好莱坞 Hollywood

彭布罗克医院
Mem. Hospital Pembroke

好莱坞文化艺术中心
Art & Culture Ctr. of Hollywood

彭布罗克莱克斯购物中心
Pembroke Lakes Mall

南佛罗里达州立医院
S. Florida St. Hospital

好莱坞赛狗场
Hollywood Dog Track

米拉马
Miramar

科沃德赛马场
Carden Race Track

格尔夫斯特里姆赛马场
Gulfstream Park

职业球员运动场
Pro Player Stad

海兰代尔
Hallandale

职业运动员公园
Pro Player Park

西班牙修道院
Spanish Monastery

阿文图拉购物中心
Aventura Mall

佛罗里达学院
Florida Mem. Coll

圣托马斯大学
St. Thomas Univ.

奥莱塔河州立公园
Oleta River S.P.

奥帕洛卡机场
Opa-Locka Airport

北迈阿密
N. Miami

海厄利亚
Hialeah

巴里大学
Barry Univ.

西域购物中心
Westland Mall

迈阿密
Miami

海厄利亚赛马场
Hialeah Race Track

比斯坎湾
Biscayne Bay

迈阿密滩
Miami Beach

多勒尔高尔夫球场
Doral Golf Resort

美国警察名人厅
American Police
Hall of Fame

西奈山医疗中心
Mt. Sinai Med. Cen.

巴斯艺术馆
Bass Mus.

格利森表演艺术剧院
J. Gleason Theatre of
Performing Arts

迈阿密自由区
Miami Free Zone

迈阿密国际机场
Miami Int'l. Airport

奥姆尼综合购物中心
Omni Int'l.

迈阿密海滩旅游局和商会
Miami Beach Visitors
Bureau & C. of C.

装饰派艺术历史区
Art Deco Nat'l. Historis Dist.

迈阿密国际购物中心
Miami Int'l. Mall

犹太人博物馆
Jewish Mus.

佛罗里达国际大学
Florida Int'l. Univ.

威尼斯游泳池
Venetian Pool

科学博物馆
Mus. of Science

海上体育场
Marine Stadium

弗吉尼亚岛
Virginia Key

椰林剧院
Coconut Grove Playhouse

迈阿密海洋馆 Miami Seaquarium

迈阿密大学
Univ. of Miami

默西医院
Mercy Hosp.

维兹卡亚
Vizcaya Mus

克兰登高尔夫球场
Crandon Golf at Key Biscayne

戴德兰购物中心
Dadeland Mall

科勒尔盖布尔斯
Coral Gables

克兰登公园
Crandon Park

比斯坎恩
Key Biscayne

肯德尔
Kendall

费尔柴尔德热带花园
Fairchild Tropical Gardens

比尔巴格斯角州立公园
Bill Baggs Cape Florida S.P.

鹦鹉丛林购物中心
Parrot Jungle & Gardens

马西森·哈莫克公园
Matheson Hammock Park

迈阿密动物园
Miami Metrozoo

福尔斯购物中心
The Falls Shopping Ctr.

迈阿密附近
MIAMI & VICINITY
1 : 500 000

大西洋

ATLANTIC OCEAN

迈阿密及迈阿密滩
Miami—Miami Beach (E3)

位于本州东南部的大西洋岸边。1896年铁路修到这里后建市。迈阿密分为城市和海滨两部分，该地以阳光、棕榈、沙滩著名。城市人口43万，以旅游和轻工为主要产业。还是美国的主要海空港之一，每年集装箱货物吞吐500万吨，空运货物100万吨。随着旅游业的发展，在外环岛上又开辟了迈阿密滩，主要是饭店等为游客服务的设施。这里白色的沙滩最为有名。海滩人口10万，但有30万的接待能力。由于该地靠近古巴，所以古巴的难民大量涌入，有"小哈瓦那"之称。迈阿密海洋馆是游客必光顾的场所。

迈阿密海滩

迈阿密海洋馆鲸表演

佛罗里达群岛和基韦斯特
Florida Keys and Key West (D–E3)

佛罗里达群岛是从本州南端深入墨西哥湾的一串岛礁。东北与迈阿密隔海相望，向西南海域延伸240千米。这串岛礁飘浮于海天之间，海水随霞光变幻出各种颜色。水产丰富，有很多公园及研究机构，是休假的胜地。主要岛礁已被42座桥梁和大陆连为一体，沿着双车道的公路，仅用一个多小时，就可以到达最南端的基韦斯特岛。那里是美国东海岸US–1号公路的南端终点。基韦斯特有许多西班牙风格的建筑。著名作家海明威等曾长期生活在这里。

坦帕 Tampa (D2)

人口约34万。位于本州中西部希尔斯伯勒河口，临坦帕湾。1824年，美军在这里建立布鲁克城堡，1885年修通铁路后，工业、港口航运业和旅游业均有很大发展，成为一个美丽的城市和著名的避寒胜地。每年举办的加斯帕里拉节庆祝活动吸引大批游客。为本州的进出口贸易中心。

本市高等院校有南佛罗里达大学和坦帕大学。

圣彼得斯堡 St. Petersburg (D2)

人口约25万。位于坦帕湾口，最初由俄国移民所建，1892年建市，以城市创建人德曼斯的家乡俄国的圣彼得堡命名。是北美和欧洲人心目中的度假胜地，也是美国北方许多退休老人安度晚年的地方。这里有很多大学、新闻学院、博物馆等。圣彼得斯堡有多座桥梁和坦帕相连，加上北部的克利尔沃特使这一地区人口总数达260万，是全州第二大人口聚集区。

柏树花园

佛罗里达州

海绵码头
Sponge Docks

塔彭湖
Lake Tarpon

坦帕湾巡回赛球员
俱乐部高尔夫球场
TPC of Tampa Bay

卢茨
Lutz

塔彭斯普林斯
Tarpon Springs

布鲁克溪保护区
Brooker Creek Preserve

安德森公园
Anderson Park

基斯通湖
Keystone Lake

莱克公园
Lake Park

布鲁斯唐斯大道
Bruce Downs Blvd.

弗拉特伍兹公园
Flatwoods Park

韦斯廷因尼斯布鲁克度假村
Westin Innisbrook Resort

马格达林湖
Lake Magdaline

医院
Univ. Comm. Hospital

帕姆哈伯
商会 C. of C.
Palm Harbor
C. of C.

锡特勒斯帕克
Citrus Park

詹姆斯·哈利退伍军人医院
James A Haley Vet. Hosp.

科学和工业博物馆
Mus. of Sci. & Industry
冒险岛欢乐公园
Adventure Island

月岛州立公园
Honeymoon
Island S. P.

约翰·切斯特纳特公园
John Chestnut Sr. Park

韦斯菲尔德购物城
锡特纳斯公园
Westfield Shoppingtown
Citrus Park

大学购物中心
Univ. Shopping Ctr.

布希动物园
Busch Gardens
Tampa Bay

坦普尔特雷斯
Temple Terrace

卡拉德西岛
州立公园
Caladesi
Island S. P.

达尼丁 诺勒吉运动场
Dunedin Knology Park

坦帕湾唐斯赛马场
Tampa Bay Downs

卡罗尔伍德
Carrollwood

劳里动物园
Lowry Park Zoo

寨米诺尔赛场
Seminole Greyhound Palace

尔克特尔奇岛
Schiller Int'l. Univ.
each Island

商会
C. of C.

郊区购物中心
Countryside Mall

奥尔兹马
Oldsmar

旧坦帕湾公园
Old Tampa Bay Park

佛罗里达大学坦帕学院
Fla. Metro. Univ.

坦帕
Tampa

坦帕赛马中心
Tampa Greyhound Track

东湖广场购物中心
Eastlake Sq. Mall

克利沃特
Clearwater

布赖特豪斯
网络球场
Bright House
Networks Field

坦帕大学坦帕
学院皮内拉斯校区
Fla. Metro. Univ.
Tampa Coll. Pinellas

鲁思·埃克德表演艺术中心
Ruth Eckerd Hall

雷蒙德·詹姆斯运动场
Raymond James Stad.

佛罗里达大学
Fla. Metro. Univ.
Tampa Coll. Brandon

克利沃特海洋水族馆
Clearwater Marine Aquarium
arwater Beach

坦帕国际机场
Tampa Intl. Airport

伊博城
Ybor City

两湾大道
Gulf to Bay

科特尼·坎贝尔堤道
Courtney Campbell Causeway

坦帕国际机场国际饭店
Tampa Intl. Airport Intl. Plaza

坦帕大水族馆
Fla. Aquarium

克利沃特基督教学院
Clearwater Christian Coll.

霍华德·弗兰克兰桥
Howard Frankland Br.

西海滨广场
West Shore Plaza

圣彼得时报论坛体育馆
St. Pete Times Forum

比尔维尤
Belleview Biltmore

海因波特
High Point

医院
Mem. Hospital

德克斯
ad Key Park

克利沃特购物中心
Clearwater Mall

拉戈
Largo

旧坦帕湾
Old Tampa Bay

圣彼得斯堡—克利沃特国际机场
St. Petersburg-Clearwater Intl. Airport

圣彼得堡赛狗俱乐部
St. Petersburg Kennel Club

甘迪桥
Gandy Bridge

回力球场
Jai-Alai Fronton

希尔斯伯勒湾
Hillsborough Bay

inRocks Beach

拉戈购物中心
Largo Mall

皮内拉斯帕克
Pinellas Park

坦帕港
Port Tampa

赛米诺尔
Seminole

塞米诺尔购物中心
Seminole Mall

莱克塞米诺尔公园
Lake Seminole Park

皮内拉斯广场
Pinellas Sq. Mall

麦克迪尔空军基地
Macdill Air Force Base

太阳海岸海鸟禁猎区
Suncoast Seabird Sanctuary

圣彼得斯堡
St. Petersburg

威登岛保护区
Weedon Island Preserve

加兹登角
Gadsden Point

退伍军人医疗中心
V. A. Med. Ctr.

肯尼思城
Nat'l. Cem. Kenneth City

蒂龙广场购物中心
Tyrone Sq. Mall

游艇港口
Cruise Port

特雷热岛
Treasure Island

帕萨迪纳帕姆斯医院
Palms of Pasadena Hospital

佛罗里达博物馆
Florida Intl. Museum

森肯花园
Sunken Gardens

美术馆及圣彼得斯堡历史博物馆
Mus. of Fine Arts & St. Pete Mus. of History

特罗皮卡纳球场
Tropicana Field

南佛罗里达大学
Univ. of South Florida

阿波罗比奇
Apollo Beach

萨尔瓦多·达利博物馆
Salvador Dali Museum

圣彼得斯堡比奇商会
St. Pete Beach C. of C.

皮内拉斯角
Pinellas Point

西蒙斯公园
E.G. Simmons Park

圣彼得斯堡比奇
St. Pete Beach

坦帕湾
Tampa Bay

拉斯金
Ruskin

森城中心
Sun City Center

墨西哥湾海滩历史博物馆
Gulf Beaches Hist. Mus.

皮内拉斯
Pinellas Skyway

埃克德学院
Eckerd Coll.

帕萨格里尔海滩
Pass-A-Grille Beach

皮内拉斯角
Pinellas Point

小马纳蒂河州立公园
Little Manatee River S. P.

皮内拉斯国家野生
动、植物保护区
Pinellas N.W.R.

迪索托堡公园
Fort De Soto Park

埃格蒙特海峡
Egmont Channel

坦帕
TAMPA

圣彼得斯堡
ST. PETERSBURG
1:345 000

埃格蒙特岛野生动物保护区
Egmont Key N.W.R.

迪索托堡
Fort De Soto

埃格蒙特岛州立公园
Egmont Key S.P.

日光高架公路桥
Sunshine Skyway Br.

① 坦帕湾中央购物中心
Tampa Bay Cen. Mall
② 亨利·普兰特博物馆
Henry B. Plant Mus.
③ 表演艺术中心
Perf Arts Ctr.
④ 坦帕美术馆
Tampa Mus. of Art
⑤ 州展览场
State Frgnds
⑥ 佛罗里达展览会公园
Florida Expo Park

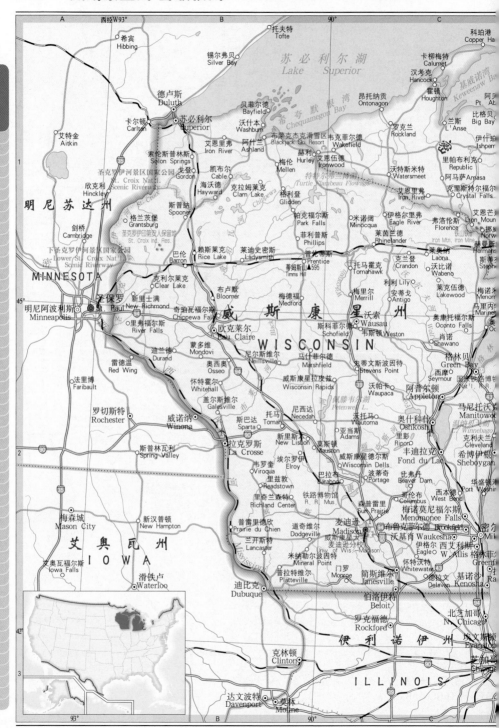

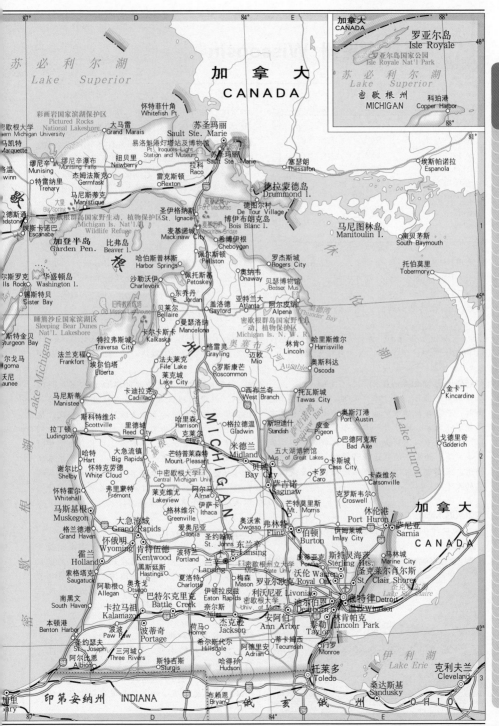

加拿大
CANADA

罗亚尔岛
Isle Royale

48°

罗亚尔岛国家公园
Isle Royale Nat'l Park

苏 必 利 尔 湖
Lake Superior

密歇根州
MICHIGAN

科珀港
Copper Harbor

88°

87° D 84° E 88°

苏 必 利 尔 湖
Lake Superior

加拿大
CANADA

彩画岩国家滨湖保护区
Pictured Rocks
National Lakeshore

怀特菲什角
Whitefish Pt.

苏圣玛丽
Sault Ste. Marie

歇根大学
ern Michigan University

马凯特
Marquette

温
winn

大马雷
Grand Marais

易洛魁港灯塔站及博物馆
Pt. Iroquois Light
Station and Museum

苏圣玛丽
Sault Ste. Marie

塞瑟朗
Thessalon

埃斯帕诺拉
Espanola

缪尼辛
Munising

缪尼辛瀑布
Munising Falls

纽贝里
Newberry

雷科
Raco

81°

特雷纳里
Trenary

杰姆法斯克
Germfask

雷克斯顿
Rexton

德拉蒙德岛
Drummond I.

德斯通
dstone

马尼斯蒂克
Manistique

大泉

圣伊格纳斯
St. Ignace

德图尔村
De Tour Village

马尼图林岛
Manitoulin I.

埃斯卡诺巴
Escanaba

密歇根群岛国家野生动、植物保护区
Michigan Is. Nat'l.
Wildlife Refuge

麦基诺城
Mackinaw City

博伊布朗克岛
Bois Blanc I.

南贝茅斯
South Baymouth

加登半岛
Garden Pen.

比弗岛
Beaver I.

希博伊根
Cheboygan

斯罗克
lls Rock

华盛顿岛
Washington I.

哈伯斯普林斯
Harbor Springs

佩尔斯顿
Pellston

罗杰斯城
Rogers City

托伯莫里
Tobermory

锡斯特贝
Sister Bay

沙勒沃伊
Charlevoix

佩托斯基
Petoskey

奥纳韦
Onaway

贝瑟博物馆
Besser Mus.

尔戈马
goma

睡熊沙丘国家滨湖区
Sleeping Bear Dunes
Nat'l. Lakeshore

东乔丹
E. Jordan

盖洛德
Gaylord

亚特兰大
Atlanta

阿尔皮纳
Alpena

雷鸣湾
Thunder Bay

斯特金贝
turgeon Bay

贝莱尔
Bellaire

旧传教所灯塔
Old Mission Lighthouse

特雷弗斯城
Traverse City

曼瑟洛纳
Mancelona

45°

特拉弗斯城
Traverse City

卡尔卡斯卡
Kalkaska

格雷灵
Grayling

迈欧
Mio

林肯
Lincoln

哈里斯维尔
Harrisville

法兰克福
Frankfort

法夫莱克
Fife Lake

罗斯康芒
Roscommon

奥斯科达
Oscoda

埃尔伯塔
Elberta

莱克城
Lake City

西布兰奇
West Branch

托瓦斯城
Tawas City

金卡丁
Kincardine

马尼斯蒂
Manistee

卡迪拉克
Cadillac

格拉德温
Gladwin

斯坦迪什
Standish

奥斯汀港
Port Austin

皮金
Pigeon

斯科特维尔
Scottville

哈里森
Harrison

萨吉诺湾
Saginaw Bay

戈德里奇
Goderich

拉丁顿
Ludington

里德城
Reed City

克莱尔
Clare

巴德阿克斯
Bad Axe

Lake Huron

哈特
Hart

大急流镇
Big Rapids

芒特普莱森特
Mount Pleasant

米德兰
Midland

五大湖博物馆
Mus. of Great Lakes

卡斯城
Cass City

卡森维尔
Carsonville

谢尔比
Shelby

怀特克劳德
White Cloud

中密歇根大学
Central Michigan Univ

贝城
Bay City

卡罗
Caro

怀特霍尔
Whitehall

弗里蒙特
Fremont

莱克维尤
Lakeview

阿尔马
Alma

萨吉诺
Saginaw

克罗斯韦尔
Croswell

马斯基根
Muskegon

格林维尔
Greenville

伊萨卡
Ithaca

芒特莫里斯
Mt. Morris

休伦港
Port Huron

加拿大
CANADA

格兰德黑文
Grand Haven

大急流城
Grand Rapids

艾奥尼亚
Ionia

奥沃索
Owosso

弗林特
Flint

伊姆莱城
Imlay City

萨尼亚
Sarnia

怀俄明
Wyoming

肯特伍德
Kentwood

波特兰
Portland

圣约翰斯
St. Johns

东兰辛
E. Lansing

伯顿
Burton

庞蒂亚克
Pontiac

斯特林海茨
Sterling Hts.

马林城
Marine City

霍兰
Holland

黑斯廷斯
Hastings

夏洛特
Charlotte

兰辛
Lansing

密歇根州立大学
Michigan State Univ

梅森
Mason

罗亚尔欧克
Royal Oak

圣克莱尔肖尔斯
St. Clair Shores

索格塔克
Saugatuck

阿勒根
Allegan

奥齐戈
Otsego

伊顿拉皮兹
Eaton Rapids

利沃尼亚
Livonia

圣克莱尔湖
Lake St. Clair

本顿港
Benton Harbor

卡拉马祖
Kalamazoo

巴特尔克里克
Battle Creek

奈尔斯
Niles

密歇根大学
Univ of Mich

迪尔伯恩
Dearborn

底特律
Detroit

温莎
Windsor

南黑文
South Haven

波蒂奇
Portage

霍默
Homer

杰克逊
Jackson

安阿伯
Ann Arbor

泰勒
Taylor

林肯帕克
Lincoln Park

圣约瑟夫
St. Joseph

波波
Paw Paw

希尔斯代尔
Hillsdale

蒂卡姆西
Tecumseh

门罗
Monroe

42°

阿尔比恩
Albion

三河城
Three Rivers

斯特吉斯
Sturgis

哈得逊
Hudson

阿德里安
Adrian

托莱多
Toledo

克利夫兰
Cleveland

伊利湖
Lake Erie

印第安纳州 INDIANA

布赖恩
Bryan

俄 亥 俄 州 OHIO

桑达斯基
Sandusky

87° D 84°

威斯康星州 Wisconsin

英文缩写：	WI
面积：	140,672平方千米
人口：	569万
州府：	麦迪逊
面积排名：	第26位
加入联邦年代：	1848年
州花：	紫罗兰
州鸟：	旅鸫

位于美国中北部的大湖区，苏必利尔湖(B-C1)及密歇根湖(C-D1)分别在本州西北和东部。从地理上说本州大体可分为五个区：北部苏必利尔湖沿岸为低地地区；向南为北部高原区，多硬杂木树林及冰碛湖；中部为平原，多良田；东南是主要城市；西南是高地。总体说春夏潮湿，降水占全年2/3，冬天寒冷多雪。

1643年法国探险家让·尼科莱成为第一个到达这里的欧洲人。1763年归属英国。1783年归属美国。1836年建立边区。1848年加入联邦，成为美国第30个州。本州人口中91%为白人，多为德国和北欧诸国的后裔；6.48%为黑人，印第安人等原住民约占1.3%。居民中信仰基督教新教56%，天主教29%。

本州土地肥沃，是牛奶、玉米青饲料、大豆、樱桃、枫糖等的主产区，有"美国奶牛场"之称；45%为森林区，是美国花旗参的主要产地。工矿业中以方铅矿、矿山机械、起重机械有名。近年来医疗、教育发展很快。旅游业发达，每年接待游客300万人。2009年国民生产总值为2,391亿美元，人均4.20万美元。

主要高速公路有I—39、I—43、I—90、I—94等。州内有威斯康星大学麦迪逊分校(C2)等13所高校，教育科研发达。

州府麦迪逊 Madison (C2)

人口约24万。位于本州南部。1836年建立边区时，选定在此建首府。1848年决定建州并建立威斯康星大学，城市开始具备今天的特点，成为本州的行政中心、商业中心和文化教育中心。城区多湖泊，为本市的娱乐活动提供了最好的户外场所。威斯康星大学位于市区的西部，是美国有名的大学之一。

密尔沃基 Milwaukee (C2)

人口约61万。位于本州东南的密歇根湖

密尔沃基

畔，1846年建市，是重要的港口。19世纪的移民中，以德国移民人数最多。这些德国人多是1848年反对独裁统治革命失败后出走的难民。他们聪明能干，有新的文化知识和政治方向。他们建设了剧场、音乐厅、体育馆、具有自由思想的社会团体，赋予该市一种改革的传统。很快本城以"社会主义"思想出了名，并被称为"德国的雅典"。德国的影响到处可见。威斯康星大学密尔沃基分校有学生2.2万多名。

格林贝 Green Bay (C2)

人口约10万。位于本州东北部，是本州最早的白人定居点。1816年美国在此建毛皮贸易据点和军事据点。市内的国家铁路博物馆展出有70余种蒸汽机车，包括二次大战中艾森豪威尔总统在欧洲的指挥列车，及世界上最大的蒸汽机车。

简斯维尔 Janesville (C2)

位于本州的南部，1835年开始有人居住，后来成为木材、谷物、乳品等物资贸易中心。1853年建市。1919年通用汽车公司在此建厂，从而使经济迅速发展。1966年开设威斯康星大学的一个研究中心。

密歇根州 Michigan

英文缩写:	MI
面积:	147,136 平方千米
人口:	988万
州府:	兰辛
面积排名:	第23位(包括领水,总面积249,096平方千米,排名第11位)
加入联邦年代:	1837年
州花:	苹果花
州鸟:	旅鸫

位于美国中北部的大湖区,和五大湖中的四个湖相邻,岸线漫长,且有一万多个内陆湖泊及大量的沼泽地。全州由南北两个半岛组成,分别称为下半岛和上半岛。下半岛地势低平,经济发达,东南角是底特律。上半岛多山地、密林,很好地保留了原始的风貌和生态。北部是著名的彩画岩国家滨湖保护区(D1),湖边峭壁高出苏必利尔湖约70米,是著名的风景区。连接上下半岛的麦基诺桥(D1),建于1957年,是世界上最长的悬吊桥之一,总长约8千米。本州最高点海拔603米,最低点为伊利湖面,海拔174米。气候属潮湿大陆性气候,夏季湿热,冬季严寒,常有湖区大雪,平均年降水量750毫米~1,000毫米。有大小内陆湖泊万余个,沿大湖有不少国家湖滨保护区,湖光山色给游人增添了无限的乐趣。

1668年法国传教士雅克·马尔凯特在这里建立定居点,后成为毛皮贸易中心。1783年根据巴黎条约该州所属土地划归美国。1837年建州,成为合众国的第26个州。1855在上半岛美加边境的苏圣玛丽(D1)附近的圣玛丽斯急流上修建了苏船闸(D1)工程,使湖面高差近7米的苏必利尔湖和休伦湖间的直航变为可能,大大改善了大湖区的航运情况。本州是汽车制造业的诞生地。1900年奥尔兹在州府兰辛创建了第一条汽车生产线,采用了福特发明的组装线理论使汽车成批生产。其后,福特汽车厂、通用汽车厂、克莱斯勒汽车厂又相继在底特律等地建成,使该州的汽车产量占全国的一半以上。本州人口中82.6%为白人,以德国后裔为最多;15%为黑人,2.57%为亚裔,1.21%为印第安人。

本州经济在2001年的"9.11"恐怖袭击后受到很大影响。该州调整了经济方针,目前信息科学和生命科学发展很快。在科学研究和开发中发挥了骨干作用。旅游业是仅次于制造业的第二大产业,每年接待游客2千余万人。2009年国民生产总值为3,611亿美元,人均3.65万美元。

主要高速公路有I-75、I-69、I-94、I-96等。本州教育发达,中学、大学教育均处于领先地位,有高等院校数十所。主要大学有密歇根大学(E2)、密歇根州立大学(D2)等。底特律机场近年完成了扩建任务。

州府兰辛 Lansing (D2)

人口约11万。1847年兰辛定为州府时,这里只有一个锯木厂和一幢木房子。1859年人口发展到4,000户。1900年奥尔兹在此建立奥尔兹汽车制造厂。20世纪初,该城成为美国主要的汽车及汽油发动机生产基地。

兰辛有一条博物馆街,众多的博物馆排列于街道两旁,展出科学、测量、交通等不同的内容。奥尔兹交通博物馆位于该街240号,展出了1883年以来交通发展的历史,包括1897年制造的第一辆奥尔兹汽车在内的大量古董车、现代车、

飞机等。科学博物馆位于该街200号,观众在那里的化学试验室可以自己动手进行各种试验。

众多的大小湖泊

底特律

底特律 Detroit (E2)

人口约91万。是世界上最大的工业城市之一，这里生产的汽车和生产汽车时采用的组装线概念对世界产生了重大的影响。

该城建于1701年。由于地扼连接伊利湖和休伦湖的底特律河畔，战略位置十分重要，建城之初就成为英法两国反复争夺的目标。1818年五大湖上出现了轮船运输，造船和商业的发展带来了当地经济的繁荣。1896年第一辆汽车开进该城展览，为该城汽车工业的发展揭开序幕。21世纪初亨利·福特引进汽车生产线，奠定了底特律汽车工业中心的基础。1908年通用汽车公司建立。该城人口迅速增加，成为美国最大的城市之一。美国的几大汽车公司总部都设在这里，生产线对游客开放，可以随时参观。同时这里还是世界上最繁忙的内河港之一，是美国的钢铁、制药、办公设备、涂料、橡胶制品的生产中心。

主要景点有：底特律美术馆以荷兰、意大利绘画、印象派绘画和印第安人艺术收藏出名。亨利·福特博物馆主要展示美国的发明及企业发展。在"美国人生活中的汽车"部分中展示了汽车给人民生活带来的变化；"美国的制造"部分则展出了200余辆古董车、五届总统的高级轿车及肯尼迪遇刺时乘坐的轿车等。格林菲尔德村中的博物馆展出的则是90多幢从各地搬来的有名建筑，包括亨利·福特和飞机发明家莱特兄弟的住宅、发明家爱迪生在新泽西蒙洛帕克的试验室。爱迪生曾在该试验室完成了包括电灯在内的400余项发明。展品年代跨越300余年。底特律动物园是美国最大的动物园之一。

底特律

底特律
DETROIT
1:450 000

密歇根州

五大湖

　　美国与加拿大交界处的苏必利尔湖、密歇根湖、休伦湖、伊利湖和安大略湖彼此靠近且相互连接，是北美洲巨大的淡水湖群。由于水域广大、烟波浩瀚，故被地理学家们称为"北美地中海"。五大湖总面积约24.5万平方千米，其中美国约占70%。除密歇根湖属美国外，其余均为美加界湖。

　　五大湖水位稳定，冬夏变幅仅30厘米～60厘米。夏季表层水温16℃～21℃，冬季有四五个月的结冰期。其航运价值很大，第一艘双桅商船在大湖中航行是在1679年。目前这里成为世界上最大的内河航运系统之一。

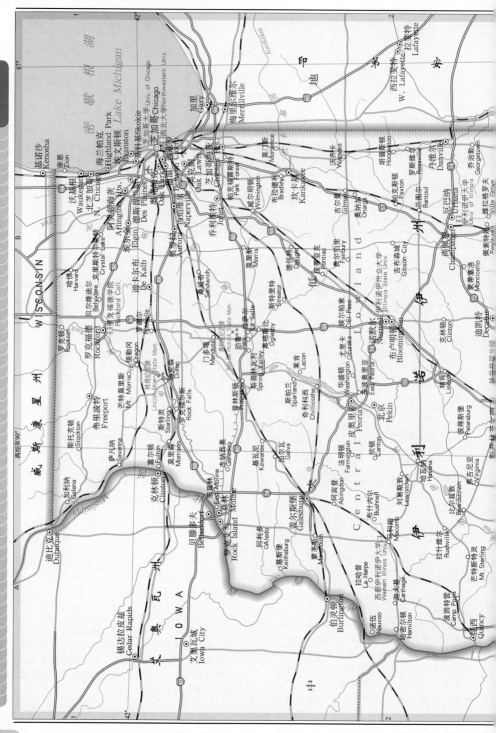

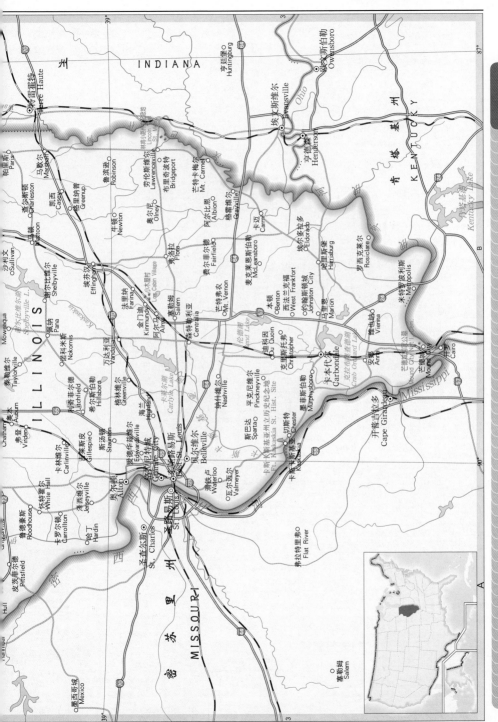

INDIANA

ILLINOIS

KENTUCKY

MISSOURI

Ohio

Mississippi

特雷霍特 Terre Haute

帕里斯 Paris

沙利文 Sullivan

马歇特 Marshall

查尔斯顿 Charleston

凯西 Casey

格里纳普 Greenup

鲁滨逊 Robinson

劳伦斯维尔 Lawrenceville

布里奇波特 Bridgeport

芒特卡梅尔 Mt. Carmel

亨廷堡 Huntingburg

欧文斯伯勒 Owensboro

埃文斯维尔 Evansville

亨德森 Henderson

牛顿 Newton

奥尼尼 Olney

阿尔比恩 Albion

格雷维尔 Geaville

卡弥 Carmi

埃多拉多 Eldorado

罗西克莱尔 Rosiclare

米特罗波利斯 Metropolis

马顿 Mattoon

谢尔比维尔 Shelbyville

埃芬厄姆 Effingham

法里纳 Farina

弗洛拉 Flora

费尔菲尔德 Fairfield

麦克莱恩斯伯勒 McLeansboro

哈里斯堡 Harrisburg

维也纳 Vienna

Log Cabin Village

莫瓦夸 Mowequa

帕纳 Pana

诺科米斯 Nokomis

万达利亚 Vandalia

金门迪 Kinmundy

阿尔马 Alma

塞特勒利亚 Centralia

森特特利亚

本顿 Benton

西法兰克福 West Frankfort

约翰斯顿城 Johnston City

马里恩 Marion

安娜 Anna

芒特弗农 Mt. Vernon

迪科因 Du Quoin

克里斯托弗 Christopher

卡本代尔 Carbondale

Crab Orchard Lake

Shelbyville L.

Carlyle Lake

Kaskaskia

塞勒姆 Salem

泰勒维尔 Taylorville

希尔斯伯勒 Hillsboro

利奇菲尔德 Litchfield

格林维尔 Greenville

海兰 Highland

纳什维尔 Nashville

平克尼维尔 Pinckneyville

斯巴达 Sparta

切斯特 Chester

墨菲斯伯勒 Murphysboro

开普吉拉多 Cape Girardeau

卡林维尔 Carlinville

弗吉登 Virden

斯汤顿 Staunton

吉莱斯皮 Gillespie

奥本 Auburn

Edwardsville 爱德华兹维尔

贝尔维尔 Belleville

平克尼维尔 Pinckneyville Site

Ft. Kaskaskia St. Hist. Site

莫吉 Mound City

卡罗 Cairo

开罗

怀特霍尔 White Hall

杰西维尔 Jerseyville

Alton 奥尔顿

滑铁卢 Waterloo

瓦尔迈尔 Valmeyer

圣查尔斯 St. Charles

圣路易斯 St. Louis

格兰尼特城 Granite City

哈丁 Hardin

卡罗尔顿 Carrollton

鲁德豪斯 Roodhouse

皮茨菲尔德 Pittsfield

弗拉特里弗 Flat River

墨西哥城 Mexico

塞勒姆 Salem

Hull

Hannibal

Kentucky Lake

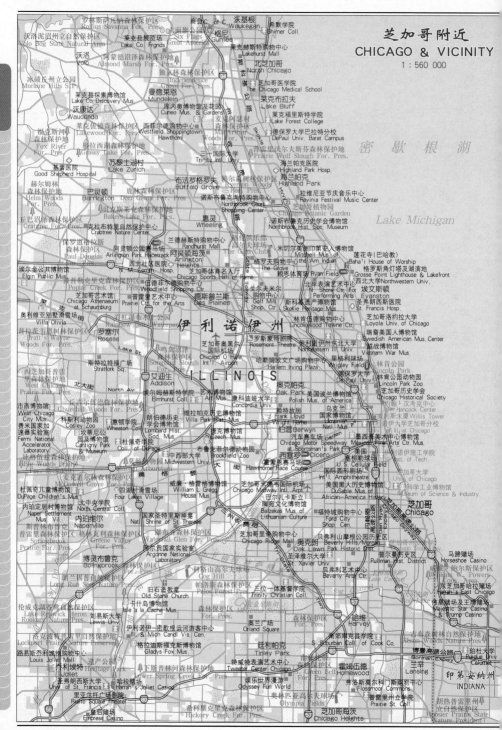

芝加哥附近
CHICAGO & VICINITY
1 : 560 000

密歇根湖

Lake Michigan

伊利诺伊州
ILLINOIS

芝加哥
Chicago

印第安纳州
INDIANA

圣德肋撒修道院
St. Theresa Convent

公园
Oz Park

路德教总医院
Lutheran General
Hospital

文化艺术中心
Cultural Arts Center

林肯公园
Lincoln Park

南池湖
South Pond

皇家乔治剧院
Royal George Theatre

圣米歇尔教堂
St. Michaels Church

林肯纪念碑
Lincoln Mon.

芝加哥历史学会
Chicago Historical Society

北
大
街

W North Avenue

第二大城市剧院
Second City Theatre

"信不信由你"博物馆
Ripl Believe It or Not Mus.

旧城区
Old Town

圣克里索斯特教堂
St. Chrysostom's Church

林肯公园动物园
Lincoln Park Zoo

珀拉斯凯公园
Pulaski Park

斯坦顿-希勒公园
Stanton-Schiller Park

W Division St

圣保罗第一教堂
First St. Paul's Church

密歇根湖
Lake Michigan

埃克哈特公园
Eckhart Park

圣约瑟夫教堂
St. Joseph's Church

近北区
Near North

开天教堂
Church of the Ascension

W Chicago Avenue

纽贝里图书馆
Newberry Library

华盛顿广场
Washington Square

约翰·汉考克中心
John Hancock Center

湖滨公园
Lake Shore Park

芝加哥东大街
Chicago Avenue

西北大学芝加哥分校
Northwestern Univ. (Chicago Campus)

净水厂
Water Filtration Plant

圣詹姆斯教堂
St. James Cathedral

特拉博物馆
Terra Mus. of American Art

Ohio Street

海军栈桥公园
Navy Pier Park

尤宁公园
Union Park

圣母升天教堂
Assumption Church

当代艺术博物馆
Mus. of Contemporary Art

时代生活大厦
Time Live Building

W Grand Avenue

《芝加哥论坛报》大厦
Tribune Tower

儿童博物馆
Children's Mus.

芝加哥海洋博物馆
Chicago Maritime Museum

里格利大厦 Wrigley Bldg.

Express-Ways

商业贸易中心
Merchandise Mart

玛丽娜大厦
Marina City

公平大厦
Equitable Building

卢普区
Loop

迪尔伯恩堡残骸旧址
Site of Ft Dearborn Massacre

市政厅和县政府大厦
City Hall and County Bldg

芝加哥剧院
Chicago Terminal

标准石油大厦
Standard Oil Building

W Randolph Street

市中心
Civic Center

美国石油公司
Amaco Building

西
大
街

W Washington Boulevard

市歌剧院
Civic Opera House

圣彼得教堂
St. Peters Church

芝加哥寺庙
Chicago Temple

格兰特公园
Grant Park

W Madison Street

第一国家银行
First Nat'l Bank

芝加哥游艇俱乐部
Chicago Yacht Club

W Adams St

乐团厅
Orchestra Hall

德保罗大学
De Paul Univ.

芝加哥艺术学院
Art Institute of Chicago

Jackson Boulevard

圣玛利教堂
Mary's Church

林肯雕像
Lincoln Statue

艾森豪威尔西高速公路
W Eisenhower Expressway

W Harrison Street

芝加哥公共图书馆
Chicago Public Library

白金汉喷泉
Buckingham
Fountain

密歇根湖
Lake Michigan

美国海关
U S Customs House

中西部证券所
Midwest Stock Exchange

赫尔大厦
Jane Adams Hull House

斯佩特斯犹太文化博物馆
Spertus Museum

伊利诺伊大学医院
University of Illinois Hospital

圣卡布里尼医院
St. Cabrini Hospital

伊利诺伊州精神病研究所
Illinois State Psychiatric Inst

伊利诺伊大学芝加哥分校
University of Illinois
at Chicago

哥伦布纪念碑
Columbus Mem.

谢德水族馆
John G. Shedd
Aquarium

阿德勒天文馆
Adler Planetarium

罗斯福西大街
Roosevelt Rd W

Roosevelt Rd

菲尔德自然历史博物馆
Field Museum of
Natural History

亚当斯公园
Addams Park

库克县巡回法院
Circuit Court of Cook County

索尔兹运动场
Soldier Field

德沃夏克公园
Dvorak Park

美国警察中心及博物馆
American Police
Center and Museum

W 18th St

梅里尔·梅格斯机场
Merrill C. Meigs Field

唐人街
China Town

Cermak Rd

南卢普区
South Loop

芝加哥技术学院
Chicago Technical College

麦科米克北展览大厦
Mc Cormick Place North

麦科米克东展览大厦
Mc Cormick Place East

伯纳姆公园
Burnham Park

芝加哥市中心
CHICAGO CENTER
1：41 000

史蒂文森高速公路
Adlai E. Stevenson Expressway

默西医院 Mercy Hospital

伊利诺伊州 Illinois

英文缩写:	IL
面积:	143,987平方千米
人口:	1,283万
州府:	斯普林菲尔德
面积排名:	第24位
加入联邦年代:	1818年
州花:	紫罗兰
州鸟:	主红雀

位于美国中北部偏东，属于大湖区的范围。州东北与密歇根湖相邻，州西以密西西比河为界。州的北部是芝加哥等都市区，人口稠密，工业发达；中部以平坦的大草原著称，是主要农业区，有许多大学、城市及制造中心；南部气候相对温暖，地势起伏，人口较少，有丰富的煤矿。本州气候属潮湿大陆性气候，冬冷夏热，平均年降水量从南至北1,220毫米~890毫米。芝加哥地区冬季降雪约96厘米。每年全州平均有50个雷雨天，受龙卷风袭击约35次。

1673年法国传教士雅克·马尔凯特和路易·诺利埃发现这块土地，在此开辟了毛皮贸易。1763年交英国。1818年伊利诺伊设州并加入联邦，成为美国的第21个州。最初州府为卡斯卡斯基亚(B3)，1837年迁至斯普林菲尔德。这里是美国第16任总统亚伯拉罕·林肯的家乡。1860年林肯当选为美国总统，在南北战争中领导北方战胜了南方的分裂势力，维护了美国的统一，并发布了《解放黑奴宣言》。本州人口中80%为白人，多为德国、爱尔兰、波兰后裔；15.6%为黑人，亚裔约占4.5%。居民主要信仰基督教（新教51%，天主教33%）。

本州是美国主要的农业基地。大豆产量占全国第一，玉米产量位居全国前列。主要农产品还有猪、肉牛、小麦、牛奶等。这里是核电的发祥地，电站数量最多。主要工业产品有机械、食品加工、化工、电力、煤等。2009年国民生产总值为6,211亿美元，人均4.84万美元。

本州交通便利。1848年伊利诺伊—密歇根运河修通。其后芝加哥成为世界最大的铁路枢纽。目前位于芝加哥的奥黑尔国际机场是世界航班最多的机场。主要高速公路有I—55、I—57、I—70、I—72、I—74、I—80、I—88、I—90、I—94等。本州教育发达，有数十所大学。主要大学有私立的芝加哥大学(B2)、西北大学(B2)等。

州府斯普林菲尔德 Springfield (B2)

人口约10.5万。1837年州府迁到该地。同年亚伯拉罕·林肯从新塞勒姆迁居此地，在这里生活了24年。他是知名的律师，在此当选总统。林肯遇刺逝世后又安葬在这里。达纳·托马斯历史纪念地则是芝加哥学派巨匠著名建筑设计师F·L·莱特的早期杰作，建于1902年，陈列有100余件莱特设计的家具及250件各式玻璃门窗及灯具。

芝加哥 Chicago (B2)

人口约285万。全州最大的城市，也是美国最大的城市之一。1837年设市。由于地处水陆交通枢纽，很快发展成美国的主要城市和制造业中心。

1871年夏季芝加哥地区久旱无雨。10月8日市区的奥来瑞牛圈失火，火势迅速蔓延，三天内城市三分之一被毁。大火烧毁建筑物17,000余幢，夺走了300人的生命。火灾后芝加哥迅速重建。由于当时钢铁工业已经得到发展，电梯已经发明并开始使用，所以重建后的芝加哥成了美国

芝加哥市景

约翰·汉考克中心

第一个摩天大楼的城市，也成为建筑设计师们的最佳舞台，形成了建筑学中知名的芝加哥学派。该市众多的著名建筑有里格利大厦，位于芝加哥和密歇根大道交汇处；大火中幸存的芝加哥水塔，它已经成为公认的芝加哥城的象征；国家第一银行；建于1969年，高100层，337米的约翰·汉考克中心；建于1974年，高110层，443米的威利斯大厦，至今它还是美国最高的建筑。

白金汉喷泉

芝加哥位于密歇根湖畔，有"滨湖宝石"之称。美丽的湖光给城市增添了更加迷人的色彩。沿湖有林肯公园、格兰特公园等。林肯公园是芝加哥最大的公园，公园中有林肯、格兰特、莎士比亚等人的塑像以及高尔夫、网球、骑马、划船等体育娱乐设施和动物园。格兰特公园中有白金汉女士1927年赠给芝加哥的白金汉喷泉。喷泉主喷高达40米，数万条周边水柱交织在一起，在彩灯下拼出一幅幅童话般的图画。

芝加哥拥有众多的博物馆，最著名的有芝加哥美术馆，它收藏有13世纪至当代的大量艺术品，尤以印象派作品的收藏闻名世界。菲尔德自然史博物馆建于1894年，是世界上最早的自然科学博物馆。该馆收藏各种标本达2千万件之多，轮展的只有全部馆藏的3%，是世界上有名的环境、文化、生物研究中心。科学与工业博物馆是在1893年哥伦布世博会美术馆的基础上改建的，主要展览主题有飞向太空、一个复制的包括地下矿车及采掘设备在内的完整的煤矿实体、第二次世界大战中缴获的德军U—505潜艇等。

芝加哥联合车站

罗克福德Rockford (B1)

是本州第二大城，位于州的北部，濒临罗克河。1834年创建，1852年设市。1844年发展成农业区的制造中心。当地有名的格兰特营在第二次世界大战中曾是接待站和医疗中心，现改建成大罗克福德飞机场。本市高等学校有罗克福德学院等。

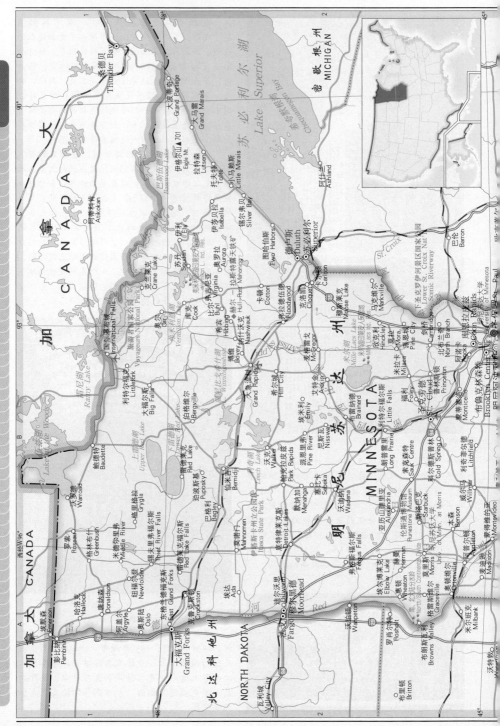

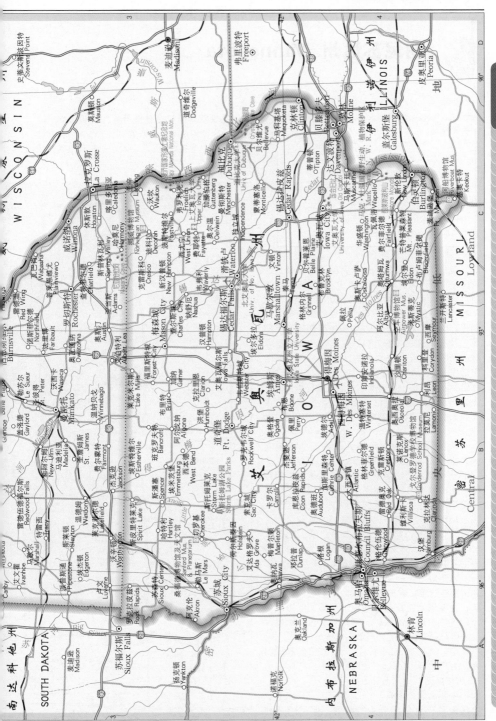

比例尺　1 : 3 800 000

明尼苏达州 Minnesota

英文缩写:	MN
面积:	206,207平方千米
人口:	530万
州府:	圣保罗
面积排名:	第12位
加入联邦年代:	1858年
州花:	花丽杓兰
州鸟:	潜鸟

斯—圣保罗国际机场是世界前20位机场之一。教育发达，明尼阿波利斯的明尼苏达大学(B3)建于1851年，现有学生5万余人。全州有高等院校数十所。

位于美国中北部。州的大部分地区都是冰川风化平原，风化堆积物达十几米深。12,000年前，当冰川消退的时候在这片起伏的土地上留下了星罗棋布的湖泊1.5万余个，所以本州有"万湖州"之称。而占全州1/2面积的西部和西南部属大草原，均已开辟为良田。东南和北部是森林，面积约占全州总面积的1/3。著名的密西西比河发源于本州北部的伊塔斯卡州立公园(B2)，开始时只是一条小溪，最后却汇成世界最大的河流之一。本州属大陆性气候，夏热冬寒。在漫长的冬季，来自极地的冷风使这里成为冰雪的世界。

最早来到这里的欧洲人是法国的毛皮商人，他们沿着五大湖到此收购珍贵的裘皮。1763年英国人从法国手中夺取了本州的东部地区，美国独立时转属美国。1803年根据"路易斯安那购并"协议，美国得到了本州的西部地区。1858年正式建州，成为联邦的第32个州。本州人口中86.3%为白人，多为北欧人后裔；4.1%为黑人，3.6%为拉美后裔，3.4%为亚裔。居民主要信仰基督教，其中新教64%，天主教25%。

本州经济发展多元化，许多上市商业公司总部都在这里。农业收入占全国第5位。盛产铁矿，主要供给匹兹堡等地。州北部的低山叫铁山，是美国最大的铁矿。但高级矿已渐枯竭，现主要开采中级铁矿，产量占全美一半。赫尔—拉斯特露天铁矿(C2)位于希宾(C2)，1895年开采以来，生产矿石10亿吨。2009年国民生产总值为2,576亿美元，人均4.86万美元。

主要高速公路有I—35、I—90、I—94等。冰球运动一直位于全美的前列。明尼阿波利

州府圣保罗和明尼阿波利斯
St. Paul and Minneapolis (B3)

人口28万/38.5万。圣保罗和明尼阿波利斯是本州东部密西西比河东西两岸的姐妹城。明尼阿波利斯是本州最大的城市，为密西西比河航线顶端的入口港，当明尼阿波利斯以钢铁加玻璃的现代摩天大楼展示于世人的时候，圣保罗却骄傲地保留着传统的风格。这里依然是砖石的建筑，古朴的教堂，连州议会大厦的圆穹也散发着浓郁的文化气息。圣保罗建于1807年，是本州最早的白人定居地。1858年建州后，这里一直是州府。由于水陆交通方便，很快成为贸易中心。今天这里还是汽车、计算机和电子导航系统的主要生产基地之一。是美国著名的谷物市场、美国面粉加工中心、三大面粉公司总部所在地，同时这里还是金融、商业、文化、娱乐中心。

城南的布卢明顿有美国最大的购物娱乐中心，占地312平方千米，有各种零售店520家，数十家餐馆、运动中心、夜总会、最大的室内游乐场、综合主题公园、14家剧场、影院等。

明尼苏达州

圣保罗
ST. PAUL
明尼阿波利斯
MINNEAPOLIS
1 : 270 000

艾奥瓦州 Iowa

英文缩写:	IA
面积:	144,716平方千米
人口:	305万
州府:	得梅因
面积排名:	第25位
加入联邦年代:	1846年
州花:	野玫瑰
州鸟:	北美金翅雀

位于美国中北部的大平原区，东部以密西西比河为界，西部是密苏里河，地势平坦，土壤肥沃。1835年美国的骑兵在这一地区测绘地图时，这里的高草淹没了骑在马上的测图员。现在草原多已辟为农田。本州属大陆性气候，夏季炎热，白天可达37.8℃以上；冬季寒冷多雪，州府得梅因每年降雪1米以上。每年约有50个雷雨天，有时还有大风、冰雹。本州东南部多石灰岩地貌。除密西西比河和密苏里河外，全州还有数百条河流。

本州曾是17个印第安人部落的家乡，州名艾奥瓦即来自艾奥瓦印第安部落的名字。现在只留下一个印第安人部落。在瓦佩洛的图莱斯玻利山(C4)和在弗罗利克的艾斐济国家形象土墩纪念地(C3)，有古老的印第安人墓地，修建成不同图腾动物的形态，展现了印第安文化的特点。最早到达本州的是法国人。后来这一地区归属美国。按照美国第三任总统杰斐逊时期和印第安人达成的协议，密西西比河以西地区应永远归印第安人所有。但是1832年印第安人酋长却被迫将本州东部的广大地区"卖给"了联邦政府。1846年艾奥瓦正式建州，成为联邦的第29个州。本州人口中95.79%为白人，多为北欧人后裔；2.79%为黑人，亚裔约占1.69%，印第安人只有0.61%。居民主要信仰基督教，其中新教50%，罗天主教23%。来自欧洲不同国家的移民多集中在不同的区域，形成了独特的社区文化。不同社区有鲜明

的文化特点和建筑风格。

本州是美国著名的粮仓。农业人口占全州人口一半以上。玉米、大豆产量占全国第二。主要农产品还有猪、肉牛、奶品等。本州主要工业产品有食品加工、机械、电子、化工等。2009年国民生产总值为1,363亿美元，人均4.47万美元。

主要高速公路有I—29、I—35、I—80等。教育发达，有艾奥瓦大学(C4)、北艾奥瓦大学(C3)、艾奥瓦州立大学(B4)等数十所高校。中学教育以高质量出名，2003年SAT、ACT(均为全美高校入学统一考试)排名全美第二。

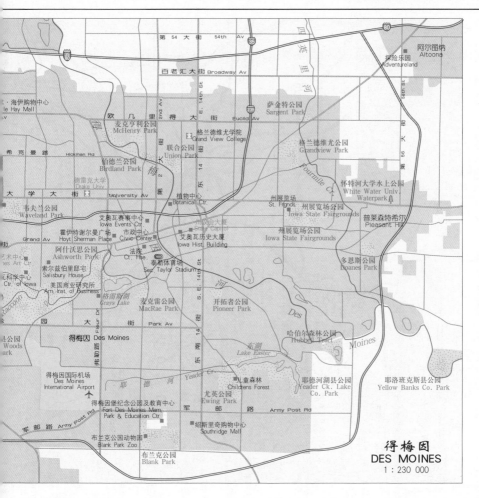

州府得梅因 Des Moines (B4)

人口约20万。建于1843年，最初是军事要塞，后来发展成为谷物生产及加工中心。目前印刷业和保险业也很发达。每年8月中旬在这里举办11天的艾奥瓦州博览会，有各种娱乐活动。

位于市中心的得梅因艺术中心建于1944年，中央为一池静水，环水为各展室，是世界博物馆设计的佳作。1968年华人建筑师贝聿铭为其设计了现代雕塑馆。该中心收藏有19世纪、20世纪世界名画3,500余件。城西有19世纪农场，包括露天农业博物馆、1700年印第安人村落、1850年开拓者的农场及1836年开拓者建立的小镇。人们

可以见到活生生的历史。州议会大厦有3个圆屋顶，很有特色，是重要的旅游景观。市内文教事业比较发达，设有德雷克大学和几所高等院校。

艾奥瓦城 Iowa City (C4)

人口约6万。1842年～1846年为边区首府，1846年～1857年为州府，后州府迁到得梅因。最初为大学城，围绕艾奥瓦大学兴建。该大学的医院和医学院享誉美国。大学的写作班也培养了许多知名作家。国会旧址是希腊复兴式建筑，现展出该地作为边区政府及州府时的历史情况。艾奥瓦大学建于1847年，位于市中心。

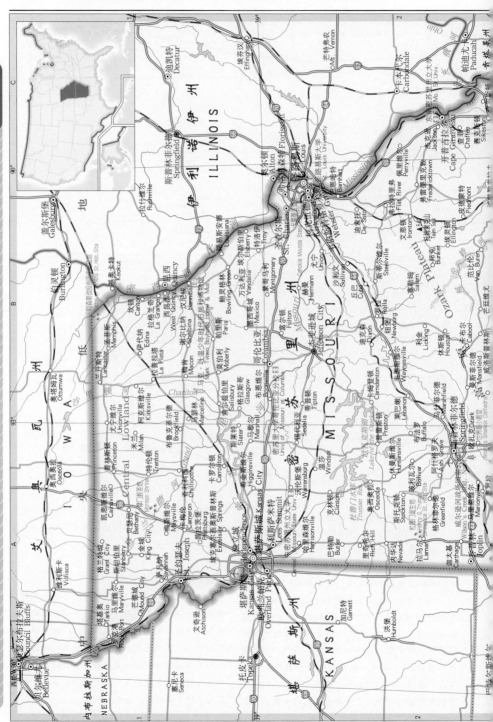

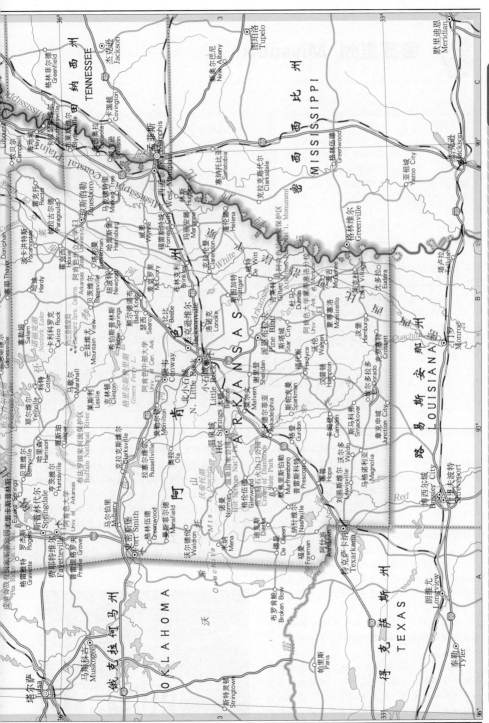

密苏里州 Missouri

英文缩写:	MO
面积:	178,446平方千米
人口:	599万
州府:	杰斐逊城
面积排名:	第19位
加入联邦年代:	1821年
州花:	山楂花
州鸟:	东蓝鸲

位于美国本土的中部，与艾奥瓦州、伊利诺伊州、阿肯色州、堪萨斯州等八州相邻。地势多为平原与丘陵。密西西比河沿本州的东部边界从北向南流过。密苏里河从州的中部自西向东汇入密西西比河，把该州分为南北两部分。北部为黑土平原区，是主要的农业区。南部为高原峡谷区，风景秀丽。

1803年杰斐逊总统完成"印第安那购并"之后，1804年派遣刘易斯和克拉克从圣路易斯(B2)北部的圣查尔斯(B2)向西进行勘测，绘制地图。从此，成千上万的人们从圣路易斯，沿着刘易斯和克拉克的足迹，沿着"圣菲小道"、"俄勒冈小道"，为寻找一个更好的生活向西部开拓。所以，人们一直把这里看作是向西开拓的门户。本州1821年加入联邦，是美国的第24个州。这里还是美国著名作家马克·吐温的家乡。本州的名人还有第二次世界大战后及朝鲜战争时的美国总统杜鲁门等。本州人口中86%为白人，以德国、爱尔兰及英国族裔最多；约12%为黑人。居民中77%信仰基督教(新教50%，天主教19%)。

2009年国民生产总值为2,367亿美元，人均3.95万美元。主要农产品有肉牛、大豆、玉米、禽、蛋、奶等。工业有航天、交通、食品加工、化工、电器产品等。本州还是美国铅的主要生产地，矿区主要在东部中区。

主要高速公路有I—35、I—55、I—44、I—70等。公立大学主要是密苏里大学哥伦比亚分校(B2)，私立大学则以圣路易斯大学(B2)等出名，那里诞生过数十名诺贝尔奖金获得者。

州府杰斐逊城 Jefferson City (B2)

人口约3.6万。位于本州中部密苏里河畔，为纪念杰斐逊总统而命名。1826年建市，并成为州首府。州议会大厦建于1911年，内有州博物馆，展出本州的历史、自然文化遗产以及本顿、布兰文等人的名画。

堪萨斯城 Kansas City (A1)

人口约48万。该城的地理位置居于美国的中心，有"美国心脏"之称。目前这里是美国最大的农产品集散地。但是人们已经见不到当年牛仔镇的风光及大草原的景色，见到的只是划破天空的摩天大楼及现代都市的风光。

该城地跨两州，城中的州界线将其分为密苏里州堪萨斯城和堪萨斯州堪萨斯城两部分。两部分统称为大堪萨斯城。

1869年铁路修到这里，使其成为美国最大的肉牛贸易中心及谷物交易中心，跃居仅次于芝加哥的中部大城市。至今该城仍为美国重要的铁路枢纽之一。科学城曾是美国最繁忙的火车站之一，现已辟为剧场、科学博物馆、餐厅等。纳尔逊—阿特金斯艺术博物馆以东方艺术品的收藏最为著名。其雕塑公园收藏有大量古埃及、希腊、罗马及美国的雕塑作品。王冠中心是城市中心改造的杰作，面积34万平方米，是购物、休闲、住宿、餐饮、娱乐的综合建筑。离该城不远的独立城有杜鲁门图书馆和博物馆，是杜鲁门及夫人的故居、图书馆和墓地。

该市的主要大学有密苏里—堪萨斯城大学等。

旧法院和拱门

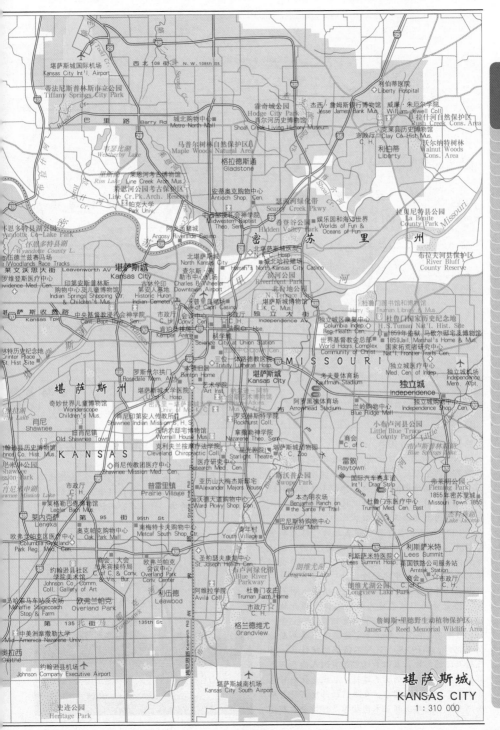

密苏里州

堪萨斯城
KANSAS CITY
1:310 000

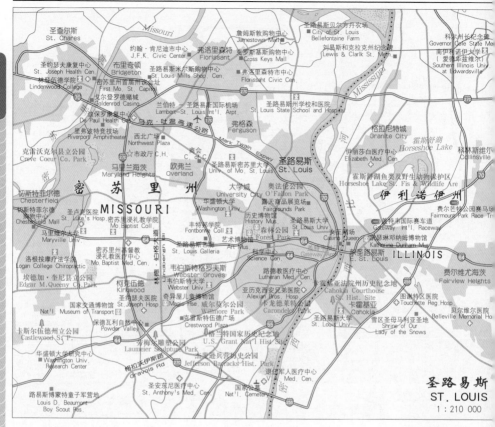

圣查尔斯 St. Chares
约翰·肯尼迪市中心 J.F.K. Civic Center
弗洛里森特 Florisant
詹姆斯教购物中心 Jamestown Mall
圣路易斯贝尔开尔开农场 City of St. Louis Bellefontaine Farm
克罗斯基购物中心 Cross Keys Mall
刘易斯和克拉克州纪念碑 Lewis & Clark St. Mem.
科罗州长纪念碑 Governor Gale State Mem
南伊利诺伊大学（爱德华兹维尔）Southern Illinois Univ. at Edwardsville
圣约瑟夫康复中心 St. Joseph Health Cen.
布里奇顿 Bridgeton
圣路易斯米尔斯购物中心 St. Louis Mills Shop. Cen.
弗洛里森特市政中心 Florisant Civic Cen.
林登伍德学院 Lindenwood College
密苏里州首届州议会址 First Mo. St. Capit.
戈尔登罗德娱乐城 Goldenrod Casino
兰伯特—圣路易斯国际机场 Lambert–St. Louis Int'l. Arpt.
圣路易斯州学校和医院 St. Louis State School and Hospital
迪保罗健康中心 De Paul Health Cen.
里弗波特竞技场 Riverport Amphitheater
乌克·吐温高速公路
弗格森 Ferguson
格拉尼特城 Granite City
霍斯舒湖 Horseshoe Lake
科林斯维尔 Collinsville
克里沃克尔县立公园 Creve Coeur Co. Park
马里兰海茨 Maryland Heights
西北广场 Northwest Plaza
市政厅 C.H.
商会 C. of C.
Mark Twain Expwy
圣路易斯密苏里大学 Univ. of Mo. St. Louis
伊丽莎白医疗中心 Elizabeth Med. Cen.
霍斯舒湖鱼类及野生动物保护区 Horseshoe Lake St. Fis & Wildlife Are
切斯特菲尔德 Chesterfield
欧弗兰 Overland
圣路易斯 St. Louis
伊利诺伊州 ILLINOIS
切斯特菲尔德购物中心 Chesterfield Mall
圣卢克医院 St. Luke's Hosp.
密苏里浸礼教学院 Mo. Baptist Coll.
大学城 University City
奥法伦公园 O'Fallon Park
费尔蒙特公园赛马场 Fairmount Park Race Tr
MISSOURI
华盛顿大学 Washington Univ.
历史博物馆 History Mus.
体育公园 Fairgrounds Park
马里维尔大学 Maryville Univ.
丰特努瓦学院 Fontbonne Coll.
森林公园 Forest Park
圣路易斯大学 St. Louis Univ.
娱乐赌场 Casino Queen
凯瑟琳邓纳姆博物馆 Katherine Dunham Mus.
密苏里州浸礼医疗中心 Mo. Baptist Med. Cen.
圣路易斯美术馆 St. Louis Galleria
艺术博物馆 Art Mus.
安海斯 East St. Louis
盖特韦国际赛车道 Gateway Int'l. Raceway
洛根按摩疗法学院 Logan College Chiropractic
科学中心 Science Cen.
Gateway Av.
费尔维尤海茨 Fairview Heights
韦伯斯特格罗夫斯 Webster Groves
韦伯斯特大学 Webster Univ.
路德教医疗中心 Lutheran Med. Cen.
科霍基亚法院州历史纪念地 Cahokia Courthouse St. Hist. Site
卡霍基亚 Cahokia
图谢特区医院 Touchette Reg. Hosp.
埃德加·奎尼县立公园 Edgar M. Queeny Co. Park
柯克伍德 Kirkwood
奇异星儿童博物馆 Magic Hse.
威尔莫尔公园 Willmore Park
圣路易斯大学 St. Louis Univ.
贝尔维尔纪念医院 Belleville Memorial Ho
圣约瑟夫医院 St. Joseph Hosp.
卡伦德雷特公园 Carondelet Park
雪区圣母玛利亚圣地 Shrine of Our Lady of the Snows
国家交通博物馆 Nat'l. Museum of Transport
克雷斯特伍德广场 Crestwood Plaza
卡斯尔伍德州立公园 Castlewood St.
鲍德温自然保护区 Powder Valley
格兰特国家历史纪念地 U.S. Grant Nat'l Hist Site
劳梅尔雕塑公园 Laumeier Sculpture Park
华盛顿大学研究中心 Washington Univ. Research Center
格拉夫伊斯 Gravois Rd
杰斐逊兵营历史公园 Jefferson Barracks Hist. Park
退伍军人医疗中心 Med. Cen.
路易斯博蒙特童子军营地 Louis D. Beaumont Boy Scout Res.
圣安东尼医疗中心 St. Anthony's Med. Cen.
国家军人公墓 Nat'l. Cemetery

圣路易斯
ST. LOUIS
1:210 000

圣路易斯 St. Louis (B2)

人口约36万。位于密西西比河畔，距该河和密苏里河汇合处16千米。1803年该地并入美国后，成为开拓西部的出发点。1857年铁路修到这里，大量德国、爱尔兰及欧洲技术移民到来，使该城发展为重要的工业中心。

1904年，圣路易斯举办盛大的"路易斯安那购并"100周年世界博览会，历时7个月。该城参加博览会工作的人员总数达20万，成为举世闻名的盛会。博览会中冰激凌、热狗、冰茶等美国食品受到各国参加者的欢迎，并以此传入世界各地。博览会的旧址已建为动物园，免费开放。该城的杰斐逊国家疆土拓展纪念馆建于1935年。1963年~1965年在纪念馆上空建造了圣路易斯盖特韦拱门，高192米。这座不锈钢的建筑象一条飞跨天际的彩虹，象征着这里是美国人向西部开拓的门户，是本城的标志建筑。从纪念馆内可乘缆车登上拱顶的瞭望台，鸟瞰密西西比河及圣路易斯全城。圣路易斯艺术博物馆是世博会时期建立的展馆，主要展出中国历代陶瓷、毕加索的名画、土耳其的地毯等。

主要高校有圣路易斯大学、华盛顿大学等，诞生过数十名诺贝尔奖获得者。该城的汽车制造仅次于底特律。许多大公司的总部都设在这里。

盖特韦拱门夜景

阿肯色州 Arkansas

英文缩写:	AR
面积:	134,875平方千米
人口:	292万
州府:	小石城
面积排名:	第27位
加入联邦年代:	1836年
州花:	苹果花
州鸟:	嘲鸫

位于美国中南部密西西比河以西。西北多山地、森林，东南部为肥沃的平原，是主要的农业区。受墨西哥湾影响，本州气候潮热，年降水量为1,000毫米~1,250毫米，多暴雨。

1803年，通过"路易斯安那购并"，归入美国。1836年加入联邦，为美国的第25个州。1861年南北战争中曾参加南部联盟。本州人口中73%为白人，黑人约占16%。居民中86%信仰基督教（新教78%，天主教7%）。

2009年国民生产总值为1,008亿美元，人均3.45万美元，为全国人均收入最低的州之一。经济以农业为主。主要农产品有禽、蛋、大豆、高粱、奶、肉牛、棉花、水稻等。工业有食品、电子、金属器材、造纸等。近年来汽车零件加工发展很快。旅游是本州的主要收入之一。历史上种族歧视严重，1957年小石城中心高中发生过反对种族隔离的运动，造成骚乱，致使联邦军队进驻一年之久。本州出生的威廉·克林顿1993年当选为美国第42届总统。

本州以清澈的河流湖泊、美丽的溶洞、秀美的田园风光知名美国。如西北部的布兰查德泉洞(B3)等。默弗里斯伯勒(A3)是美国唯一的钻石产地，致使本州有"钻石州"之称。那里的州立钻石火山口公园(A3)曾发现过40克拉的"山姆大叔钻石"、34克拉的"默弗里斯伯勒之星"钻石。1975年又发现了一颗16克拉的钻石。根据政府的规定，在该地发现的钻石归发现者个人所有。

主要高速公路有I-30、I-40。有公私立高等院校29所。主要大学有阿肯色州立大学(B3)、阿肯色大学(A2)。民间艺术内容丰富，以陶瓷、珠宝饰物和木雕等著称。

州府小石城 Little Rock (B3)

人口约19.2万。系本州最大的城市，位于州中部，主要部分位于阿肯色河南岸。1820年被定为边区政府所在地，以后成为州府。说起该地名称的来历，还有一个小故事。法国人到此探险时，曾听当地的印第安人说，在阿肯色河上有一块巨大的绿宝石。法国人随即开始寻找这一宝藏。可他们根本没发现巨大的绿宝石，只在河边看到了一块发绿色、体积不大的石头，法国人失望的说那是一块"小石头"，该地也由此得名。19世纪80年代随铁路扩建成为重要的交通枢纽。20世纪40年代多元化的工业开始发展，该地逐渐发展成为现代化城市。州议会大厦用本州出产的白色大理石和花岗岩仿华盛顿国会山建造，高大宏伟，免费对游人开放。市中心麦克阿瑟公园附近及沿河区有许多古建筑。

温泉城 Hot Springs (A3)

人口3万多。位于本州中部的沃希托河畔，是著名的矿泉疗养中心。早年生活在这里的印第安人发现，这里的矿泉水有治病的效果，他们称其为"圣水"，纷纷来此沐浴。1921年以当地47处温泉为中心建立温泉城国家公园，占地23.47平方千米。当地设立温泉疗养所20多座，以及一批理疗中心。每年有大批游客来此游览和疗养。这里还是克林顿总统童年生活的地方。

阿肯色州花

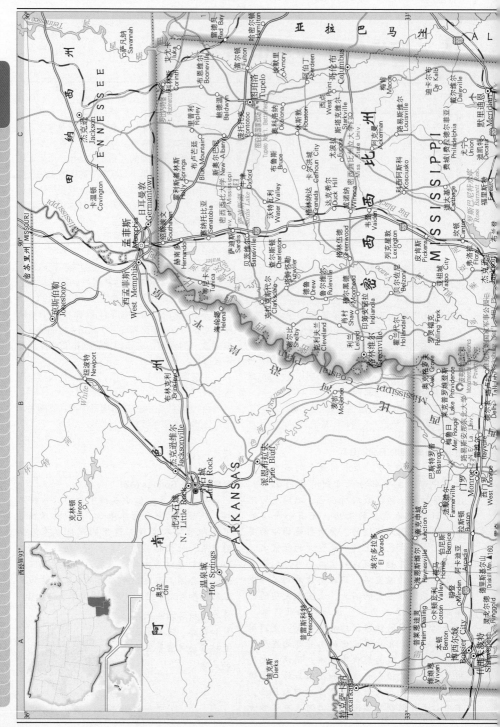

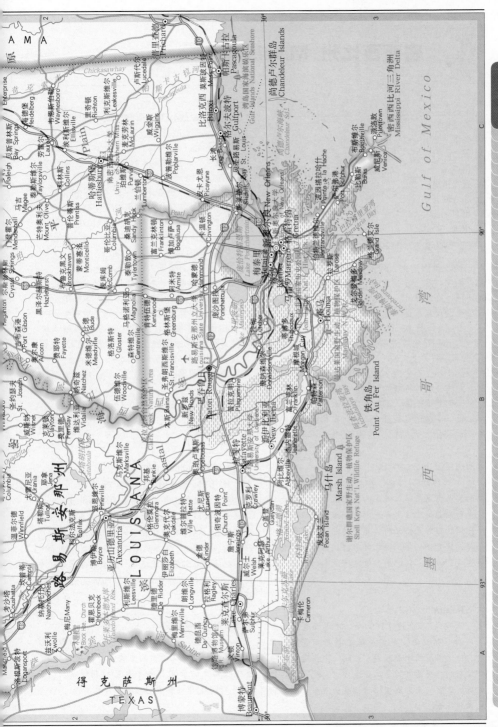

比例尺　1：3 200 000

密西西比州 Mississippi

英文缩写:	MS
面积:	121,506平方千米
人口:	297万
州府:	杰克逊
面积排名:	第32位
加入联邦年代:	1817年
州花:	木兰花
州鸟:	嘲鸫

位于美国南部，密西西比河下游东岸，以该河命名。本州地处亚热带地区，地势低平，土壤肥沃，降水充沛，农作物生长期长，多森林。南临墨西哥湾，夏末及秋季多飓风。

1541年西班牙人首先发现这片土地。1699年法国人皮尔在此建立永久居住地。1798年划归美国，1817年加入联邦，成为美国的第20个州。南北战争前，本州大量使用奴隶劳动，甘蔗及棉花种植业发达，曾为全美最富的州之一。南北战争中，本州为南部联盟的主要支持者。战争中这里是西部战场。北方军在格兰特将军指挥下沿密西西比河向南推进，在本州的维克斯堡(B2)激战47天，取得了战略性的胜利。共有1.7万将士战死在维克斯堡国家军事公园(B2)的战场上。

本州人口原以黑人奴隶为主，20世纪上半叶南方各州黑人大量迁往工业城市。直到20世纪60年代，种族矛盾一直尖锐。1960年～1964年的人权运动中，这里曾发生骚乱，两名密西西比大学学生被残害。居民人口中62%为白人，黑人约占37%。

2009年国民生产总值为951亿美元，人均3.20万美元，为全国人均收入最低的州之一，当然本州生活费用也相对较低。经济除传统的农业外，还有石油天然气的开发。本州的旅游资源丰富，墨西哥湾的白色沙滩、散布全州的南北战争前的豪宅、国家公园及古战场遗址以及诞生在这里的爵士乐、摇滚乐都吸引着大量的游人来访。1990年本州立法允许开赌场，使本州赌博收入仅次于内华达州，占全美第二位。

主要高速公路有I-20、I-55、I-59等。州内教育事业也较发达，有密西西比大学(C1)等多所高等院校。

州府杰克逊 Jackson (B2)

人口约18万。本州最大的城市，历史上重要的贸易据点及通往美国西南的主要城市。南北战争后期曾被北方将军谢尔曼烧毁。旧议会大厦历史博物馆曾是格兰特将军及其部将谢尔曼的司令部，建于1842年，现已辟为博物馆。州议会大厦建于1901年～1903年。该城还是本州的经济、文化中心。

比洛克西 Biloxi (C2)

人口约5万。建于1699年。是墨西哥湾沿岸著名的疗养胜地，也曾是路易斯安那边区的首府。位于海湾的南部联盟"总统"杰弗逊·戴维斯故居和总统图书馆是这位南方"总统"最后的住所。这里的南部联盟博物馆展出了当年南方的武器装备等。

格尔夫波特 Gulfport (C2)

位于本州东南部的墨西哥湾。建于1887年，20世纪20年代开始成为海滨游览区。第二次世界大战后，此地的旅游业和汽车旅馆业有很大发展。这里有世界最长的人工沙滩，附近盛产鱼类，每年7月举办的深海捕鱼比赛，都要吸引大批国内外游客到此观光。这里的深水港还有世界最现代化的香蕉集散站，物资交流非常通畅。

纳奇兹 Natchez (B2)

人口约2万。建于1716年，位于密西西比河畔，曾为本州棉花输出的主要港口。建有500余座种植园主的豪宅。每年春天的朝觐活动(3月6日～4月6日)中这些古宅对游人开放。

小知识

密西西比河是北美洲第一大河，是美国最长、流域面积最广、水量最大、利用价值最高的巨型大河。发源于明尼苏达州北部的伊塔斯卡湖附近，向南流入墨西哥湾。流经美国28个州，全长3,734千米(以密苏里河为源6,262千米)。流域面积322万平方千米，约占领土面积的1/3。在印第安语中密西西比有"大河"和"老人河"的意思。该河含沙量大，历史上水患严重。20世纪40年代美国政府曾动用大量工兵和劳工对河流疏通整治。密西西比河及支流构成了美国的内河航运网。特别是1811年"新奥尔良"号汽船首航成功，之后又修建了一系列船闸工程使汽船从墨西哥湾至五大湖直航成功，该河的航运作用更加重要。

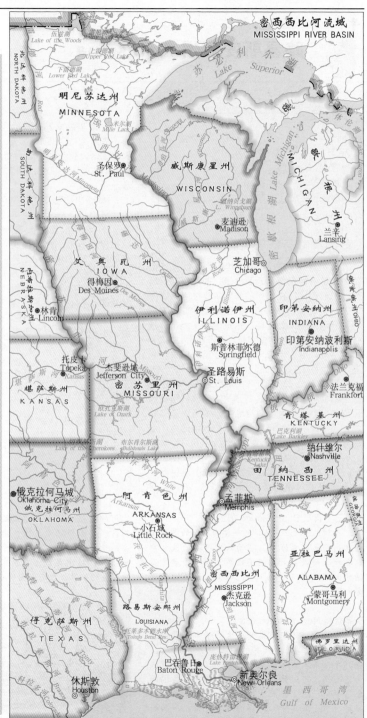

密西西比河流域
MISSISSIPPI RIVER BASIN

路易斯安那州 Louisiana

英文缩写：	LA
面积：	112,836平方千米
人口：	453万
州府：	巴吞鲁日
面积排名：	第31位
加入联邦年代：	1812年
州花：	木兰花
州鸟：	褐鹈鹕

位于美国的中南部，北靠阿肯色州，南临墨西哥湾，东邻密西西比州，西接得克萨斯州。密西西比河在本州的新奥尔良注入墨西哥湾，故此地成为美国中部通往南部海洋的门户，战略地位十分重要。本州地势平坦，气候炎热多雨，夏末秋初多飓风。2005年8月底的卡特里纳飓风给当地带来了空前严重的损失，新奥尔良几乎被完全摧毁。

1682年法国人拉萨尔来到这里，以法国国王路易十四的名字命名了法国殖民的密西西比河流域广大地区。路易斯安那的意思是"路易的土地"。1762年路易十四将该地送给了他的表弟、西班牙国王查理三世。1803年拿破仑夺回该地，并将这一地区及西部广大的土地以1,500万美元的价格卖给了美国。这就是历史上著名的"路易斯安那购并"。1812年建

州，成为联邦第18个州。南北战争中，本州是南部联盟的主要成员。本州人口中65%为白人；黑人约占33%，居全美第二。居民中50%信仰基督教新教，30%信天主教。

本州历史上是甘蔗和棉花的主要产地，曾大量使用奴隶劳动，为美国积累了大量财富。后来发现石油，产量仅次于得克萨斯州。2009年国民生产总值为2,084亿美元，人均4.60万美元，为全国人均收入较低的州。主要农渔产品有水产(淡水小龙虾产量世界第一)、棉花、大豆、禽、蛋、水稻等。工业主要有化工、石油、煤炭、造纸等。旅游是本州的主要收入之一。独特的历史，使本州的文化兼具印第安、西班牙、法国、英国文化的特征，风格别具。

主要高速公路有I—10、I—12、I—20、I—49、I—55等。主要大学有路易斯安那州立大学(B2)、路易斯安那大学(B2)、新奥尔良大学(B3)等。

州府巴吞鲁日 Baton Rouge (B2)

人口约22.5万。从1849年起为本州的首府，是本州的第二大城市，密西西比河上的最大港口之一。州议会大厦使用世界上26个著名产石国的大理石建造，高36层，是美国最高的州议会大厦。

新奥尔良 New Orleans (B3)

人口约35万。是本州最大的城市和港口，也是医疗、工业、教育的中心和旅游胜地。1699年法国人皮尔在此设定居点，其后发展成为密西西比河流域的法属殖民地首府。美国南北战争中，这里是北方军和南方军反复争夺的目标。位于城市中心的法国老市区是指密西西

比河畔最早由法国人建设的70个街区。是最佳的步行区，游人必去的地方。杰克逊广场位于该区中心，广场中央矗立有杰克逊跃马挥戈的铜像。广场周围有众多

新奥尔良

路易斯那州

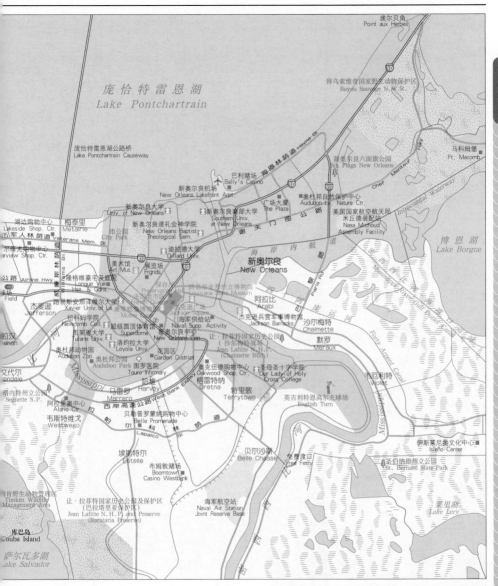

庞恰特雷恩湖
Lake Pontchartrain

埃尔贝角
Point aux Herbes

拜乌索维奇国家野生动物保护区
Bayou Sauvage N.W.R.

庞恰特雷恩湖公路桥
Lake Pontchartrain Causeway

巴利赌场
Bally's Casino

海湾林荫道
Hayne Bl

新奥尔良六面旗公园
Six Flags New Orleans

马科姆堡
Ft. Macomb

新奥尔良机场
New Orleans Lakefront Arpt.

奥杜邦自然旗保护中心
Audubon La. Nature Ctr.

Chef Menteur Hwy

Intracoastal Waterway

湖边购物中心
Lakeside Shop. Ctr.
梅泰里
Metairie
五军人林荫道
Veterans Mem. Bl

新奥尔良大学
Univ. of New Orleans

市公园
City Park

广场大厦
The Plaza

新奥尔良南部大学
Southern Univ.
at New Orleans

美国国家航空航天局
米丘德装配中心
Nasa Michoud
Assembly Facility

博恩湖
Lake Borgne

济哥光影购物中心
arview Shop. Ctr.

新奥尔良浸礼会神学院
New Orleans Baptist
Theological Sem.

湖天门图公路

海岸内航道

博恩湖
Lake Borgne

公路 Airline Hwy
Field

美术馆
Art Mus.

展览场
Frgnds.

迪拉德大学
Dillard Univ.

新奥尔良
New Orleans

Paris Rd

Mississippi River Gulf Outlet Canal

隆格维豪宅及庭园
Longue Vue
Hse. & Gdns.

保存
Preservation

路易斯安那州立博物馆
Louisiana State Museum

阿拉比
Arabi

沙尔梅特
Chalmette

Forty Arpent Canal

木塞逊
Jefferson

路易斯安那泽维尔大学
Xavier Univ. of La.

杰克逊广场
Jackson Square

杰克逊兵营军事博物馆
Jackson Barracks

纽科姆学院
Newcomb Coll.

图莱恩大学
Tulane Univ.

超级圆顶体育馆
Superdome

海军供给处
Naval Supp. Activity

新奥尔良中心
New Orleans Cen

默罗
Meraux

拉汉
ahan

奥杜邦动物园
Audubon Zoo

洛约拉大学
Loyola Univ.

花园区
Garden District

让·拉斐特国家公园
（沙尔梅特战场）
Jean Lafitte N.H.P.
(Chalmette Bfld.)

文代尔
ondale

奥杜邦公园
Audubon Park

图罗医院
Toure Infirmary

奥克伍德购物中心
Oakwood Shop. Ctr.

圣母圣十字学院
Our Lady of Holy
Cross College

韦厄利特
Violet

马雷罗
Marrero

哈维
Harvey

格雷特纳
Gretna

特里敦
Terrytown

英吉利特恩高尔夫球场
English Turn

塞格内特州立公园
Segnette S.P.

阿拉里奥中心
Alario Ctr.

西岸高速公路
West Bank Expwy

Mississippi

伊斯莱尼奥文化中心
Isleno Center

韦斯特维戈
Westwego

贝勒普罗蒙纳购物中心
Belle Promenade

拉帕科林荫道
Lapalco Bl

圣伯纳德州立公园
St. Bernard State Park

埃斯特尔
Estelle

布姆敦赌场
Boomtown
Casino Westbank

贝尔沙斯
Belle Chasse

免费渡口
Free Ferry

粟里湖
Lake Lery

提肯野生动物管理区
Timken Wildlife
Management Area

让·拉菲特国家历史公园及保护区
（巴拉塔里亚保护区）
Jean Lafitte N.H.P. and Preserve
(Barataria Preserve)

海军航空站
Naval Air Station
Joint Reserve Base

库巴岛
Couba Island

萨尔瓦多湖
Lake Salvador

为游人画像的画店。路易斯安那州立博物馆位于杰克逊广场一侧，原是西班牙总督府及"路易斯安那购并"签字的地方。康蒂蜡像博物馆是一家以介绍路易斯安那州历史为主题的蜡像博物馆。展出1699年以来该城名人的等大蜡像。新奥尔良每年举行的狂欢节吸引了成千上万的观光客。

种植园邸宅

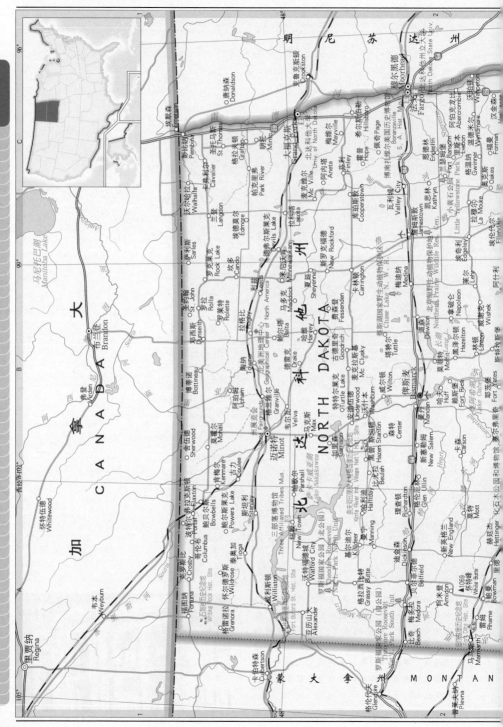

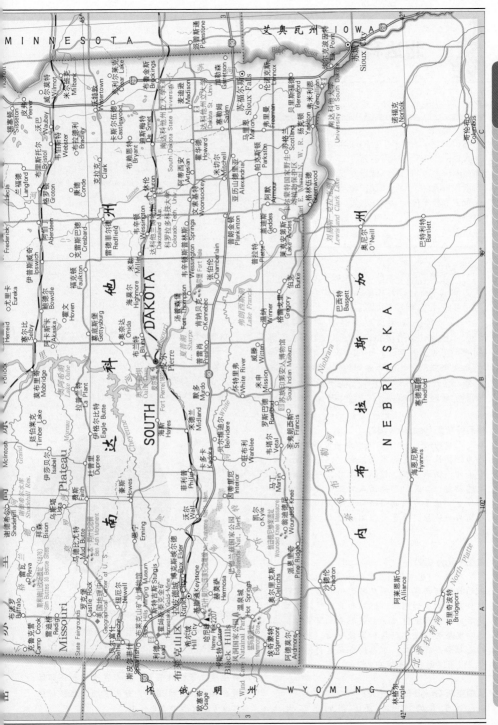

比例尺 1:3 800 000

北达科他州 North Dakota

英文缩写:	ND
面积:	178,695平方千米
人口:	67万
州府:	俾斯麦
面积排名:	第17位
加入联邦年代:	1889年
州花:	草原野玫瑰
州鸟:	西美草地鹨

位于美国的中北部，北靠加拿大。地处北美大陆的中心，在其北部的拉格比有北美洲地理中心(B1)纪念塔。本州地广人稀，土地肥沃。

1738年法国毛皮商到这里收购兽皮。1803年根据"印第安那购并"协议美国从法国手中购得本州西南部。1818年又从英国手中得到本州东北部。1889年建州后加入联邦，是美国第39个州。本州人口中92%为白人，多为北欧诸国的后裔；印第安人等原住民约占5%。居民信仰基督教（新教64%，天主教30%）。

本州是美国主要的农业州之一。2009年国民生产总值为316亿美元，人均4.72万美元。小麦产量居全国第二，大麦产量居全国第一，盛产葵花籽。牧业发达，牛肉和牛奶制品都很丰富。1951年发现石油，促进了经济的发展。

印第安文化遗址在本州到处可见。1804年~1806年刘易斯和克拉克率领的探险队曾在这里停留很长时间进行测绘，并把冬季指挥部设在了俾斯麦西部的曼丹(B2)。

本州有150多个动物保护区。位于西部的罗斯福国家公园(A2)是美洲野牛和水牛的保护区。在东部詹姆斯敦附近的北草原野生动植物保护地(C2)有一种白牛，是当地印第安人的圣牛。这里的户外活动有游泳、划船、滑雪、滑冰、雪地摩托。冬季旅游业较为发达，以捕鱼和狩猎最盛。

主要高速公路有I-29、I-94。高等教育在20世纪60年代有较快发展。主要大学有北达科他大学(C2)、北达科他州立大学(C2)等11所。

州府俾斯麦 Bismarck (B2)

人口约6万。位于本州中南部密苏里河畔。原为保护铁路修建的军事据点。1873年改以普鲁士的"铁血首相"俾斯麦命名，一是表示对他的敬意，二是纪念德国人对正在修建的铁路的投资。位于市内的州议会大厦共19层，黑色花岗岩为地基，白色大理石为墙面，精美而壮观。

法戈 Fargo (C2)

人口约9万。本州最大的城市。位于土地肥沃的雷德河西岸，和明尼苏达州的穆尔黑德隔河相望，构成姐妹城。1871年北太平洋铁路兴建后，因交通便利，成为移民往来的贸易站，后逐渐发展为小麦的销售和集散中心。也是本州的金融和医疗中心。市内设有北达科他州立大学，是著名的农业研究中心。

大福克斯 Grand Forks (C2)

位于雷德河畔，是本州的第二大城市，1871年设立居民点，现在是重要的交通枢纽，还是雷德河流域农产品的贸易和加工中心。市内有北达科他大学。

美国稀有动物

罗斯福国家公园
Theodore Roosevelt National Park (A2)

位于本州西部，分为南、北两个部分，总面积285平方千米。以美国第26任总统西奥多·罗斯福命名。1883年西奥多曾来此狩猎并同当地建立了合作关系，后来在这里担任环保委员会主席，建立团体，开办农场，在保护生态环境方面发挥了重要作用。

南达科他州 South Dakota

英文缩写:	SD
面积:	196,571平方千米
人口:	81万
州府:	皮尔
面积排名:	第16位
加入联邦年代:	1889年
州花:	白头翁花
州鸟:	颈环雉

位于美国中北部。密苏里河由北而南把全州分为东西两个部分。东部为大草原，多低山及冰渍湖，是主要农业区；西部地势起伏，是优良的牧场。本州属大陆性气候，冬冷夏热，降水充足。

这里曾有众多印第安人部落，州名源于该地一个印第安部落名称。至今全州还有3万余印第安人居住在保留地里。1743年法国探险家到此，宣称其属于法国。1803年根据"印第安那购并"归属美国。1861年建立"达科他地区"，1889年建州后加入联邦，为美国的第40个州。同年达科他地区分为南北两部分，并建立南达科他州和北达科他州。本州人口中89%为白人，其中德国后裔最多，占41%，其次为挪威后裔，占15.3%；印第安人占9%。居民中91%信仰基督教（新教65%，天主教25%）。

2009年国民生产总值为388亿美元，人均4.79万美元。西部的布莱克山区(A3)是美国黄金的主要产区，霍姆斯泰克金矿(A3)是西半球最大的金矿。

本州铁路运输发达。主要高速公路有I-29和I-90。主要大学有南达科他州立大学(C3)、达科他州立大学(C3)等。

州府皮尔 Pierre (B3)

人口约1.3万。位于本州的地理中心，是密苏里河上的港口，芝加哥—西北铁路西端的终点。铁路通车大大促进了该城矿业及牛肉加工业的发展。

布莱克山区和拉什莫尔山国家纪念雕像
Black Hills and Mount Rushmore National Memorial (A3)

布莱克山宏伟险峻，山谷多巨雷轰鸣，山间松柏茂密，是雷克他·苏福尔斯印第安人的神山。1874年由乔治·阿姆斯特朗中校率领的分队在属于雷克他印第安人的布莱克山区发现金矿，引发了淘金热。至今这里仍为美国的主要黄金产区。人们还可以参观布莱克山矿业博物馆，为保护这里的古迹和文化遗产，1989年州议会批准在这里开办赌场，从赌场的收益中抽取一分比例用来进行文物保护，取得了良好的效果。

拉什莫尔山国家纪念雕像是雕刻在花岗岩山石上的美国总统华盛顿、杰斐逊、林肯和西奥多·罗斯福的巨大头像。每座头像高18米。4位总统分别代表了建国150年的主要事件：华盛顿代表建立合众国；杰斐逊代表独立宣言及印第安那购并；林肯代表维护国家统一；罗斯福代表巴拿马运河兴建后美国的扩张及环境保护。1927年8月10日总统柯立芝参加了这里举行的雕刻开工典礼。1939年7月3日，南达科他州建州50周年时全部工程完工。雕塑家博格勒姆在此工作了13年。他为这一巨作献出了毕生的精力。工程中共凿掉岩石45万吨。

在总统巨石雕像西南的另一座山头上，正在雕塑一组以印第安人为主题的石像。最主要的部分为19世纪雷克他印第安人首领"疯马"的雕像。按设计这组雕像高168米，宽192米，"疯马"的头像已经完成，高36米。完成后，这将是世界上最大的石刻群。该区内还有风洞国家公园、巴德兰兹国家公园。

拉什莫尔山国家纪念雕像

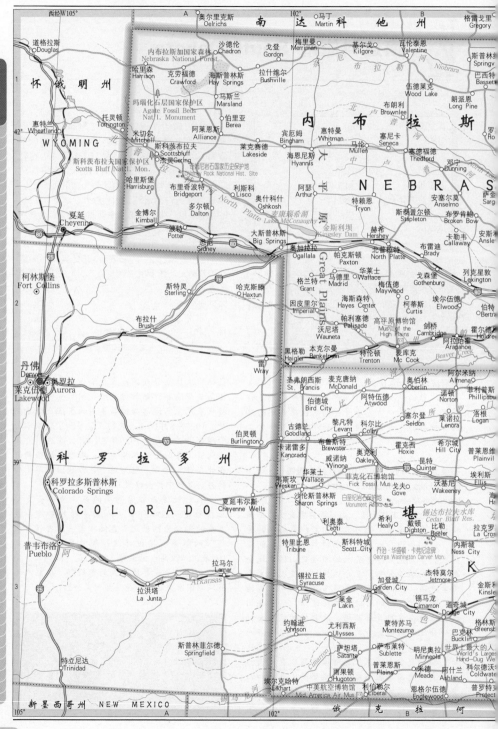

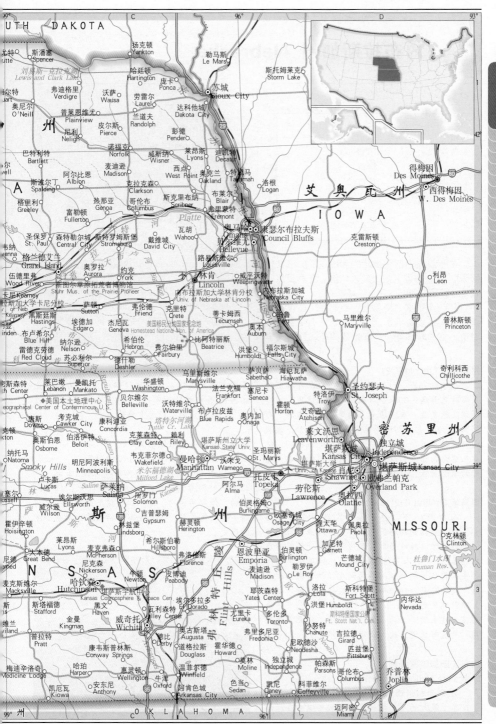

比例尺 1 : 3 800 000

内布拉斯加州 Nebraska

英文缩写:	NE
面积:	199,113平方千米
人口:	183万
州府:	林肯
面积排名:	第15位
加入联邦年代:	1867年
州花:	一枝黄花
州鸟:	西美草地鹨

位于美国中部稍偏北的大平原区。占全州面积2/3的东部地区属大陆性气候，夏季炎热，春夏多雷雨；西部则属半干旱草原区。

1803年根据"路易斯安那购并"协议，美国从法国手里购买了这片土地。受杰斐逊总统派遣，刘易斯和克拉克率领的探险队曾到这里来绘制地图，开辟了通往俄勒冈的小道。当时这里是一望无际的草原。数十万移民走过这里，向西迁徙。后来，他们发现这里高草下面竟是十分肥沃的土壤，灌溉问题也可以解决，于是人们开始在此定居。1867年正式成为联邦的第37个州。本州人口中93%为白人，德国后裔38%，爱尔兰后裔12.4%，英国后裔9.6%；黑人人口4.8%，亚裔人口1.85%。居民信仰基督教（新教58%，天主教29%）。

本州是美国主要的农牧区。2009年国民生产总值为846亿美元，人均4.62万美元。主要农产品有肉牛、生猪、玉米、大豆等。工业有运输车辆、通讯设备制造等。由于没有森林，本州是第一个建立植树节的州。

多铁路，主要高速公路有I-80。主要大学为内布拉斯加大学(C2)。

州府林肯 Lincoln (C2)

人口约25万。位于本州东部。1867年确定为州府时只有居民30人。后来铁路修到这里，城市得到高速发展。本市历史上的名人有小威廉·布瑞扬(曾为民主党总统候选人)，第一次世界大战欧洲远征军司令潘兴等。这里的历史博物馆、林肯儿童博物馆、州议会、州立大学博物馆都是很好的旅游景点。

奥马哈 Omaha (D2)

人口约45万。位于本州东部的密苏里河畔，曾为美国向西移民的主要经停地点。1846年～1847年摩门教徒受到宗教迫害向西迁徙时曾在此过冬，600余人因冻饿而死。1854年这里的印第安人首领和联邦政府签约同意接纳移民，城市随即发展起来。1863年林肯总统指定该城为横穿大陆铁路的经停站。当年12月3日联合太平洋铁路在此破土动工。为保护铁路修建，建立军事要塞。要塞旧址现已改为城市社区学院。

内布拉斯加国家森林
Nebraska National Forest (A1)

分布于本州西北部并和南达科他州相接。是世界上最大的人工植林区。1902年以来在原沙丘上共植长青树8万平方千米。森林区的苗圃每年向本州及美国其他地区提供树苗350万株。森林区内(含松树岭国家娱乐区)有露营地及娱乐设施，已成为当地居民的重要旅游地。

斯科茨布拉夫国家保护区
Scotts Bluff National Monument (A2)

位于本州西部斯科茨布拉夫以南8千米。是北普拉特河岸的峭壁区，峭壁高240米，位于西去的"俄勒冈小道"及"加利福尼亚小道"上。除美丽的风景外，这里还有博物馆展出两条小道的历史。

烟囱岩

堪萨斯州 Kansas

英文缩写：	KS
面积：	211,922平方千米
人口：	285万
州府：	托皮卡
面积排名：	第14位
加入联邦年代：	1861年
州花：	葵花
州鸟：	西美草地鹨

位于美国中部，是美国大陆本土的地理中心，以堪萨斯河得名。绝大部分地区地势平坦，沃野千里。本州东部2/3地区属湿润大陆性气候，多龙卷风；西部为半干旱草原区，夏热冬寒，年降水量400毫米。但冬季干热气流到达时气温却可达25℃。

这里的原住民是以农业为主的印第安人。1682年法国人来到此地。1803年"路易斯安那购并"中，这片土地卖给了美国。1861年建州，成为加入联邦的第34个州。1862年根据本州的公用土地放领法，任何美国人只要交纳10美元并承诺在此地居住5年，就可以领到640平方千米土地，从而吸引了众多的移民。1867年~1872年牛仔将大量的牛从得克萨斯赶到堪萨斯城，使其成为牛仔活动的舞台。1917年第一次世界大战中欧洲增加了对粮食的需求，本州小麦生产大发展，跃居全美第一。本州是第一个给黑人选举权的州。居民中白人占91%，以德国、爱尔兰、英国后裔居多；黑人占6.8%，亚裔占2.4%。

2009年国民生产总值为1,234亿美元，人均4.33万美元。本州是美国的粮仓，俗称"向日葵州"和"小麦州"。小麦产量居全国之首，牛肉的产量居全国第二，生猪产量居全国第八。州内盛产石油、天然气、煤等矿产。

铁路交通方便。主要高速公路有I-35、I-70等。有堪萨斯大学(D3)、堪萨斯州立大学(C2)等6所高等院校。

州府托皮卡 Topeka (D2)

人口约12.4万。1857年建市，1861年成为州府，该市门宁格基金会的精神病院及研究机构是全美最好的精神病医疗中心。

威奇托 Wichita (C3)

人口约37万。本州最大的城市。原为印第安村庄。1864年商人奇舍姆在此建立商业据点同得克萨斯地区经商。传说是他拉货车的辙印开辟了通往得克萨斯的"奇舍姆小道"，成为牛仔运送千百万头牛的通道，城市也随之得以发展。20世纪后这里的小麦和石油为城市的发展提供了更为坚实的基础。

堪萨斯城 Kansas City (D2)

同密苏里州的堪萨斯城联为一体(详见密苏里州105页)。

堪萨斯城

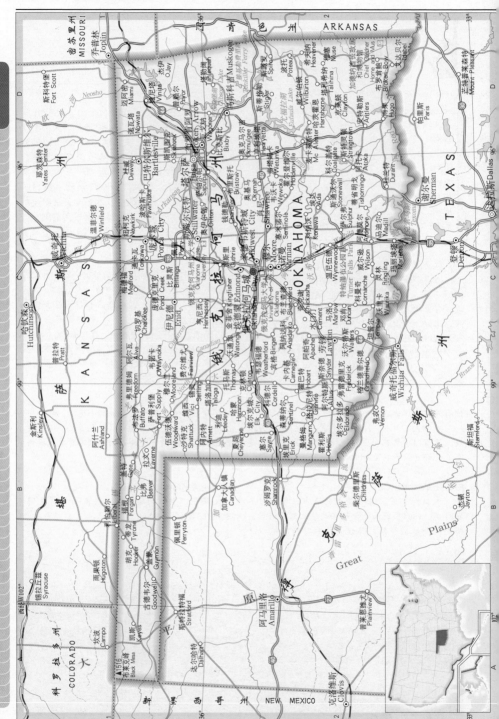

比例尺 1 : 4 560 000

俄克拉何马州 Oklahoma

英文缩写:	OK
面积:	177,877平方千米
人口:	375万
州府:	俄克拉何马城
面积排名:	第18位
加入联邦年代:	1907年
州花:	槲寄生
州鸟:	铗尾鸟

位于美国中南部。西北高，东南低，地形变化复杂。总体说属大平原区，但北部主要为农田，东南地区是茂密的松林。1933年～1939年，本州由于耕地被过度开发及持续的干旱造成大量耕地荒废。之后人们十分注意水土保持，修建了很完整的水土保持工程，使其成为美国人工湖最多的州。本州的天气多随地形变化，东南为亚热带湿润气候，年降水量多达1,300毫米。西北部则只有400毫米。本州还是冷暖气流交汇的地方，每年4月～7月多发龙卷风，是世界龙卷风发生最多的地方之一，致使美国国家灾害天气预报中心设在了俄克拉何马城南部的诺曼 (C2)。

俄克拉何马在印第安语中的意思是"红

种人"。早在6世纪，就有大量的印第安人居住。1541年西班牙探险者来到这里，后来他们同法国人对该地进行了反复争夺。1800年法国控制了这一地区。1803年根据"路易斯安那购并"协议归属美国。1830年～1840年，美国政府把南方诸州的印第安人强制迁移到此，建立了"印第安人边区"，约1/4的印第安人在迁徙途中死去。至今这里仍是美国印第安人口第三多的州。1866年～1889年大量的得克萨斯牛仔把成群的牛经过本州赶到堪萨斯州的火车站。至今牛仔文化对当地人仍有重大的影响。1889年该边区对白人移民开放，大量白人到这里安居。1897年钻出第一口油井。1907年正式成为美国的第46个州。本州人口中78%为白人，7.7%为黑人，8.1%为印第安人；居民主要信仰基督教。

本州长期以农业为主，20世纪70年代石油产业迅速发展，一度被人称为"世界油都"。目前石油产量仍居全国的第四位。2009年国民生产总值为1,543亿美元，人均4.11万美元。主要农产品有麦类（居全国第四）、花生（居全国第六）、大豆、棉花、肉牛、禽、奶等。

交通发达。主要高速公路有I—35、I—40、I—44等。主要大学有俄克拉何马州立大学 (C1)等。

州府俄克拉何马城 Oklahoma City (C2)

人口约56万。根据联邦政府的决定，1889年4月22日，俄克拉何马尚未被占有的草原地区对白人移民开放，致使该城一夜之间被建立起来。1910年成为州府。1928年这里发现丰富的石油天然气储备，成为美国重要的采油、炼油及石油制品的中心。本城的航空工业发达，是道格拉斯飞机公司总部所在地。1995年4月19日这里曾发生震惊世界的爆炸惨案：一辆装满炸药的卡车在该城的联邦大厦爆炸，炸死168人。为纪念当年的受害者修建了俄克拉何马城国家纪念馆。

塔尔萨 Tulsa (D1)

人口约39万。是本州第二大城。位于阿肯色河畔。1901年这里钻出了全州第一口重要的商业油井，采油业迅速发展，使该市从牛仔小镇发

展成为现代化城市。现在该城已从单一的石油经济发展成为航空、航天、计算机技术、金融服务、卫生、制造业等全面发展的城市。

水牛比尔塑像

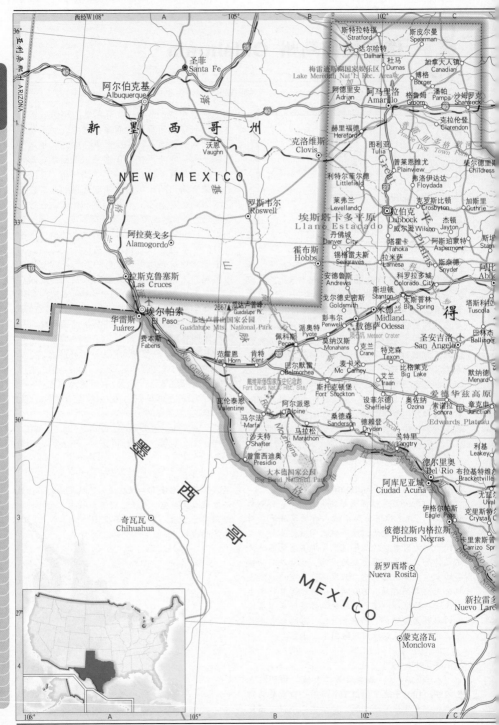

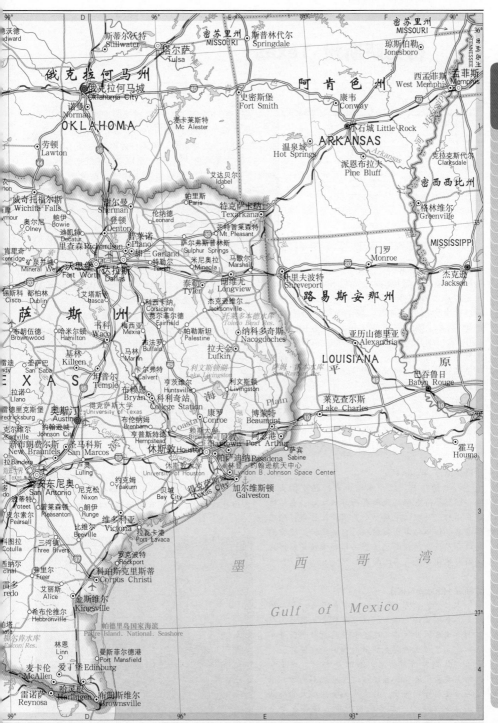

密苏里州 MISSOURI

斯蒂尔沃特 Stillwater
塔尔萨 Tulsa
密苏里州 MISSOURI
斯普林代尔 Springdale
琼斯伯勒 Jonesboro

俄克拉何马州
俄克拉何马城 Oklahoma City
诺曼 Norman
OKLAHOMA
史密斯堡 Fort Smith
阿肯色州
康韦 Conway
西孟菲斯 West Memphis
孟菲斯 Memphis

劳顿 Lawton
麦卡莱斯特 Mc Alester
小石城 Little Rock
ARKANSAS
温泉城 Hot Springs
派恩布拉夫 Pine Bluff
克拉克斯代尔 Clarksdale

威奇托福尔斯 Wichita Falls
艾达贝尔 Idabel
格林维尔 Greenville

奥尔尼 Olney
鲍伊 Bowie
帕里斯 Paris
特克萨卡纳 Texarkana
密西西比州

舍尔曼 Sherman
伦纳德 Leonard
芒特普莱森特 Mt. Pleasant
门罗 Monroe
MISSISSIPPI

迪凯特 Decatur
登顿 Denton
普莱诺 Plano
萨尔弗斯普林斯 Sulphur Springs

矿泉井城 Mineral Wells
里查森 Richardson
加兰 Garland
米尼奥拉 Mineola
马歇尔 Marshall

沃思堡 Fort Worth
达拉斯 Dallas
特勒尔 Terrell
杰克逊 Jackson

锡斯科 Cisco
都柏林 Dublin
艾塔斯卡 Itasca
泰勒 Tyler
朗维尤 Longview
什里夫波特 Shreveport
路易斯安那州

萨斯州

科西卡纳 Corsicana
杰克逊维尔 Jacksonville
托莱多本德水库 Toledo Bend Res.

布朗伍德 Brownwood
哈米尔顿 Hamilton
韦科 Waco
梅西亚 Mexia
费尔菲尔德 Fairfield
帕勒斯坦 Palestine
纳科多奇斯 Nacogdoches
亚历山德里亚 Alexandria

圣萨巴 San Saba
基林 Killeen
布法罗 Buffalo
拉夫金 Lufkin
LOUISIANA

雷迪 ady
马丁 Marlin
卡尔弗特 Calvert
利文斯顿湖 L. Livingston
海 平 原

坦普尔 Temple
布赖恩 Bryan
亨茨维尔 Huntsville
利文斯顿 Livingston
萨宾·雷恩水库 Sam Rayburn Res.
巴吞鲁日 Baton Rouge

弗雷德里克斯堡 Fredericksburg
奥斯汀 Austin
约翰逊城 Johnson City
得克萨斯大学 University of Texas
康罗 Conroe
博蒙特 Beaumont
莱克查尔斯 Lake Charles

克维尔 rville
圣马科斯 San Marcos
布伦哈姆 Brenham
学院站 College Station
阿瑟港 Port Arthur
霍马 Houma

新布朗费尔斯 New Braunfels
班德拉 Bandera
卢灵 Luling
亨普斯特德 Hempstead
贝敦 Baytown
萨宾 Sabine

圣安东尼奥 San Antonio
尼克松 Nixon
休斯敦 Houston
帕萨迪纳 Pasadena
约翰逊航天中心 Lyndon B. Johnson Space Center

波蒂特 Poteet
普莱森顿 Pleasanton
约克姆 Yoakum
休斯敦大学 University of Houston

皮尔索尔 Pearsall
朗伊 Runge
贝城 Bay City
得克萨斯城 Texas City
加尔维斯顿 Galveston

科图拉 Cotula
三河镇 Three Rivers
维多利亚 Victoria
比维尔 Beeville
拉瓦卡港 Port Lavaca

弗里尔 Freer
爱丽丝 Alice
罗克波特 Rockport
科珀斯克里斯蒂 Corpus Christi

希布伦维尔 Hebbronville
金斯维尔 Kingsville
帕德里岛国家海滩 Padre Island. National. Seashore

雷诺萨 Reynosa
哈灵根 Harlingen
林恩 Linn
曼斯菲尔德港 Port Mansfield
布朗斯维尔 Brownsville

麦卡伦 McAllen
爱丁堡 Edinburg

墨 西 哥 湾
Gulf of Mexico

得克萨斯州 Texas

英文缩写:	TX
面积:	678,358平方千米
人口:	2,515万
州府:	奥斯汀
面积排名:	第2位
加入联邦年代:	1845年
州花:	矢车菊
州鸟:	嘲鸫

位于美国中南部，东南临墨西哥湾，西南同墨西哥接壤。是美国本土面积最大的州。本州地形复杂，又是多个气候区的交汇处，天气多变。西北为高原草原区，属半干旱草原气候；北部为平原，多雷雨天气，每年的龙卷风多达130多次；中部为山地，地势起伏；东南部属于密西西比平原的南端，是潮湿亚热带气候，多茂密的森林及草场；西南则是亚热带草原区；沿墨西哥湾有美丽的白色沙滩。

本州原为印第安人的居留地。西班牙探险家皮那达于1519年到达这里，成为第一个到达的欧洲人。1685年法国在此殖民。1691年成为西班牙的殖民地。1821年成为墨西哥的一个州。1836年通过战争脱离墨西哥独立。1845年正式成为联邦的第28个州。本州人口中白人约占71%，多为德国、英国、爱尔兰后裔；黑人占11%，墨西哥人占25%。居民主要信仰基督教。

本州是美国主要的产棉区、畜牧区、森工区。20世纪初，这里陆续发现丰富的石油矿藏，使本州的石油及石油化工业迅速发展。全州已探明的石油储量达80亿桶，占全美的1/3。现在本州的航天工业、高科技及生物工程技术都很发达。美国500家最大的公司有56家的总部设在这里。2009年国民生产总值为11,413亿美元，仅次于加利福尼亚州，居全美第二位。人均4.54万美元。主要农产品有肉牛、棉花、瓜菜等。

交通发达。休斯敦为美国第一大货运港。主要空港有达拉斯机场、休斯敦机场等。高速公路主要有I—35、I—45、I—10、I—20、I—30等。历史上受西班牙文化影响，又和墨西哥接壤，使本州多元文化并存，约有1/4的人口讲西班牙语。至今还有许多"牛仔"。教育发达，有得克萨斯大学(D2)、休斯敦大学(E3)、北得克萨斯州立大学(D1)等40余所大学。私立的赖斯大学(E3)全美排名第17位。

州府奥斯汀 Austin (D2)

人口约77万。位于本州中部的科罗拉多河畔。1836年得克萨斯脱离墨西哥独立后，在该地建立州府，并以该地第一个美国移民区领袖的名字命名。该市亿万富翁11人，全美第一。城中的州议会大厦、约翰逊总统图书馆和博物馆、得克萨斯大学等都是有名的景点。

休斯敦 Houston (E3)

人口约226万。位于本州东南沿海。是本州最大、全国第四大城市。1836年代表美国移民利益的萨姆·休斯敦将军在圣哈辛托打败墨西哥军队，建立了独立的得克萨斯共和国，自任总统。城市以休斯敦将军得名。当时是木材、棉花和牛的主要输出港。20世纪初这里发现石油后，很多石油公司蜂拥而至。后来成为全国最大的炼油及石油化工中心。本市的医疗中心设备也是全美和全世界最大的医疗保健研究教学中心之一。市区的名胜圣哈辛托古战场，即休斯敦将军打败墨西哥的地方，现修有一座高174米的纪念塔。

休斯敦

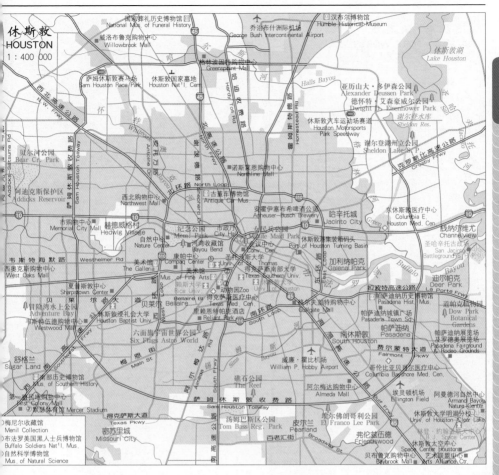

休斯敦
HOUSTON
1:400 000

国家葬礼历史博物馆 National Mus. of Funeral History
威洛布鲁克购物中心 Willowbrook Mall
乔治布什洲际机场 George Bush Intercontinental Airport
汉布尔博物馆 Humble Historical Museum
休斯敦湖 Lake Houston
西北高速公路 N.W. Frwy
格林迪博物购物中心 Greenspoint Mall
萨姆休斯敦赛马场 Sam Houston Race Park
休斯敦国家墓地 Houston Nat'l. Cem.
亚历山大·多伊森公园 Alexander Deussen Park
德怀特·艾森豪威尔公园 Dwight D. Eisenhower Park
谢尔登水库 Sheldon Res.
贝尔河公园 Bear Cr. Park
阿迪克斯保护区 Addicks Reservoir
休斯敦汽车运动场赛道 Houston Motorsports Park Speedway
谢尔登湖州立公园 Sheldon Lake S.P.
克罗斯比高速公路 Crosby Frwy
诺斯莱恩购物中心 Northline Mall
韦斯特海默路 Westheimer Rd
西奥克斯购物中心 West Oaks Mall
西北购物中心 Northwest Mall
古董车博物馆 Antique Car Mus.
安霍伊塞布希啤酒公司 Anheuser-Busch Brewery
哈辛托城 Jacinto City
东休斯敦医疗中心 Columbia E. Houston Med. Cen.
钱纳尔维尤 Channelview
市购物中心 Memorial City Mall
赫德威格村 Hedwig Village
纪念公园 Menil Park
市政厅 City Hall
菲尼梅德公园 Fannin Maid Park
休斯敦港集装箱码头 Port of Houston Turning Basin
圣哈辛托古战场 San Jacinto B.S.P.
自然中心 Nature Cen.
河湾收藏馆 Bayou Bend
康柏中心 Compaq Center
圣托马斯大学 Univ. of St. Thomas
得克萨斯南方大学 Texas Southern Univ.
加利纳帕克 Galena Park
迪尔帕克 Deer Park
拉波特高速公路 La Porte Frwy
道林克植物园 Dow Park Botanical Gardens
美术馆 Mus. of Fine Arts
翰斯顿 Houston
动物园 Zoo
夏普斯敦中心 Sharpstown Center
贝莱尔 Bellaire
得克萨斯医疗中心 Texas Med. Cen.
科尔盖特购物中心 Colgate Mall
南休斯敦 South Houston
帕萨迪纳历史博物馆 Pasadena Hist.
帕萨迪纳城镇广场 Pasadena Town Sq.
帕萨迪纳 Pasadena
轴体休斯敦大学 Houston Baptist Univ.
里莱恩特帕克酒店 Reliant Park
帕萨迪纳集市场与罗德奥展览场 Pasadena Fairground & Rodeo Grounds
冒险湾水上公园 Adventure Bay
韦斯特伍德购物中心 Westwood Mall
六面旗宇宙世界公园 Six Flags Astro World
南休斯敦 South Houston
费尔蒙特大道 Fairmont Pkwy
埃灵顿机场 Ellington Field
阿曼德河自然中心 Armand Bayou Nature Center
舒格兰 Sugar Land
休斯敦南历史博物馆 Mus. of Southern History
威廉·霍比机场 William P. Hobby Airport
哥伦比亚贝尔医疗中心 Columbia Bayshore Med. Cen.
第一殖民地购物中心 First Colony Mall
默瑟体育馆 Mercer Stadium
硬石公园 The Reef
阿尔梅达购物中心 Almeda Mall
休斯敦大学清湖分校 Univ. of Houston-Clear Lake
约翰航天中心 Space Center
梅尼尔收藏馆 Menil Collection
布法罗美国黑人士兵博物馆 Buffalo Soldiers Nat'l. Mus.
自然科学博物馆 Mus. of Natural Science
得克萨斯大道 Texas Pkwy
密苏里城 Missouri City
汤姆巴斯区公园 Tom Bass Reg. Park
皮尔兰 Pearland
百老汇街 Broadway St
埃尔佛朗哥利公园 El Franco Lee Park
弗伦兹伍德 Friendswood
约翰航天中心 Space Center Houston
贝布鲁克购物中心 Baybrook Mall
休斯敦太空中心 Arts Alliance Ctr.

林登·约翰逊航天中心，位于市东南35千米处，是美国设计航天飞行器、训练宇航员的地方，有工作人员一万余人。佛罗里达的航天中心负责发射，这里则负责设计和训练。

达拉斯和沃思堡 Dallas and Fort Worth (D2)

人口约130万。位于本州北部，是本州的第二大城市，全国的第八大城市。1930年东得克萨斯油田发现，这里很快发展成为美国西南部的经济金融中心。城区有许多著名建筑师的杰作，如贝聿铭设计的市政厅、交响乐厅，弗兰克·劳依德·莱特设计的达拉斯戏剧中心，好莱坞比佛利山庄的设计师威廉·古克规划设计的高地公园等。

达拉斯还是1963年11月12日约翰·肯尼迪总统遇刺身亡的地方。在遇刺点建有纪念碑。在戴利广场的博物馆展出了肯尼迪总统的生平及遇刺情况。

达拉斯

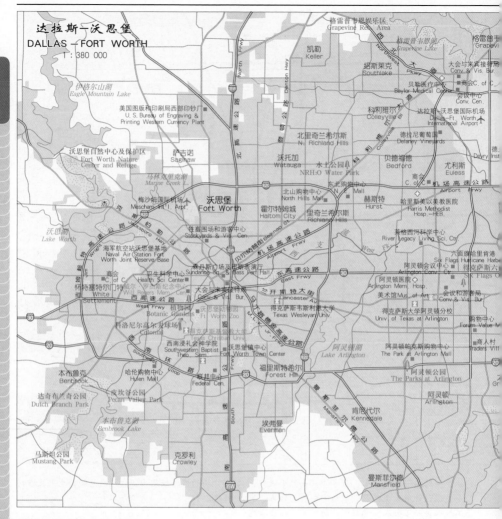

达拉斯—沃思堡
DALLAS—FORT WORTH
1 : 380 000

格雷普韦恩娱乐区
Grapevine Rec. Area

凯勒
Keller

格雷普韦恩湖
Grapevine Lake

格雷普韦恩
Grapevine

绍斯莱克
Southlake

大会与来宾接待局
Conv. & Vis. Bur.

贝勒医疗中心
Baylor Medical Cent.

商会 C. of C.
会议和旅游局
Conv. Cen.

伊格尔山湖
Eagle Mountain Lake

科利维尔
Colleyville

达拉斯—沃思堡国际机场
Dallas—Ft. Worth International Airport

美国图版和印刷局西部印钞厂
U. S. Bureau of Engraving & Printing Western Currency Plant

萨吉诺
Saginaw

北里奇兰希尔斯
N. Richland Hills

德拉尼葡萄园
Delaney Vineyards

Devry Inst.

沃思堡自然中心及保护区
Fort Worth Nature Center and Refuge

沃托加
Watauga

水土公园
NRH:O Water Park

贝德福德
Bedford

尤利斯
Euless

机场高速公路
Airport Frwy

马林克里克湖
Marine Creek L.

梅沙姆国际机场
Mescham Int'l. Arpt.

沃思堡
Fort Worth

霍尔特姆城
Haltom City

北山购物中心
North Hills Mall

东北购物中心
N. E. Mall

赫斯特
Hurst

哈里斯美以美医院
Harris Methodist Hosp.—HEB

沃思湖
Lake Worth

里奇兰希尔斯
Richland Hills

牲畜围场和游客中心
Stockyards & Vis. Cen.

黄鲢西河科学中心
River Legacy Living Sci. Ctr.

海军航空站沃思堡基地
Naval Air Station Fort Worth Joint Reserve Base

森丹斯广场及巴斯表演厅
Sundance Sq. & Bass Perf. Hall

六面旗哈里肯港
Six Flags Hurricane Harbor

得克萨斯六
Six Flags O

阿灵顿会议中心
Arlington Conv. & Ctr.

卫生科学中心
Health Sci Center

东高速公路
East Frwy

阿灵顿医院
Arlington Mem. Hosp.

会议和旅游局
Conv. & Vis. Bur.

商会 C. of C.
怀特塞特尔门特
White Settlement

威尔·罗杰斯纪念中心
Will Rogers Mem. Cent.

大会与来宾接待局
Conv. & Vis. Bur.

兰开斯特大街
Lancaster

兰开斯特大街
Lancaster

美术馆 Mus. of Art

得克萨斯大学阿灵顿分校
Univ. of Texas at Arlington

购物中心
Forum Value M

西高速公路
West Frwy

植物园
Botanic Gardens

沃思堡植物园
Ft. Worth Zoo

得克萨斯韦斯利恩大学
Texas Wesleyan Univ.

科洛尼尔高尔夫球场
Colonial

阿灵顿湖
Lake Arlington

阿灵顿帕克斯购物中心
The Park at Arlington Mall

商人村
Traders Vill

南方浸礼会神学院
Southwestern Baptist Theo. Sem.

沃思堡镇中心
Ft. Worth Town Center

福里斯特希尔
Forest Hills

阿灵顿公园
The Parks at Arlington

本布鲁克
Benbrook

哈伦购物中心
Hulen Mall

联邦中心
Federal Cen.

阿灵顿
Arlington

迪奇布兰奇公园
Dutch Branch Park

皮坎谷公园
Pecan Valley Park

肯尼代尔
Kennedale

本布鲁克湖
Benbrook Lake

埃弗曼
Everman

曼斯菲尔德公路
Mansfield Hwy

马斯坦公园
Mustang Park

克罗利
Crowley

曼斯菲尔德
Mansfield

奇瑟牛道彩绘墙

沃思堡位于达拉斯西部，建于1849年。1876年得克萨斯和太平洋铁路通过这里后，成为转运牲畜的城镇，并逐渐发展成美国西南部的肉类包装加工中心。1949年开始制造飞机，现在是生产飞机、宇航和电子设备及机器的工业城市。文教事业较发达，有得克萨斯基督教大学等。市内的沃思堡动物园于1923年开放，园内动物超过800种6,000多只，以爬行类较多。此外，市内还有威尔·罗杰斯纪念中心及西南博览会、植物园等名胜。

圣安东尼奥 San Antonio (D3)

人口约137万。位于本州南部大草原的西缘。这里有浓厚的西班牙风格、多元文化的遗产、以及无数的公园、广场，是美国最美的城市之一。

得克萨斯州

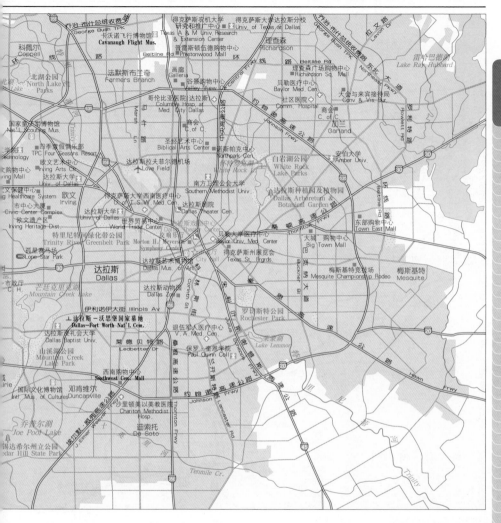

这里原为印第安人的村落。1718年西班牙人来此修建布道团的城堡，之后西班牙派来更多的布道团及殖民者，并将此地命名为阿拉莫。19世纪初，来自密苏里地区的美国人摩西·奥斯汀来此定居。1821年奥斯汀的儿子又带来300名美国殖民者。从此美国人的数目剧增。1835年当地的美国人联合墨西哥人成立了以萨姆·休斯敦为首的地方政府，但遭到了西班牙人镇压，从此这里战争不断。1836年2月西班牙人派4,000人的军队攻打此城。双方进行激战，守城将士只有五、六百人。3月6日，守卫阿拉莫布道团城堡的最后189个战士全部战死。这场战斗虽然失败，但却为萨姆·休斯敦对圣安东尼奥的保卫战赢得了时间。46天以后，休斯敦将军的反攻大获全胜，建立了得克萨斯共和国。阿拉莫保卫战的英雄事迹在美广为流传。现遗址对外开放。19世纪60年代本地发展成为向堪萨斯运牛的中转站。1877年铁路修通后，经济很快发展。

阿拉莫传教所

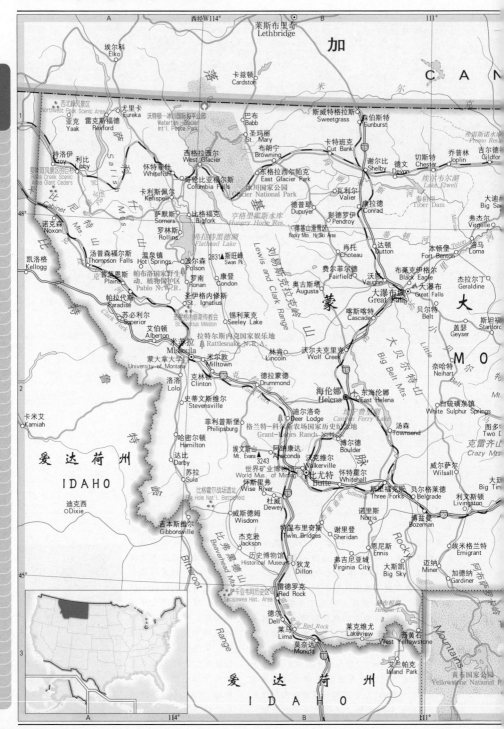

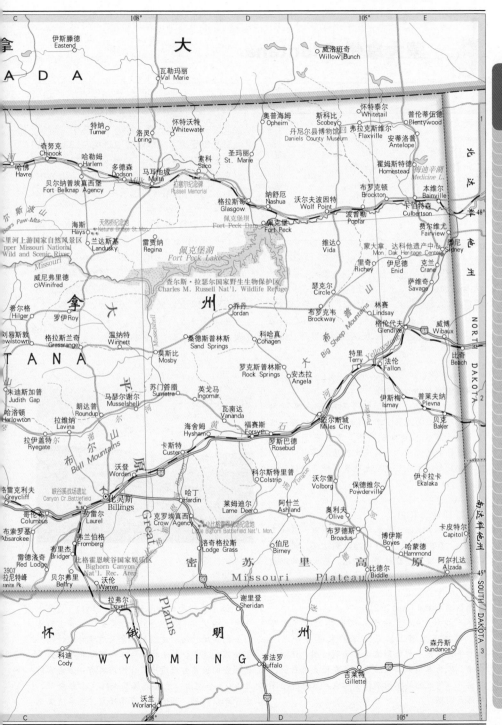

比例尺　1:3 500 000

蒙大拿州 Montana

英文缩写:	MT
面积:	376,911平方千米
人口:	99万
州府:	海伦娜
面积排名:	第4位
加入联邦年代:	1889年
州花:	苦根草
州鸟:	西美草地鹨

1805年刘易斯和克拉克率领的美国探险队经此地去太平洋沿岸。1862年在这里发现金矿，引发淘金热。1864年建立边区，1889年建州，成为联邦第41个州。本州人口中白人约为93%，多为德国后裔；印第安人占7%，主要分布在7个印第安人保留区。居民中82%信仰基督教（新教55%、天主教24%）。

经济以农牧林业为主。牛的总数占全国第二。农业产品则是大麦、小麦和甜菜等。州西南部的比尤特(B2)是著名的铜城。本州西部的落基山脉地区则为著名的旅游胜地，著名的黄石国家公园、冰川国家公园都在这里。2009年国民生产总值为356亿美元，人均3.60万美元。

主要高速公路有I—15、I—90、I—94等。主要大学有蒙大拿州立大学(B2)等。

位于美国的西北部，北临加拿大。东部的2/3面积为辽阔的草原，牧草肥美；西部的1/3面积是落基山脉北段，山深林高。全州森林覆盖率为25%。州名来自西班牙语，是"山地"的意思。冬季来自北极的冷风使这里极为寒冷，最低温度曾达–57℃。

州府海伦娜 Helena (B2)

人口约3万。位于本州西部密苏里河附近。1875年成为边区首府，1889年改为州府。这里原为金矿，后来金矿采尽，发展成了为周围金矿服务的商业中心，后来又发展成旅游中心。20世纪30年代曾连续发生大地震，很多建筑被毁重建。

比灵斯 Billings (C2)

人口约10.6万。为本州最大的城市、石油工业中心。1882年北太平洋铁路修到这里，使该城得以修建和发展。现旅游业发达，有大量的以黄石国家公园为主题的展览馆、博物馆。

大瀑布城 Great Falls (B2)

人口约5.9万。位于本州中部的密苏里河畔，以密苏里河上落差29米的大瀑布命名。1805年克拉克一行曾到达这里绘制地图。1883年设市。现为本州第二大城市，主要经济为农业、旅游业。附近的马尔姆斯特罗姆空军基地有州际导弹发射场。

冰川国家公园

冰川国家公园
Glacier National Park (B1)

位于本州西北部落基山区，面积4,102平方千米，海拔960米～3,200米，是世界上著名的冰川公园和风景区。该园与加拿大边境的沃特顿国家公园毗连，合称沃特顿—冰川国际和平公园，是联合国世界自然遗产。公园内共有50条条冰川及200多个湖泊，主要沿落基山脉主山脊分布。由于冰川作用，园区内多奇峰怪岩，湖水清碧见底，湖岸及山谷陡峭险峻。最大的冰川是布莱福特冰川，占地7.8平方千米。从2号路上的西格拉西尔出发向东，从洛根山口穿过落基山脉，到达89号路的圣玛丽，沿途可以看到最美丽的冰川风光，湖光山色。这条山路称之为"通往太阳的道路"。在一些主要的湖边，你可以停车驻足，登上游艇，从水上领略瀑布、山泉、冰川、峭岩的自然美景。该园还是著名的野生动植物保护区，这里有北美几乎全部的野生哺乳动物、235种鸟类、1,000余种花卉等。

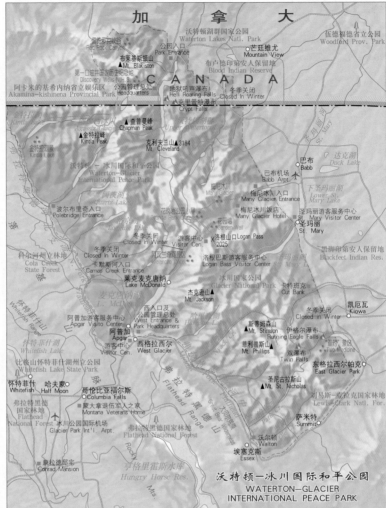

加拿大

C A N A D A

沃特顿湖群国家公园
Waterton Lakes Natl. Park

伍德福德省立公园
Woodford Prov. Park

公园入口
Park Entrance

芒廷维尤
Mountain View

布莱基斯顿山
▲Mt. Blakiston

布卢德印第安人保留地
Blood Indian Reserve

第一口石油井德森中心
Discovery Wells N.H.S.

公园管理处
Headquarters

地狱吼声瀑布
Hell Roaring Falls

冬季关闭
Closed In Winter

阿卡米纳的基希内纳省立娱乐区
Akamina-kishinena Provincial Park

金特拉峡谷
Kintla Can.

克里普特瀑布
Crypt Falls

金特拉峰
▲Kintla Peak

阿加西兹冰川
Agassiz Glacier

查普曼峰
▲Chapman Peak

上沃特顿湖
Upper Waterton Lake

圣玛丽
St. Mary

金特拉湖
Kintla Lake

克利夫兰山 3184
▲Mt. Cleveland

巴布
Babb

达克湖
Duck Lake

波尔布里奇入口
Polebridge Entrance

沃特顿—冰川国际和平公园
Waterton-Glacier
International Peace Park

玛尼冰川
Mary Glacier

巴布机场
Babb Arpt.

下圣玛丽湖
Lower St. Mary Lake

阔茨湖
Quartz Lakes

梅尼冰川入口
Many Glacier Entrance

圣玛丽游客服务中心
St. Mary Visitor Center

冬季关闭
Closed In Winter

游客中心
Visitor Cen.

花园墙
Garden Wall

梅尼冰川饭店
Many Glacier Hotel

圣玛丽
St. Mary

科拉河州立林地
Cola Creek
State Forest

卡默斯河入口
Camas Creek Entrance

洛根山口 Logan Pass
2025

洛根巴斯游客服务中心
Logan Bass Visitor Center

黑脚印第安人保留地
Blackfeet Indian Res.

莱克麦克唐纳
Lake McDonald

杰克逊山
▲Mt. Jackson

冰川国家公园
Glacier National Park

卡特班克
Cut Bank

麦克唐纳湖
L. McDonald

斯蒂姆森山
▲Mt. Stimson

伊格尔瀑布
Running Eagle Falls

凯尼瓦
Kiowa

冬季关闭
Closed In Winter

阿普加游客服务中心
Apgar Visito Center

西入口及公园管理总处
West Entrance &
Park Headquarters

阿普加
Apgar

游客中心
Visitor Cen.

菲利普斯山
▲Mt. Phillips

双梅迪辛
Two Medicine

双景区
双瀑布
Twin Falls

怀特菲什湖
Whitefish Lake

西格拉西尔
West Glacier

东格拉西尔帕克
East Glacier Park

比格福山怀特菲什湖州立公园
Whitefish Lake State Park

弗拉特黑德山脉
Flathead Range

圣尼古拉斯山
▲Mt. St. Nicholas

怀特菲什
哈夫蒙
Whitefish
Half Moon

哥伦比亚福尔斯
Columbia Falls

刘易斯—克拉克国家林地
Lewis-Clark Natl. For.

弗拉特黑德国家林地
Flathead
National Forest

蒙大拿退伍军人之家
Montana Veterans Home

萨米特
Summit

冰川公园国际机场
Glacier Park Int'l. Arpt.

弗拉特黑德国家林地
Flathead National Forest

沃尔顿
Walton

康拉德邸宅
Conrad Mansion

埃塞克斯
Essex

亨格里霍斯水库
Hungry Horse Res.

沃特顿—冰川国际和平公园
WATERTON-GLACIER
INTERNATIONAL PEACE PARK

圣玛丽湖

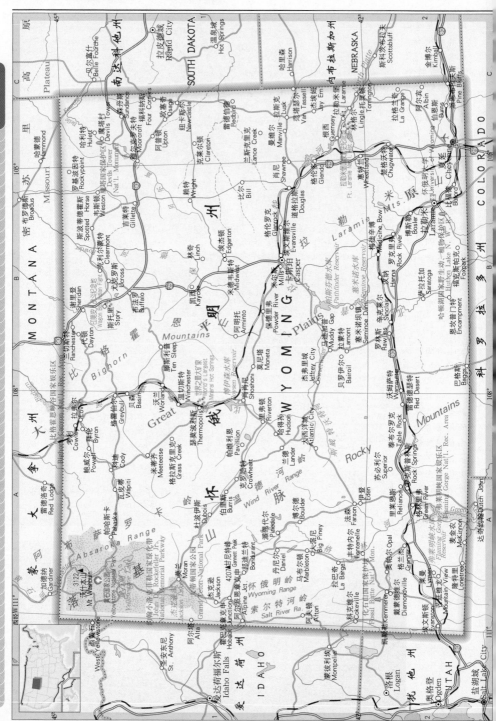

比例尺 1:4 000 000

怀俄明州 Wyoming

怀俄明州

英文缩写:	WY
面积:	251,198平方千米
人口:	56万
州府:	夏延
面积排名:	第9位
加入联邦年代:	1890年
州花:	昙花
州鸟:	西美草地鹨

位于美国西部偏北。西部位于落基山区，东部1/3属于大平原的西界。全州平均海拔2,000米，是美国海拔第二高的州，仅次于科罗拉多州。天气受纬度及海拔高度影响很大。总体说来，本州气候干旱，大部地区年降水不足250毫米，因此农田少，牧场多。冬冷夏凉。本州的西北角是著名的黄石国家公园，深谷、高山、松林、石灰岩洞、地热、沸泉等均为世界著名的景观。

这里原为印第安人游牧区，偏远而荒凉。1743年曾有西班牙和法国的探险家到此。1834年，在本州东南曾建拉勒米堡(C1)作为毛皮交易据点。1849年美国政府收购该城堡，用来保护沿"俄勒冈小道"西迁的移民。1843年的大移民潮中，数十万移民沿"俄勒冈小道"西迁经过这里。1868年成立边区，1890年建州，成为美国第44个州。由于这里没有发现过金矿等贵金属，没有出现过淘金潮，所以人口一直不多。本州人口中白人约为96%，多为德国、英国、爱尔兰后裔；印第安人为3%。居民中78%信仰基督教（新教53%，天主教16%）。

本州矿产丰富，煤炭已探明储量为623亿吨，2004年产量为3.5亿吨；天然气储藏丰富，2004年产量为546亿立方米；天然碱储藏量世界第一，2002年产量为1,570万吨。1950年后发现铀矿，放射性矿物产量居全国第二。经济收入主要为采矿、农业、旅游、制造业和森林工业。水电丰富，大量输出。2009年国民生产总值为375亿美元，人均6.70万美元。

本州在妇女平等权利运动中一直走在全美的前列。1868年建立边区后，1869年即给妇女选举权，成为全美第一州。1925年又产生了全国第一位女州长。

主要高速公路有I—25、I—80、I—90等。主要大学有怀俄明大学(B2)，是全州唯一的四年制高等学院。

州府夏延 Cheyenne (C2)

人口约5.7万。位于本州东南角，原为西迁移民中赌徒、牛仔、投机者、商人集居的小镇，有"西去马车地狱"之称。1867年联合太平洋铁路总工程师在此建转运站，并以生活在该地的印第安部落的名字为该地命名。铁路修通后这里是骑兵司令部所在地。骑兵改善了这里的治安环境，保护了移民及铁路工人的安全，城市也很快得以发展。

黄石国家公园 Yellowstone National Park (A1)

是世界上第一个国家公园，也是美国最负盛名的风景区。地处蒙大拿州南部和爱达荷州东部，但大部分在本州的西北部。1807年约翰·科尔塔发现了这片风景区。由于该地有许多瀑布及间歇泉和温泉，神秘莫测，科尔塔以其姓氏命名该地为"科尔塔地狱"。1872年该地改名为黄石国家公园。公园以温泉、瀑布、山林最为出名。黄石河流经园区，两岸峡壁呈黄色，故名黄石。

园区内有大批温泉，每天涌出270万吨温泉水。由于温泉中溶有石灰石物质，流出后水温降低，冷却结晶成洁白的石灰

马莫斯温泉的石灰华

黄石峡谷

老忠实泉

老忠实泉

野牛

华，晶莹透彻，形成不同形状的层层台地。温泉水中其他矿物质析出的红、橙、兰、绿等彩条又把洁白的石灰华台地绘成五彩的图画，宛如造型精美的巨型玉雕。此种景观以马莫斯温泉最为著名。还有的温泉深沉湖底，温泉析出的矿物质把清彻的湖水染成橙黄、碧蓝、粉红等种种奇妙的颜色。青山环绕，彩湖缤纷，湖面上荡漾着轻烟薄雾，宛如人间仙境。这种风景以西萨姆最为出名。还有的温泉像沸腾的泥粥在泥浆池中翻滚，吐着泡，发着热腾腾的蒸汽，给人以地狱般恐怖的感觉。所有这些景区都铺架有专供游人行走的木板道，既保护了景观，保证了安全，又使人能从不同角度欣赏自然的美景奇观。温泉中最妙的是喷泉，喷泉中又以间歇泉为最奇妙。许多喷泉的喷水高度达30余米。而最有名的"老忠实泉"每65分钟喷发一次，数十年来非常准时。在持续喷发的4分钟~5分钟，发出雷鸣般的吼声，把4.5万升的泉水抛向高空，水柱高达40米~50米。热泉水的蒸汽遇到山地的冷空气时，形成白色云柱，在兰天的衬托下，蔚为壮观。

黄石峡谷两侧的岩壁除黄色外，还有紫色、桔红、褐色等。峡谷的绝壁上，还有根根圆形、方形、八角形的黑曜石柱，通天竖立，十分壮观。这是火山熔岩冷却龟裂形成的奇观。谷中有上瀑布、下瀑布、高塔瀑布、彩虹瀑布等，以

下瀑布落差最大，为94米。

黄石国家公园内森林密布，河湖交错，百花争艳，更有众多的珍稀保护动物自由地在这里生活。野牛、熊、鹿、羚羊等是游客经常可以遇到的动物。河湖内可以凭票垂钓，但按规定，钓到的鱼必须放回水中，不得伤害。

进出黄石国家公园有五个方向的出入口，道路多在5月~10月开放，冬季关闭。

大蒂顿国家公园
Grand Teton National Park (A1)

位于怀俄明州西北部的冰川地区，黄石国家公园南10千米。占地1,256平方千米，最高峰大蒂顿峰高4,190米，风景秀丽，可与欧洲的阿尔卑斯山媲美。其他高于3,000米的山峰有20多

大蒂顿国家公园

蒙大拿州
MONTANA

马莫斯温泉镇
Mammoth Hot Sprs

东北入口处(冬季关闭)
N. E. Entrance (Closed in Winter)

北入口处
North Entrance

公园管理处及游客中心
Park Hdqrs Visitor Center

斯劳克里克营地
Slough Creek

锡尔弗盖特
Silver Gate

马莫斯温泉
Mammoth Hot Springs

化石树
Petrified Tree

陶尔章克申
Tower Junction

3217▲桑德勒山
The Thunderer

克雷齐克里克营地
Crazy Creek

印第安克里克营地
Indian Creek

黑曜岩壁
Obsidian Cliff

霍姆斯山 3150
Mt. Holmes

诺尔瀑布营地
Ranger Sta.

沃什本山▲3122
Mt. Washburn

诺里斯营地
Ranger Sta

林区管理站
Ranger Sta.

坎宁
Canyon

林区管理站
Ranger Station

萨德尔山▲3252
Saddle Mtn.

阿布萨罗卡山脉
Absaroka Range

诺里斯
Norris

游客中心
Visitor Center

灵感角
Inspiration Point

西黄石
West Yellowstone

美术家角
Artist Point

北阿布萨
罗卡荒原区
North Absaroka
Wilderness Area

收费站
FEE

西入口处(冬季关闭)
West Entrance
(Closed in Winter)

▲2510
海恩斯山
Mt. Haynes

黄石国家公园
Yellowstone
Nat'l. Park

泥火山
Mud Volcano

莱克村
Lake Village

游客
中心
Visitor
Center

帕哈斯卡
Pahaska

睡巨人滑雪场
Sleeping Giant Ski Area

老实泉
Old Faithful Geyser

天然桥
Natural Bridge

东入口处(冬季关闭)
East Entrance (Closed in Winter)

牛顿克里克营地
Newton Creek

清水营地
Clearwater

彩泥喷泉
Fountain Paint Pot

林区管理站
Ranger Sta.

黄石湖
Yellowstone L.

肖肖尼国家林地
Shoshone Nat'l Forest

旧费斯富尔
Old Faithful

游客中心
Visitor Center

西萨姆
West Thumb

3162▲伊格尔峰
Eagle Pk.

独星泉
Lone Star Geyser

格兰特维利奇营地
Grant Village

游客中心
Visitor
Center

肖肖尼湖
Shoshone Lake

刘易斯湖
Lewis Lake

3142▲谢里登山
Mt. Sheridan

怀俄明州
WYOMING

贝奇勒林区管理站
Bechler Ranger Sta.

刘易斯湖营地
Lewis Lake

阿布萨罗卡山脉
Absaroka Range

南入口处(冬季关闭)
South Entrance
(Closed in Winter)

收费站
FEE

3113▲汉考克山
Mt. Hancock

索罗法
Thorofare

凯夫瀑布营地
Cave Falls

弗拉格牧场
Flagg Ranch

小洛克菲勒国家绿化带
John D. Rockefeller JR.
Nat'l. Memorial Parkway

卡里布·塔吉国家林地
Caribou-Targhee
Nat'l Forest

蒂顿荒原区
Teton Wilderness Area

WYOMING

杰德迪亚·史密斯荒原区
Jedediah Smith Wilderness Area

大蒂顿国家公园
Grand Teton Nat'l. Park

杰克逊湖
Jackson L.

杰克逊湖小屋
Jackson Lake Lodge

布里杰·蒂顿国家林地
Bridger-Teton Nat'l Forest

座,是登山爱好者
的乐园。园内有多
个冰碛湖,以詹尼
湖风景最为秀丽。
在斯内克河上用水
坝拦成的杰克逊湖
是当地最大的水
域。

信号山小屋
Signal Mtn. Lodge

莫兰
Moran

阿尔塔
Alta

蒂顿山脉
Teton Range

詹尼莱克 Jenny Lake

大塔尔吉滑雪场
Grand Targhee
Ski Resort

大蒂顿峰▲4190
Grand Teton

詹尼湖小屋
Jenny L. Lodge

3147▲莱迪山
Mt. Leidy

泰哈克纪念碑
Tie Hack Mem.

主显圣容教堂
Chapel of the Transfiguration

穆斯
Moose

公园管理处
Park Hdqrs

蒂顿村
Teton Village

格罗文特滑道
Gros-Ventre Slide

国家麋鹿保护区
Nat'l Elk Refuge

魔塔国家保护区

杰克逊洞滑雪场
Jackson Hole Ski Area

国家野生生物艺术博物馆
Nat'l Mus. of Wildlife Art

杰克逊洞机场
Jackson Hole Airport

格罗文特荒原区
Gros Ventre Wilderness Area

杰克逊
Jackson

雪王滑雪区
Snow King Ski Resort

黄石和大蒂顿国家公园
YELLOWSTONE AND GRAND
TETON NATIONAL PARKS

魔塔国家保护区
Devils Tower National Monument (C1)

位于本州东北部。这里有一巨大的石柱形岩石拔地而起,像一面石鼓,
又像一截伐掉树冠的树干,高263米。根据地质专家的勘测,这是火山岩浆
流喷发冷却后凝固形成的奇观。每年都会吸引众多的游客和攀登爱好者来此
游玩。

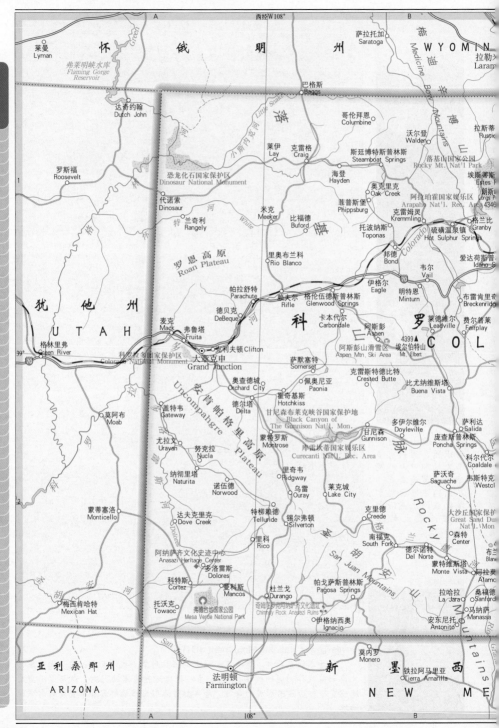

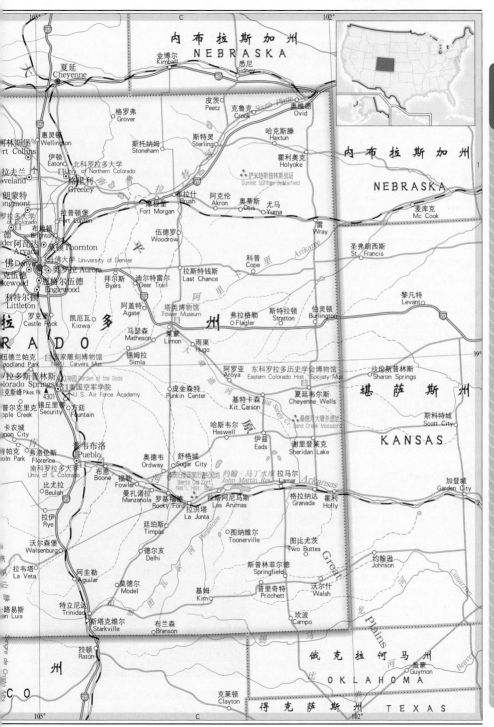

比例尺 1：3 200 000

科罗拉多州 Colorado

英文缩写:	CO
面积:	268,658平方千米
人口:	503万
州府:	丹佛
面积排名:	第8位
加入联邦年代:	1876年
州花:	蓝耧花
州鸟:	鹨鸫

位于美国中西部的落基山区，平均海拔2,072米，是全美地势最高的州。落基山脉主山脊从本州的中部通过，构成著名的大陆分水岭，最高峰埃尔伯特山(B1)海拔4,399米。东侧为大西洋水系，多高原丘陵，以农田牧场为主。西侧为太平洋水系，多山地森林。在山脊线上，雄峰林立。州内4,000米以上的山峰550个。气候总体说来凉爽干燥，但随海拔、山脉走势、大气环流的不同情况有很大变化。一般说，海拔升高温度降低，降水增多。本州东部的平原年降水量250毫米~380毫米，集中在4月~9月，日照强，夏天温度常高达35℃以上，有龙卷风等恶劣天气。山地区气候多变，降雪多，雪后阳光灿烂，多滑雪胜地。

1540年~1541年，西班牙传教士科罗那多曾到本州东南地区探险，当时这里是许多印第安人部落的家乡。后来法国人占领了这片土地。1803年根据"路易斯安那购并"协议，法国将这片土地卖给美国。1850年在丹佛附近发现多处金矿和银矿，1858年前后掀起本区的淘金热。1861年建立边区。1876年建州，成为联邦的第38个州。本州人口中白人占92%，德国、爱尔兰、英国后裔居多；黑人占4.7%，亚裔占3.2%。人口主要集中在中部丹佛附近。居民中67%信仰基督教（新教31%，天主教23%）。

本州的金银矿产多已开发，现在主要的矿产为铜、钼（居世界第一）、铀、锌、石油等。20世纪下半叶起，科学研究及高科技产业迅速发展。2009年国民生产总值为2,509亿美元，人均4.99万美元。旅游业发达。中部偏西的阿斯彭(B1)是全美最著名的滑雪胜地。

主要高速公路有I—25、I—70、I—76等。空港主要有丹佛国际机场等。教育发达，主要大学有科罗拉多大学(B1)、丹佛大学(B1)等，高校近30所。

州府丹佛 Denver (B1)

人口约61万。位于本州中北部，是一座高原城市。海拔1,609米，恰好是一英里，所以又称为"一英里高城"。这里空气清洁，气候凉爽，日照充足，每年有300多个晴天。本城是随着淘金潮发展起来的。今天的丹佛既有现代化的摩天大楼，又在中心区保留了许多1880年前后修建的精美建筑。城市中还有很多公园，疏密有致，高低错落，兼具现代化都市与西部城镇之美。城市中心是建于1908年的州议会大厦，圆形屋顶贴有本地出产的金箔，富丽堂皇。大厅内陈列有16位本州名人的画像。进入大厦的第18级台阶上刻有海拔一英里的标志。登上93级台阶的瞭望台，可鸟瞰全市及远处的落基山脉。美国造币厂是美国三大铸币厂之一，每小时生产硬币200万枚。丹佛美术馆是一座有28个立面的现代建筑，以印第安文化艺术品的馆藏最为著名。

丹佛

附近还有丹佛自然科学博物馆。丹佛国际机场是全美有名的现代化机场之一。

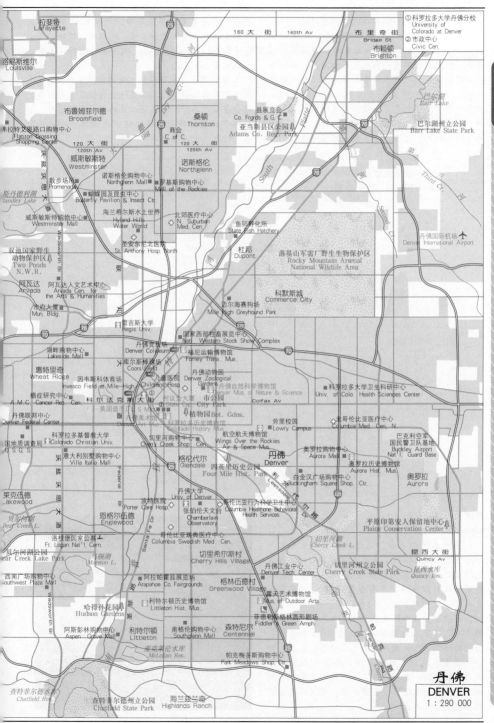

①科罗拉多大学丹佛分校
　University of
　Colorado at Denver
②市政中心
　Civic Cen.

科罗拉多州

拉斐特
Lafayette

160大街　160th Av

布里奇街
Bridge St
布赖顿
Brighton

巴尔湖
Barr Lake

洛易斯维尔
Louisville

巴尔湖州立公园
Barr Lake State Park

弗拉特交汇路口购物中心
Flatiron Crossing
Shopping Center

布鲁姆菲尔德
Broomfield

桑顿
Thornton

县展览会
Co. Frgds & G. C.

120大街
120th Av

商会
C. of C.

120大街
120th Av

亚当斯县区公园
Adams Co. Rec. Park

威斯敏斯特
Westminster

诺斯格伦
Northglenn

散步场
Promenade

诺斯格伦购物中心
Northglenn Mall

罗基斯购物中心
Mall of the Rockies

丹佛国际机场
Denver International Airport

斯丹德利湖
tandley Lake

威斯敏斯特购物中心
Westminster Mall

蝴蝶园及昆虫中心
Butterfly Pavilion & Insect Ctr.

海兰希尔斯水上世界
Hyland Hills
Water World

北郊医疗中心
N. Suburban
Med. Cen.

鱼苗孵化所
State Fish Hatchery

双油国家野生
动物保护区
Two Ponds
N.W.R.

圣安东尼北医院
St. Anthony Hosp. North

杜邦
Dupont

落基山军需厂野生生物保护区
Rocky Mountain Arsenal
National Wildlife Area

阿瓦达
Arvada

阿瓦达人文艺术中心
Arvada Cen. for
the Arts & Humanities

市府大楼
Mun. Bldg.

科默斯城
Commerce City

里吉斯大学
Regis Univ.

迈尔海赛狗场
Mile High Greyhound Park

潮畔购物中心
Lakeside Mall

国家西部牲畜展览中心
Natl Western Stock Show
Complex

科罗拉多大学卫生科研中心
Univ. of Colo. Health Sciences Center

惠特里奇
Wheat Ridge

丹佛竞技场
Denver Coliseum

库尔斯棒球场
Coors Field

福尼运输博物馆
Forney Trans. Mus.

癌症研究中心
A.M.C. Cancer Res. Cen.

因韦斯科体育场
Invesco Field at Mile-High

儿童医院
Childrens Hosp

丹佛动物园
Denver Zoological
Garden

丹佛自然科学博物馆
Denver Mus. of Nature & Science

科尔法克斯大街
Colfax Av

科罗伦比亚医疗中心
Columbia Med. Cen.

丹佛联邦中心
Denver Federal Center

科尔法克斯大街
州议会大厦
State Capitol

市公园
City Park

植物园
Bot. Gdns.

劳里校园
Lowry Campus

巴克利空军
国民警卫队基地
Buckley Airport
Nat'l. Guard Base

美国造币厂
U.S. Mint

丹佛美术馆
Art Mus.

科罗拉多历史博物馆

历史博物馆
History Mus.

航空航天博物馆
Wings Over the Rockies
Air & Space Mus.

奥罗拉购物中心
Aurora Mall

奥罗拉历史博物馆
Aurora Hist. Mus.

奥罗拉
Aurora

国地质调查局
U.S.G.S.

科罗拉多基督教大学
Colorado Christian Univ.

意大利别墅购物中心
Villa Italia Mall

切里河购物中心
Cherry Creek Shop. Cen.

格伦代尔
Glendale

四英里历史公园
Four Mile Hist. Park

丹佛大学
Univ. of Denver

白金汉广场购物中心
Buckingham Square Shop. Ctr.

莱克伍德
Lakewood

波特护理医院
Porter Care Hosp.

张伯伦天文台
Chamberlain
Observatory

哥伦比亚行为科学卫生中心
Columbia Healthone Behavioral
Health Services

平原印第安人保留地中心
Plains Conservation Center

贝尔河湖
Bear Creek L.

恩格尔伍德
Englewood

哥伦比亚瑞典医疗中心
Columbia Swedish Med. Cen.

洛根堡国家公园
Ft. Logan Nat'l. Park

马斯顿湖
Marston L.

丹佛科技中心
Denver Tech Center

昆西大街
Quincy Av

昆西水库
Quincy Res.

贝尔河湖州立公园
Bear Creek Lake Park

西南广场购物中心
Southwest Plaza Mall

阿拉帕霍县展览会
Arapahoe Co. Fairgrounds

丹佛工业中心
Denver Industrial Center

格林伍德村
Greenwood Village

露天艺术博物馆
Mus. of Outdoor Arts

切里河湖
Cherry Creek L.

切里河州立公园
Cherry Creek State Park

哈得孙花园
Hudson Gardens

利特尔顿历史博物馆
Littleton Hist. Mus.

利特尔顿
Littleton

南格伦购物中心
Southglenn Mall

森特尼尔
Centennial

菲德勒斯格林圆形剧场
Fiddler's Green Amph.

麦克莱伦水库
McLellan Res.

阿斯彭林购物中心
Aspen Grove Mall

帕克梅多斯购物中心
Park Meadows Shop. Ctr.

查特菲尔德水库
Chatfield Res.

查特菲尔德州立公园
Chatfield State Park

海兰兹兰奇
Highlands Ranch

丹佛
DENVER
1:290 000

科罗拉多斯普林斯 Colorado Springs (C2)

人口约40万。位于丹佛的南部，派克斯峰山脚下，海拔1,800米，是著名的旅游胜地和风景区。此地最初只有一些采矿点和磨坊。1871年铁路修到这里，投资人被令人叹为观止的风景所吸引，决定在此修建一个有钱人的休闲中心。20世纪初曾经是全美人均收入最高的城镇。本区的主要景点集中在西部，那里有用红色沙岩巨石构成的众神园，巨石千姿百态，极富神奇色彩。

再向西则为著名的派克斯峰，海拔4,301米。该峰由于濒临东部的高原丘陵，所以视野极佳，又便于攀登，因此极负盛名。既可开车登顶，又有齿轨铁路火车上山。

本地有许多军事设施。美国空军学院(C2)是美国空军的最高学府。北美防空和航空航天防务司令部位于本市西南夏延山区的花岗岩坑道中。1993年的海湾战争期间，这里是指挥"沙漠风暴"的美军中央指挥部。

弗德台地国家公园
Mesa Verde National Park (A 2)

位于本州西南部，占地210.74平方千米。1906年建为国家公园。为北美印第安人史前居住地遗迹保留地。园内留有几百个1,300多年前的印第安人村落遗迹，共有古屋500余所。其中最大的"哨壁宫殿"于1909出土，有200多个房间，可以看出当年的建筑规模与工艺技巧。"云杉之屋"是第二大建筑遗址，有100多个房间。公园的博物馆内收藏有这个部族的手工艺品，如动物造型、几何花纹的灰陶、各种造型精巧的黑白花纹陶器；还有一些宝石、绿松石等工艺制品。公园内树木繁茂，多灌木林，已列入联合国世界文化遗产名录。

绝壁宫殿

落基山和
落基山国家公园
Rocky Mountain and Rocky
Mountain National Park (B1)

落基山脉逶迤绵亘于美国西部，纵贯全境。其山体狭长，长5,000多千米，分为北、中、南三部分。落基山脉的许多山峰高峻突兀、怪石嶙峋，特别是东坡，陡峭而险峻。北部落基山脉由许多块状山岭组成，海拔2,000米~3,000米，山间多深谷。这一带冰川地貌类型多，火山作用亦很强烈。中部落基山脉由山脉、高原和盆地组成，海拔一般在2,000米以上，多温泉和间歇泉。南部落基山脉由南北走向的平行山脉组成，海拔一般在2,400米~3,000米。落基山国家公园位于丹佛西北。这里有3,600米以上的山峰78座，山高谷深，东部有辽阔的大草原，西部多雪山冰峰和冰川，是难得的高山旅游区。

落基山脉

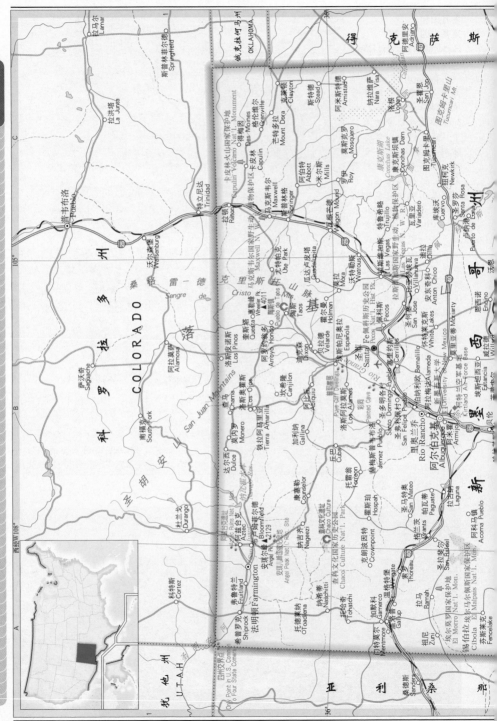

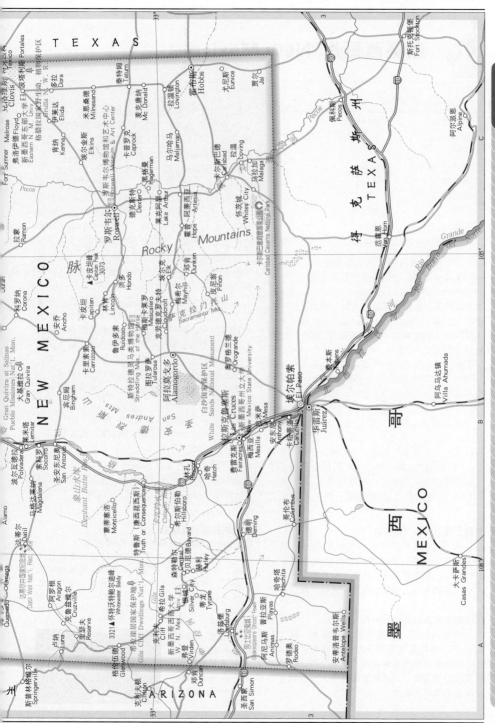

比例尺　1 : 3 500 000

新墨西哥州 New Mexico

英文缩写:	NM
面积:	314,334平方千米
人口:	206万
州府:	圣菲
面积排名:	第5位
加入联邦年代:	1912年
州花:	丝兰花
州鸟:	走鹃

位于美国西南部，东南临德克萨斯州，西南和墨西哥接壤。地处科罗拉多高原南部，地势北高南低。海拔较低的地区多为红色沙漠区及半干旱草原，主要植被是仙人掌、丝兰等；中高地区为台地；高海拔区有雪山。虽然总体来说干旱少雨，南部地区年降水不足250毫米，但高海拔区却超过500毫米，所以不少地区仍有茂密的森林。每年5、6月份气温最高，白天常常高达37℃以上，但夜晚凉爽，仅有十几度。7、8月全州受东南季风影响，多雷雨，有时还有大风冰雹。

本州原为印第安人居住地，至今仍是印第安人口比例第二高的州。1536年瓦卡等西班牙探险家经过这里去墨西哥。他们制造了所谓在锡伯拉(A2)地区有7座"黄金城"的传言，引发了许多在中美洲的西班牙人来此寻找这7座城市。1610年西班牙在圣菲建立第一个白人据点。

1680年普艾布罗印第安人武装起义，一度赶走了西班牙统治者。1821年本区归属新独立的墨西哥。1848年美国、墨西哥战争中，美国获胜，新墨西哥地区遂成为美国的领土。1912年建州，成为联邦的第47个州。本州人口中白人占85.8%，24%为西班牙后裔，9.5%为德国后裔，英国后裔为7.6%；印第安人占11%，本州的中部有19个普艾布罗印第安人部落。他们在自己的保留地中由自己的政府管理，按自己的社会秩序和宗教原则生活着。居民中讲西班牙语的人占全州人口的44%，州政府的文件多用英语及西班牙语双语发布。居民81%信仰基督教(天主教41%，新教35%)。

本州地处边远高原地区，经济落后，是美国人均收入最低的州之一。1880年南太平洋铁路修到阿尔伯克基和圣菲，这里的经济才得到较快的发展。2009年国民生产总值为744亿美元，人均3.61万美元。主要农产品有肉牛及奶制品等，盛产全美最好的辣椒。联邦政府对本州的经济发展采取了特殊政策，按每年的州联邦税收额加倍进行投资。

本州有大量的石灰岩洞，形成了一个又一个地下宫殿。州东南部是1947年美国试验第一颗原子弹的地方。

铁路交通方便，主要高速公路有I—25、I—10、I—40等。有13所大学。主要的有新墨西哥大学(B2)、新墨西哥州立大学(B3)等。

州府圣菲 Santa Fe (B2)

人口约7.4万。位于本州的中北部，建于1609年~1610年，是美国最古老的城市之一。18世纪时，圣菲曾是这片西班牙殖民地的行政、军事、宗教中心。1912年成为本州的州府。

阿尔伯克基 Albuquerque (B 2)

人口约53万。是本州最大的城市。位于本州东部，四周是印第安人村庄和国家森林保护区。城中古镇的房屋都是用土坯建造的，现多辟为餐馆和古董店。著名的新墨西哥大学和柯特兰空军基地都设在这里。

卡尔斯巴德洞窟国家公园
Carlsbad Caverns National Park (C3)

位于本州东南部，距卡尔斯巴德西南32千米处。公园占地187,104平方千米，园区内有大量洞窟，形成了一个神奇的地下世界。卡尔斯巴德洞是世界上最大的石灰岩洞之一。其天然形成的入口，宽27米，高12米，有已经勘测的回廊石室等，总长50余千米。洞中清泉如镜，钟乳石和石笋形态万千，在煦丽的灯光下宛若一个水晶世界。

卡尔斯巴德洞

犹他州 UTAH

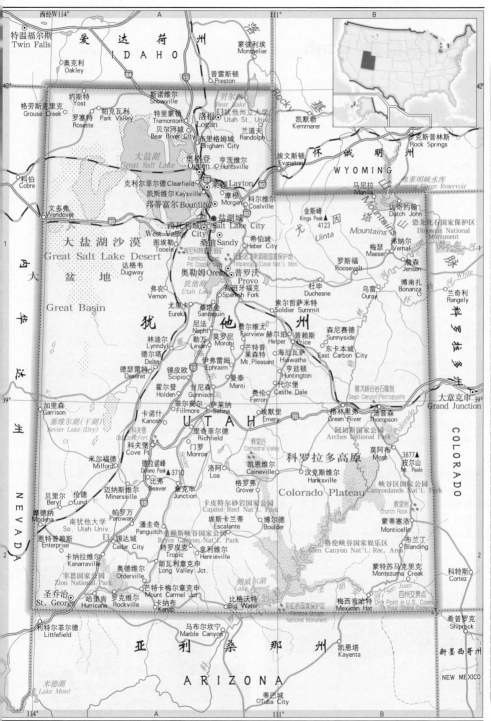

比例尺 1 : 4 000 000

犹他州 Utah

英文缩写:	UT
面积:	212,815平方千米
人口:	276万
州府:	盐湖城
面积排名:	第11位
加入联邦年代:	1896年
州花:	塞戈百合花
州鸟:	海鸥

位于美国的西部。州名来自印第安语，意为"山地人"。本州的地势较高，中东部为落基山脉，南部为科罗拉多高原，最高的金斯峰(B1)海拔4,123米，西部和南部较低。大盐湖(A1)以西为沙漠，降水稀少。南部为砂岩地貌，风蚀及科罗拉多河及其支流的冲刷在这里制作了一个又一个的自然奇观，是最美的风景区之一。这里有天然桥横跨河溪之上；有天然拱门，像通往神话世界的门户；有千姿百态的峡谷、怪石和孤峰。本州较干旱，但不少局部地区却雨量充沛，森林茂密，冬季降雪厚度达5米~10米以上，成为世界著名的滑雪胜地。2002年冬季奥运会就在盐湖城举行。大盐湖是美国

本土最大的咸水湖，湖水的盐分是海水盐分的6倍，人们可以自在地躺在湖面上而不下沉。

1776年西班牙传教团曾到此传教。然而，这里自古以来却一直是印第安人居住的地方。1847年摩门教徒们为逃避宗教迫害，在其第二领袖杨伯翰的率领下从美国的东北部历尽艰难来到这里并定居，开拓建设了自己的家园。1848年美国经过战争从墨西哥手中夺得了这一地区，1850年建立边区，杨伯翰担任总督。1869年联合太平洋铁路和中央太平洋铁路在此汇合成为第一条横跨美洲大陆的铁路。1896年犹他州建立，成为美国的第45个州。本州人口中白人占95%，以英国、德国、丹麦后裔居多，亚裔占2.4%。全州的居民中约62%是摩门教徒。这里也是世界摩门教的中心。

2009年国民生产总值为1,127亿美元，人均4.08万美元。本州矿产丰富，有铜、石油等。1952年在本州东部莫阿布(B2)附近发现铀矿，产量不断提高。

本州为铁路交通枢纽。主要高速公路有I—15、I—70、I—80、I—84等。主要大学有犹他州立大学(A1)等十余所。

州府盐湖城 Salt Lake City (A1)

人口约18万。位于本州北部，靠近大盐湖东南端。1847年杨伯翰和随行的148个摩门教徒为逃避宗教迫害到此定居，创建本市。这里先后是边区和州的首府所在地。随着1862年矿产的

开采，1870年犹他中央铁路的修通，经济很快发展。这里曾经是2002年冬季奥运会的举办地，被誉为世界上"最清洁的城市"。

城市的名胜有：寺庙广场位于市中心。这里集中了后期圣徒教会，即"摩门教"的全部

盐湖城

摩门大寺

最主要的建筑。有来自世界各地的摩门教徒义务导游。摩门大寺位于寺庙广场。建于1853年～1893年，耗资400万美元，为摩门教的圣地，也是其国际总部所在地。寺庙广场上还有海鸥纪念碑。相传摩门教徒到此后的第二年，丰收在即，偏偏却遇到严重的蝗灾。幸亏无数海鸥飞来吃食蝗虫才拯救了摩门教徒。所以海鸥是这一内陆州的州鸟。

城市西南45千米，有世界上最大的肯尼科特露天铜矿。从1906年开采以来，这里已经挖成了一个直径4千米，深1.2千米的方漏斗形露天矿坑。每年这里生产的铜达32万吨，供应全国所需铜总量的15%，并伴生大量的黄金、白银。该地有旅游中心，可让游客看到开采的全过程。本州有多个著名的国家公园及保护区。

恐龙化石国家保护区
Dinosaur National Monument (B1)

位于本州东北部和科罗拉多州西北部，占地800平方千米，是世界著名的发掘恐龙化石的遗址，化石多在匹兹堡展出。但在这里的国家纪念中心也展出大量的化石及发掘标本。区内有铺装道路通往风景秀丽的格林河和杨帕河峡谷。游客可沿149号路进入保护区。

阿切斯国家公园
Arches National Park (B2)

位于本州东部莫阿布西北84千米处。这里有2,000余座天然石拱，及无数红色灰岩侵蚀成

的石塔、石窟、石翼等奇景。最大的石拱跨度近百米，高32米，一端厚度只有1.8米。

阿切斯国家公园

彩虹桥国家保护区
Rainbow Bridge National Monument (B2)

位于本州南部格伦峡谷国家娱乐区，是世界上最大的天然石桥，跨度83米，距河床高87米。这座粉红色的砂岩桥形似彩虹，飞跨在湍急的溪流之上。一直是印第安人的圣地。

石拱

布赖斯峡谷国家公园
Bryce Canyon National Park (A2)

位于本州南部，是一系列侵蚀形成的红色、白色和橘黄色的石灰岩和砂岩的石塔、石林及石迷宫。色彩斑斓，造型奇特。1928年辟为国家公园。

布赖斯峡谷石笋

摩门教　1827年由纽约北部一个穷苦农民的小儿子约瑟夫·史密斯创立。他说1827年摩门教先知的儿子天使摩洛尼访问了他，并将用符号写在金页上的经书传授给他。他把这些内容翻译出来，即成为摩门教的圣经。

1830年史密斯创立后期圣徒教会，俗称"摩门教"。摩门教信仰上帝的儿子基督，并认为圣经中的警示没有穷尽教义，教义是在继续发展的。金页经书就是圣经的发展。该教重视家庭的作用，强调依赖教内的师长。史密斯提

倡多妻制。但摩门教徒中只有不到4%的人实施多妻。史密斯指示密苏里州为摩门教的圣地，但由于摩门教在那受到迫害而不得不搬到伊利诺州，并建立了自己的城镇。后来史密斯被捕并于1844年被暴民击毙。

史密斯死后，摩门教徒分裂为两部分。一部分否决了多妻制，回到了密苏里。更多的人跟随史密斯的继承人杨伯翰西进犹他，建设了盐湖城。1849年犹他的摩门教徒申请建州，但直至1895年在该教宣布放弃多妻制后才被批准。

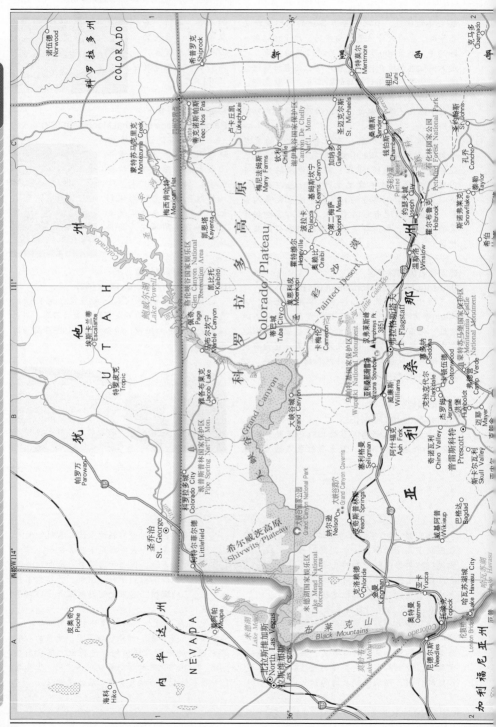

NEW MEXICO

生 Cibecue
阿尔派恩 Alpine
格里尔 Greer
麦克纳里 McNary
怀特里弗 Whiteriver
马弗里克 Maverick

莫伦西 Morenci
克利夫顿 Clifton
邓肯 Duncan

所罗门 Solomon
撒弗 Thatcher
萨福德 Safford

皮马 Pima
圣西蒙 San Simon
鲍伊 Bowie

奇里卡瓦国家公园 Chiricahua Nat'l. Mon.
奇里卡瓦峰 Chiricahua Pk ▲2986

圣卡洛斯 San Carlos
拜拉斯 Bylas
威尔科克斯 Willcox

埃尔弗里达 Elfrida

阿瓜普列塔 Agua Prieta
道格拉斯 Douglas
普里维尔 Pirtleville

克莱浦 Claypool
迈阿密 Miami
圣戴维 St David
本森 Benson
汤姆斯通 Tombstone
比斯比 Bisbee
卡纳内阿 Cananea

温克尔曼 Winkelman
奥拉克尔 Oracle
圣曼纽尔 San Manuel
马默思 Mammoth
达德利维尔 Dudleyville

卡沃尔卡 Caborca

凯里 Kearny
海登 Hayden

图森 Tucson
诺加莱斯 Nogales

诺加利斯 Nogales
纳克 Necoz
马格达莱纳 Magdalena

福洛布 Globe

苏必利尔 Superior
弗洛伦斯 Florence
库利奇 Coolidge
卡萨格兰德 Casa Grande

萨瓜罗国家公园 Saguaro Nat'l Park
西班牙 Univ of Arizona
诺加利斯 Nogales
帕塔哥尼亚 Patagonia
纳加奈斯 Nogales
图巴克 Tubac
图巴克 Tubac
图巴克 Tubac

马拉纳 Marana
皮查乔 Picacho
格林瓦利 Green Valley
塞诺伊塔 Sonoita

锡尔弗贝尔 Silver Bell
阿乔 Ajo
希基万 Hickiwan
古阿奇 Gu Achi
塞尔斯 Sells

亚利桑那城 Arizona City
菲尼克斯 Phoenix
卡萨格兰德 Casa Grande
埃洛伊 Eloy
古阿奇 Gu Achi

阿乔 Ajo
阿霍 Ajo

希拉本德 Gila Bend
卢克维尔 Lukeville

圣路易斯三沙漠 Sonoran Desert
萨诺拉 Sonoita

比斯比 Benjamin Hill
本哈明希尔 Benjamin Hill

卡沃尔卡 Caborca

英霍克河谷 Mohawk Valley

托森 Toltec
希拉本德 Gila Bend

塔科纳 Tacna
韦尔顿 Wellton
索默顿 Somerton
马丁内斯湖 Martinez Lake

布莱斯 Blythe
石英堡 Quartzsite
埃伦伯格 Ehrenberg
因皮里尔坝 Imperial Dam
拉古纳坝 Laguna Dam

圣路易斯 San Luis
加兹登 Gadsden
科罗拉多河 Rio Colorado
萨默顿 Somerton

加利福尼亚湾 Golfo de California
加利福尼亚湾 Golfo de California

亚利桑那州 Arizona

英文缩写:	AZ
面积:	294,333平方千米
人口:	639万
州府:	菲尼克斯
面积排名:	第6位
加入联邦年代:	1912年
州花:	萨瓜罗仙人掌花
州鸟:	棕曲嘴鹩鹛

位于美国西南部，南与墨西哥接壤。南部为盆地及浅山地，多为沙漠地貌，以仙人掌等干旱植被为主，其余为干旱草原。北部1/3为科罗拉多高原，是美国重要的黄松林区。海拔是影响气候的主要因素。低海拔区为沙漠，干旱少雨，夏热冬暖。最高温度可达52℃，冬季一般5℃~9℃。北部高原夏季凉爽，冬季最低气温可达–18℃。科罗拉多河从本州西北部流过，形成446千米长的科罗拉多大峡谷，双壁刀削，谷深1,600余米。年均降水量322毫米，7月~8月多有季风。

1539年西班牙传教士尼萨为寻找传说中的7座"黄金城"来到这里。墨西哥独立后这里又属于墨西哥的新墨西哥地区。1848年美国、墨西哥战争中墨西哥失败，本州的部分土地和新墨西哥一起割让给美国。1853年美国通过购买将本州的全部土地控制。1912年正式建州，成为联邦第48个州，也是美国本土上最后一个州。本州人口中白人占89%，黑人占4.2%，亚裔占2.75%，墨西哥裔占21%，其次是德国、英国、爱尔兰后裔和印第安人。州内现有9万印第安人，属于14个部落，居住在19个保护地内。全州地广人稀，一半以上人口集中在菲尼克斯(凤凰城)和图森两城及附近地区。居民中74%信仰基督教(新教42%，天主教31%)。

2009年国民生产总值为2,541亿美元，人均3.98万美元。本州资源丰富，铜产量占全国2/3，长绒棉产量占47%。州内有许多国家公园、森林、野生动物保护地。旅游业发达。

主要高速公路有I—8、I—10、I—19、I—40、I—75等。主要大学有亚利桑那大学(B3)、亚利桑那州立大学(B2)等。

州府菲尼克斯
Phoenix (B2)

人口约159万。意为"不死的神鸟"，即凤凰鸟，像征城市的新生。当地华人称其为凤凰城。该城1889年成为边区首府。1912年成为州府。这里是农业、工业、服务业、高科技及制造业的中心。

市内的主要景点有：建于1900年的州议会大厦、市中心的赫德博物馆，馆中10个展厅展出有美国西南部的印第安人和开发西部的美国人的人类学、历史、文化艺术等文物，有极高的学术价值。沙漠植物园展出有数千种来自世界各地的仙人掌、芦荟及干旱地区的植物。每年3月~5月，鲜花盛开。

菲尼克斯

菲尼克斯 PHOENIX
1：490 000

亚利桑那州

图森 Tucson (C3)

人口约54万。位于本州南部，是本州第二大城市。1700年西班牙传教团在附近建村。由于这里的阳光充足，每年日照达3,800小时之多，空气干燥，冬季温和，所以很快发展成了著名的旅游及疗养胜地。1867年~1877年曾为边区首府。1880年南太平洋铁路修到这里，附近发现图姆斯通银矿及比斯比铜矿，使当地经济迅速发展。1885年亚利桑那大学建校，现有学生31,000人。这里有浓厚的墨西哥文化和印第安文化气息，文化生活丰富。经常有精彩的歌剧、舞蹈、音乐演出。居民主要讲西班牙语。

饮食风味以辣味为特色。米西奥森神殿系西班牙传教士于1770年建设的神殿，至今仍是学校和教堂。其白色的双塔建筑赢得了"沙漠白鸽"的美名，庄重而美观。对外开放，自愿捐资。

图森

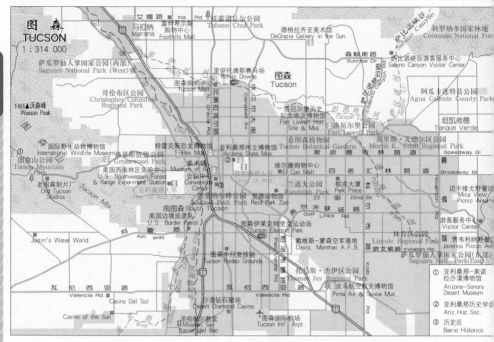

图森
TUCSON
1:314 000

艾娜路 Ina Rd
马拉纳 Marana
富特希尔斯购物中心 Foothills Mall
托霍诺丘尔公园 Tohono Chul Park
德格拉齐亚美术馆 DeGrazia Gallery in the Sun
萨比诺峡谷 Sabino Canyon
科罗纳多国家林地 Coronado National For
森赖斯路 Sunrise Dr
萨比诺峡谷游客服务中心 Sabino Canyon Visitor Center
萨瓜罗仙人掌国家公园(西部) Saguaro National Park (West)
里伊托唐斯赛马场 Rillito Downs
图森 Tucson
阿瓜卡连特县公园 Agua Caliente County Park
图森购物中心 Tucson Mall
哥伦布区公园 Christopher Columbus Regional Park
洛厄尔堡历史纪念地及博物馆 Fort Lowell Hist Site & Mus.
坦凯弗德 Tanque Verde
1465▲沃森峰 Wasson Peak
洛厄尔堡公园 Fort Lowell Park
莫里斯·尤德区公园 Morris K. Udall Regional Park
国际野生动物博物馆 International Wildlife Museum
格里斯伍德公园 Greasewood Park
特雷克斯恐龙博物馆 T-Rex Park
图森植物园 Tucson Botanical Gardens
斯皮德韦林荫路 Speedway Bl
美术馆 Museum of Art
亚利桑那州立博物馆 Arizona State Mus.
图森山公园 Tucson Mountain Pk
美国西南林区实验中心 U.S. Southwestern Forest & Range Experiment Station
会议中心 Convention Center
埃尔康购物中心 El Con Mall
百老汇林荫路 Broadway Bl
老图森制片厂 Old Tucson Studios
亚利桑那大学 Univ. of Ariz.
里德动物园 Reid Park Zoo
帕克大厦 Park Place
迈卡维尤野餐区 Mica View Picnic Area
林肯区公园 Lincoln Regional Park
哨兵峰公园 Sentinel Peak Park
兰道夫公园 Randolph Park
南图森 South Tucson
美国边境巡逻队 U.S. Border Patrol
高尔夫球场路 Golf Links Rd
游客服务中心 Visitor Center
Justin's Water World
图森伊莱克特里克运动场 Tucson Electric Pk
戴维斯-蒙森空军基地 Davis - Monthan A.F.B.
欧文顿路 Irvington Rd
贾韦利纳野餐区 Javelina Picnic Are
萨利罗仙人掌国家公园(东部) Saguaro Natl. Park(East)
图森牛仔竞技场 Tucson Rodeo Grounds
托马斯·杰伊公园 Thomas Jay Regional Park
瓦伦西亚路 Valencia Rd
皮马空航天博物馆 Pima Air & Space Mus.
Casino Del Sol
沙漠钻石赌场 Desert Diamond Casino
Casino of the Sun
圣哈维尔教堂 Mission San Xavier del Bac
图森国际机场 Tucson Intl. Arpt.

① 亚利桑那-索诺拉沙漠博物馆 Arizona-Sonora Desert Museum
② 亚利桑那历史学会 Ariz. Hist. Soc.
③ 历史区 Barrio Historico

大峡谷 Grand Canyon (B1)

　　是美国最壮丽的自然奇迹，也是美国人民的骄傲。1903年第26任美国总统西奥多·罗斯福游历大峡谷后禁不住满怀激情地赞叹说"这是每个美国人都应该见到的奇观"。大峡谷位于本州的西北部，原为平坦的海底，造山运动使之隆起成为高原。科罗拉多河流经这里，河道冲刷和风蚀水浸一起对高原进行了雕刻，终于创造出了这一举世惊叹的自然奇观。大峡谷长350千米，宽6千米~29千米，最深处达2,340米。峡谷蜿蜒曲折，垂直切割，两侧或是绝壁，自然生成彩色斑斓的图案；或是垂直断裂，显露出不同的地质构造层次。时而突兀前探，成为悬崖绝壁上的台地；时而回缩，成为一条条深不见底的裂豁深渊。峡谷的基调是暗红色，但不同的岩层颜色各异，或为灰、白、黑，或为黄、绿、紫、褐、兰等，各种色彩交织在一起，在不同角度的阳光下变幻无穷。

　　最早见到并记述大峡谷的欧洲人是西班牙的传教士。1540年他们曾在当地印第安人的带领下来到这里，

大峡谷

大峡谷国家公园
GRAND CANYON NATIONAL PARK

米德湖国家娱乐区 Lake Mead National Recreation Area
米德湖国家娱乐区 Lake Mead National Recreation Area
▲德伦博山 Mt. Dellenbaugh 2150
阔特马斯特眺望点 Quartermaster View Point
大峡谷国家公园 Grand Canyon National Park
天然桥 Natural Bridge

而第一个完成全程探险的人则是由美国地质学家鲍威尔率领的探险队。1869年，这支9人组成的探险队从怀俄明州的格林河出发，沿科罗拉多河顺流而下，历时3个月，完成了全程考察，并写出了《科罗拉多大峡谷》一书。1880年后，逐渐有人来此观光。目前每年都有500余万游客从世界各地来此游览，无不为这里壮观的景色所倾倒。

大峡谷国家公园
Grand Canyon National Park　(A–B 1–2)

建于1919年。这里最低处的科罗拉多河面，海拔360米，最高的谷壁北缘海拔2,700米，谷深2,340米。峡谷南北两侧分别称为南缘、北缘。北缘较南缘高250米。游客多从南缘到此参观，道路四季畅通。北缘多风雪，每年10月至次年5月道路多封闭。人们从南方沿64号路北上，沿途是起伏的高原丘陵和茂盛的松林。刚刚从松林中走出，在一片开阔地上，人们突然发现眼前竟出现一条巨大的断裂，大峡谷就在脚下。这种突如其来，更给旅游者增添了无限惊喜和震撼。南北两缘道路条件甚佳，并有很多观望台和陈列馆。沿着傍山小道，还可以经过印第安人村落

科罗拉多河

到达科罗拉多河畔。缘顶可能还是冰天雪地，谷底则已温暖如夏。旅途经过的是从亚寒带到亚热带的气候变化和动植物的垂直分布。谷底许多地方可以露营，不过必须预定，并要有许可证。

大峡谷地区自古就是印第安人居住的地方。至今还有250多个部落成员生活在这里。这里有旅馆，有供在附近游览用的公共汽车，供游人至谷地骑坐的骡马，还有旅游直升飞机，供游客从空中观光。

此外位于本州中东部，从小科罗拉多河北岸向东南延伸至霍尔布鲁克的多彩沙漠，东部的石化林国家公园都是不可多得的自然美景和奇观。

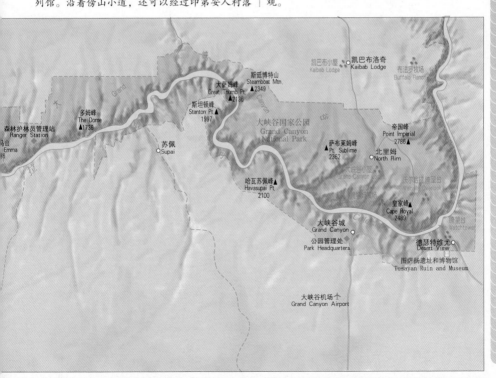

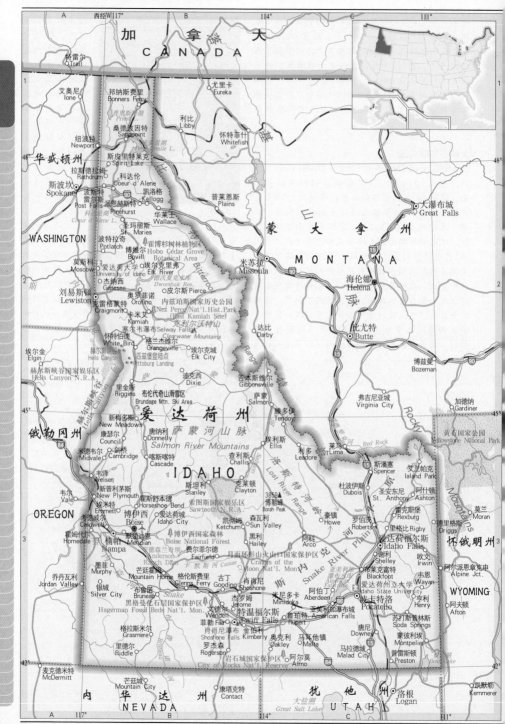

爱达荷州 IDAHO

西经W117°　114°　111°

加拿大
CANADA

艾奥尼 Ione
特雷尔 Trail

纽波特 Newport
斯波坎 Spokane
波斯特 雷尔斯 Post Falls
拉斯拉德拉姆 Rathdrum
科达伦 Coeur-d'Alene
凯洛格 Kellogg
华莱士 Wallace
派恩赫斯特 Pinehurst

邦纳斯费里 Bonners Ferry
桑德波因特 Sandpoint
普雷斯特湖 Priest L.
利比 Libby
尤里卡 Eureka
怀特菲什 Whitefish

普莱恩斯 Plains
米苏拉 Missoula
大瀑布城 Great Falls

蒙大拿州
MONTANA
海伦娜 Helena

华盛顿州
WASHINGTON
莫斯科 Moscow
博维尔 Bovill
爱达荷大学 University of Idaho
杰纳西 Genesee
刘易斯顿 Lewiston
克雷格蒙特 Craigmont
卡米 Kamiah

圣玛丽斯 St. Maries
波特拉奇 Potlatch
霍博杉树林植物区 Hobo Cedar Grove Botanical Area
埃尔克里弗 Elk River
皮尔斯 Pierce
奥罗菲诺 Orofino
德沃夏克水库 Dworshak Res.

内兹珀西国家历史公园 Nez Perce Nat'l Hist. Park (Last Kamiah Site)
克利尔沃特山 Clearwater Mountains
塞尔韦瀑布 Selway Falls
达比 Darby

怀特伯德 White Bird
格兰杰维尔 Grangeville
埃尔克城 Elk City
格兰杰维尔 Grangeville

埃尔金 Elgin
里金斯 Riggins
匹兹堡登陆点 Pittsburg Landing
迪克西 Dixie
吉本斯维尔 Gibbonsville

赫尔斯峡谷国家娱乐区 Hells Canyon N.R.A.
布伦代奇山滑雪区 Brundage Mtn. Ski Area
萨蒙 Salmon

新梅多斯 New Meadows
康瑟尔 Council
坎布里奇 Cambridge
唐纳利 Donnelly
萨蒙河山脉 Salmon River Mountains
腾多伊 Tendoy
弗吉尼亚城 Virginia City
加德纳 Gardiner

俄勒冈州
OREGON
米德韦尔 Midvale
韦瑟 Weiser
韦尔 Vale
新普利茅斯 New Plymouth
埃米特 Emmett
霍姆代尔 Homedale
考德威尔 Caldwell
楠帕 Nampa
默里迪恩 Meridian
博伊西 Boise
剑桥 Cambridge
咖斯喀特 Cascade
斯坦利 Stanley
克莱顿 Clayton
查利斯 Challis
埃利斯 Ellis
利多 Leadore
莱马 Lima
博兹曼 Bozeman

黄石国家公园 Yellowstone National Park

斯坦利 Stanley
克莱顿 Clayton
博拉峰 Borah Peak 3859
索图斯国家娱乐区 Sawtooth N.R.A.
凯彻姆 Ketchum
黑利 Hailey
太阳谷 Sun Valley
豪镇 Howe
阿科 Arco
斯潘塞 Spencer
杜博伊斯 Dubois
阿什顿 Ashton
莫兰 Moran

爱达荷城 Idaho City
博伊西国家森林 Boise National Forest
费尔菲尔德 Fairfield
卡默斯河 Camas
月面环形山火山口国家保护区 Craters of the Moon Nat'l Mon.
圣安东尼 St. Anthony
雷克斯堡 Rexburg
里格比 Rigby
德里格斯 Driggs
阿尔派恩章克申 Alpine Jct.
欧文 Irwin

墨菲 Murphy
乔丹瓦利 Jordan Valley
芒廷霍姆 Mountain Home
格伦斯费里 Glenns Ferry
布鲁诺 Bruneau
古丁 Gooding
肖肖尼 Shoshone
米尼多卡 Minidoka
阿伯丁 Aberdeen
布莱克富特 Blackfoot
谢利 Shelley
爱达荷福尔斯 Idaho Falls
爱达荷州立大学 Idaho State University
阿尔顿 Afton
怀俄明州
WYOMING

银城 Silver City
格拉斯米尔 Grasmere
里德尔 Riddle
杰罗姆 Jerome
文德尔 Wendell
特温福尔斯 Twin Falls
肖肖尼瀑布 Shoshone Falls
金伯利 Kimberly
鲁珀特 Rupert
美利坚瀑布城 American Falls
波卡特洛 Pocatello
亨利 Henry

黑格曼化石层国家保护区 Hagerman Fossil Beds Nat'l. Mon.
菲勒 Filer
奥克利 Oakley
马耳他镇 Malta
唐尼 Downey
苏打斯普林斯 Soda Springs
蒙彼利埃 Montpelier

麦克德米特 McDermitt
芒廷城 Mountain City
康塔克特 Contact
罗杰森 Rogerson
阿尔莫 Atmo
岩石城国家保护区 City of Rocks Nat'l. Reserve
马拉德城 Malad City
普雷斯顿 Preston
熊湖 Bear Lake
凯默勒 Kemmerer

内华达州
NEVADA
犹他州
UTAH
大盐湖 Great Salt Lake
洛根 Logan

42°

比例尺　1:5 000 000

爱达荷州 Idaho

英文缩写:	ID
面积:	214,325平方千米
人口:	157万
州府:	博伊西
面积排名:	第13位
加入联邦年代:	1890年
州花:	丁香
州鸟:	山蓝鸲

地处美国西北部的北落基山区，北临加拿大，西靠华盛顿州。州内多雪山、峡谷、激流，有大量未被开发的荒莽地区，保留了原始的风貌。斯内克河流经的赫尔斯峡谷(B2)比科罗拉多大峡谷还深，肖肖尼瀑布(B3)的落差比尼亚加拉大瀑布还大，州内有许多景色令人流连忘返。本州距太平洋约500千米，气候受太平洋影响很大。虽然纬度很高，但冬季气候较温和，而且多降水。州的南部则夏季多雨，四季分明。

1959年的考古发掘证明，早在14,500年以前这里就有人居住。1805年刘易斯和克拉克率领的探险队受杰斐逊总统派遣来到这里，开辟了"俄勒冈小道"。其后捕猎者、商人、淘金者先后经过或来到这里。1863年建边区，1890年加入联邦成为美国的第43个州。20世纪90年代以来，人口增加38%。本州人口中白人占96.8%，德国、英国后裔各占18%以上，2%为印第安人。居民中多数信仰基督教(天主教15%。新教43%)，摩门教占23%。

2009年国民生产总值为535亿美元，人均3.41万美元。长期以来本州经济以农业、伐木和采矿为主。马铃薯的产量占全国1/3，斯内克河流域是美国马铃薯的主要产地。本州森林覆盖面积33%。曾在多处发现金矿，但多采掘殆尽，现则以银、铅、锌矿为主。近年来，科技产业发展很快，目前产值已占州总产值的25%，超过了农业、伐木和采矿船只的总和。旅游业也是主要收入之一。

主要高速公路有I—15、I-84，但95%道路为乡村道，冬季雪后，部分路段不通行。州内主要大学有爱达荷大学(B2)、爱达荷州立大学(C3)。

州府博伊西 Boise (B3)

人口约20.5万。位于本州的西南部，建于1863年的淘金热潮之中。市内的主要景点有州议会大厦，始建于1905年，1920年完工。一楼有该州农业、矿产、林业、宝石展览。在博伊西的东部有博伊西国家森林，面积11,968平方千米，有丰富的植物物种及野生动物，是夏季猎场和极好的旅游区。

赫尔斯峡谷国家娱乐区
Hells Canyon National Recreaton Area (B2)

位于本州西部边界和华盛顿州、俄勒冈州接壤处。是斯内克河上的峡谷，也是美国最深的峡谷，名山奇水，风景甚佳。

黄石国家公园在本州东北(详见怀俄明州137页)。

月面环形山火山口
国家保护区
Craters of the Moon
National Monument (C3)

位于阿科西南29千米，面积2,800平方千米，有大量的火山口、火山熔洞及火山岩浆笋柱，是极具特色的火山地貌。

"月世界"

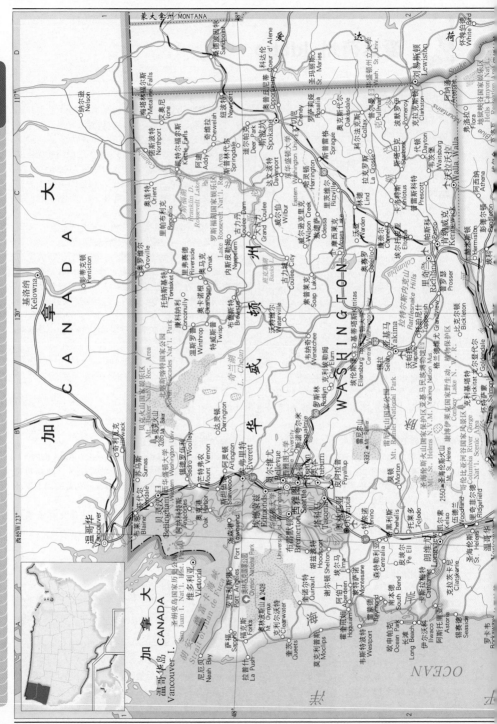

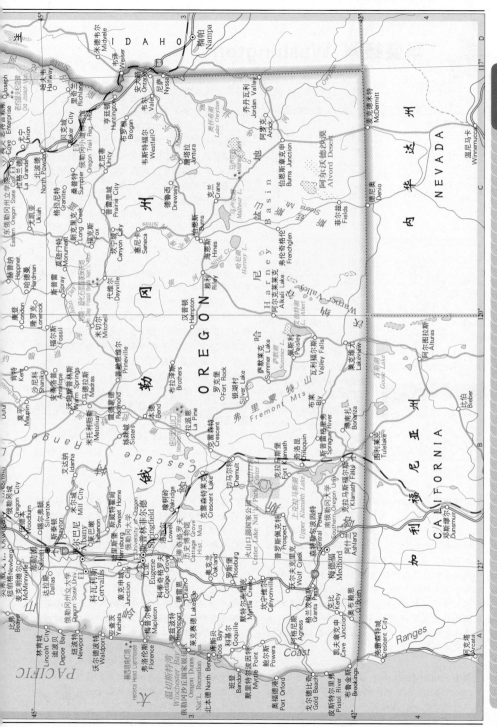

华盛顿州 Washington

英文缩写:	WA
面积:	172,445平方千米
人口:	672万
州府:	奥林匹亚
面积排名:	第20位
加入联邦年代:	1889年
州花:	杜鹃花
州鸟:	柳金翅雀

位于美国本土的西北角，北邻加拿大，西望太平洋。喀斯喀特山脉沿南方向从本州中部偏西穿过。该山以西，山高谷深，降水充沛，为太平洋雨林区。茂密的原始森林中，古木参天，致使本州有"长青州"之美誉。山中多石灰岩溶洞和火山岩洞；山顶则多活动冰川。太平洋沿岸的风景秀美，更是令人叹为观止。虽然这一地区纬度很高，但气候受太平洋暖温气流的控制，所以并不寒冷。喀斯喀特山脉以东则多为半干旱草原及沙漠。但由于在东面还有落基山脉阻挡极地的冷风，所以全州全年都很温和。州的东南

圣海伦斯火山

部原是草原，现已辟为农田，物产丰饶。

1579年英国探险家弗朗西斯·德雷克曾从海上到此探险。1792年乔治·温哥华船长带着探寻通往西北的道路及绘制地图的任务航行到皮吉特湾(B1)。1805年刘易斯和克拉克受杰斐逊总统派遣，把通往西北的"俄勒冈小道"一直沿伸到华盛顿州的太平洋沿岸，之后移民不断增加。1853年建华盛顿边区，1889年建州，成为联邦的第42个州。本州人口中白人约占87%，多为德国、英国、爱尔兰、挪威后裔；黑人4.5%；亚裔7.69%；印第安人2.65%。居民中60%信仰基督教。本州有众多的印第安人原住地，留下了大量的图腾柱及丰富的印第安文化遗产。

本州经济发达，著名产业有飞机制造、计算机技术、电子、生化、运输等。世界最大的飞机公司波音公司的主要生产基地、计算机软件巨人微软公司、星巴克咖啡等总部都在这里。西雅图等地为美国重要海港。本州农业发达，苹果、葡萄等许多产品产量居全国第一。2009年国民生产总值为3,363亿美元，人均5.0万美元。1962年西雅图主办过21世纪世界博览会，旅游业是本州的主要收入之一。

主要高速公路有I—5、I—82、I—90等。大学有华盛顿大学(B2)、华盛顿州立大学(C2)等数十所。

州府奥林匹亚 Olympia (B2)

人口约4.6万。位于州西部皮吉特湾的南端。1840年开始建设，1859年设市。城市以其西北的奥林匹克山命名。经济以木材业为主，近海盛产牡蛎，以奥林匹克牡蛎蜚声四方。每年9、10月间是鲑鱼回游产卵的季节，成千上万的鲑鱼从海中游入州议会湖，继续溯水上游。从市区沿奥林匹克高速路(US101)向西北走50余千米即进入奥林匹克国家公园，占地3,600余平方千米。主峰奥林波斯山海拔2,428米。山高谷深，多悬崖绝壁，风光十分壮丽。

西雅图 Seattle (B2)

人口约62万。是本州最大城市、美国西海岸三大港口之一。西雅图位于皮吉特湾和华盛顿湖之间的狭长地带上。城市东西分别可以眺望奥林匹克山和喀斯喀特山，市区风景秀画。西雅图原为皮吉特湾印第安酋长的名字，该酋长曾在1851年热心帮助了第一批到达这里定居的白人居民，1869年建市时决定用他的名字命名该市以志纪念。至今这位酋长的铜像仍然竖立在市中心的开拓者广场。这里最初的工业是木材出口。1893年第一条横跨美洲大陆的铁路通到这里。1879年开始的淘金热使该市的人口在20年内增加6倍，成为世界知名的城市。1909年该市第一次承办世界性的博览会，1962年该市主办21世纪世界博览会。西雅图是波音飞机公司的家乡，目前尽管波音的总部已经迁出，但其主要生产部门仍在这里。西雅图职工的半数就业于波音公司。西雅图还是微软的总部所在地。

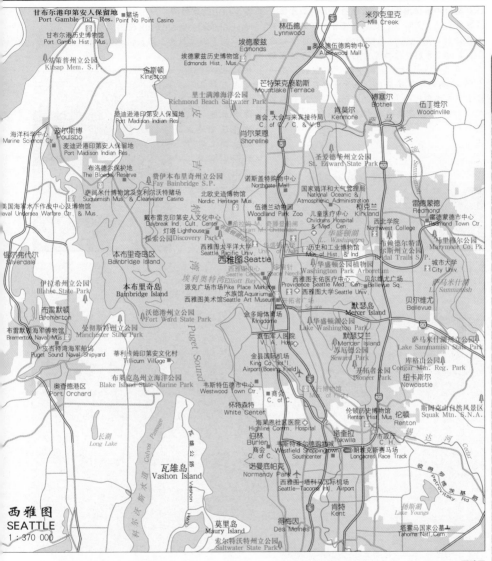

甘布尔港印第安人保留地
Port Gamble Ind. Res. 赌场 Point No Point Casino

米尔克里克
Mill Creek

甘布尔港历史博物馆
Port Gamble Hist. Mus.

林伍德
Lynnwood

埃德蒙兹
Edmonds

奥尔德伍德购物中心
Alderwood Mall

焦萨普州立公园
Kitsap Mem. S.P.

埃德蒙兹历史博物馆
Edmonds Hist. Mus.

金斯顿
Kingston

芒特莱克特勒斯
Mountlake Terrace

博塞尔
Bothell

里士满滩海洋公园
Richmond Beach Saltwater Park

肯莫尔
Kenmore

伍丁维尔
Woodinville

麦迪逊港印第安人保留地
Port Madison Indian Res.

商会、大会与来宾接待局
C. of C. & V.B

波尔斯博
Poulsbo

海洋科学中心
Marine Science Ctr.

肖尔莱恩
Shoreline

圣爱德华州立公园
St. Edward State Park

麦迪逊港印第安人保留地
Port Madison Indian Res.

费伊本布里奇州立公园
Fay Bainbridge S.P.

诺斯盖特购物中心
Northgate Mall

国家海洋和大气管理局
National Oceanic &
Atmospheric Administration

柯克兰
Kirkland

雷德蒙德
Redmond

萨昆米什博物馆及克尔沃特赌场
Suquamish Mus. & Clearwater Casino

北欧文化博物馆
Nordic Heritage Mus.

伍德兰动物园
Woodland Park Zoo

儿童医疗中心
Childrens Hospital
& Med. Cen.

西北学院
Northwest College

雷德蒙德市中心
Redmond Town Ctr.

美国海军水下作战中心及博物馆
Naval Undersea Warfare Ctr. & Mus.

戴布雷克印第安人文化中心
Daybreak Ind. Cult. Center

灯塔博物馆
Lighthouse

保育公园 Discovery Park

西雅图太平洋大学
Seattle Pacific Univ.

历史和工业博物馆
Mus. of Hist. & Ind.

华盛顿公园植物园
Washington Park Arboretum

玛丽莫尔县立公园
Marymoor Co. Pk.

城市大学
City Univ.

锡尔弗代尔
Silverdale

本布里奇区
Bainbridge Island

华盛顿湖
L. Washington

贝尔维尤广场
Bellevue Sq.

萨马米什
Sammamish

伊拉希州立公园
Illahee State Park

本布里奇岛
Bainbridge Island

西雅图 Seattle

西雅图医疗中心
Providence Seattle Med. Cen.

贝尔维尤
Bellevue

布雷默顿
Bremerton

埃利奥特湾 Elliott Bay

派克广场市场 Pike Place Market

水族馆 Aquarium

西雅图大学 Seattle Univ.

华盛顿湖公园
Lake Washington Park

默瑟岛
Mercer Island

萨马米什湖州立公园
Lake Sammamish State Park

布雷默顿海军博物馆
Bremerton Naval Mus.

曼彻斯特州立公园
Manchester State Park

沃德港州立公园
Fort Ward State Park

西雅图美术馆 Seattle Art Museum

金多姆体育场
Kingdome

默瑟岛
Mercer Island

皮吉特湾海军船坞
Puget Sound Naval Shipyard

蒂利卡姆印第安文化村
Tillicum Village

退伍军人医院
V. A. Hosp.

苏厄德公园
Seward Park

库格山公园
Cougar Mtn. Reg. Park

纽卡斯尔
Newcastle

奥查德港区
Port Orchard

布莱克岛州立海洋公园
Blake Island State-Marine Park

金县国际机场
King Co. Int'l
Airport (Boeing Field)

开拓者公园
Pioneer Park

伦顿历史博物馆
Renton Hist. Mus.

斯阔克山自然风景区
Squak Mtn. S.N.A.

韦斯特伍德市中心
Westwood Park

商会
C. of C.

怀特森特
White Center

高美社区医院
Highline Comm. Hospital

塔克维拉
Tukwila

伦顿
Renton

伯林
Burien

韦斯特菲尔德购物城
Westfield Shoppingtown

市政厅
C. H.

朗艾克斯赛马场
Longacres Race Track

雪达河
Cedar

商会
C. of C.

诺曼帕克
Normandy Park

西雅图—塔科马国际机场
Seattle-Tacoma Intl. Airport

肯特
Kent

彼得莱特基路
Petrovitsky Rd.

长湖
Long Lake

瓦雄公路 Vashon Hwy.

瓦雄岛
Vashon Island

莫里岛
Maury Island

得梅因
Des Moines

扬斯湖
Lake Youngs

西雅图
SEATTLE
1:370 000

索尔特沃特州立公园
Saltwater State Park

塔霍马国家公墓
Tahoma Natl. Cem.

科尔沃斯水道 Colvos Passage

普吉特湾 Puget Sound

西雅图市区的主要景点有：华盛顿湖运河和希拉姆·奇滕登船闸，位于城市的西北，是连结皮吉特湾的海水和华盛顿湖淡水的水道，而船闸工程是保持湖面水位不变又能通航的工程。这是美国最繁忙的船闸工程之一。运河的一侧修有巨大的鲑鱼通道。每年6月中旬至9月，游客可以透过鱼道的玻璃墙，看到数以百万计的鲑鱼结成鱼的洪流，潮水沿鱼道向淡水的上游进行生殖回游，景色蔚为壮观。开拓者广场位于海边，主要是建于1889年大火后的30个街坊区。广场中有

西雅图

18米高的印第安图腾柱和西雅图酋长的雕塑像。这里有画廊、古董店、夜总会及餐馆，是购物和品尝海鲜的好地方。西雅图中心位于市中心北部，是1962年21世纪博览会的会场。每年这里都会举办各种文化活动。园中的"宇宙针"是一个182米高的塔状建筑物，观景电梯在塔体上穿梭上下。塔顶为一飞碟状的环形瞭望台及旋转餐厅，高156米，是鸟瞰城市及皮吉特湾的最佳位置。

舒克桑山

雷尼尔山国家公园
Mt. Rainier National Park (B2)

位于西雅图的南部，占地978平方千米，园内的雷尼尔山海拔4,392米，为州内最高山，终年积雪，是滑雪胜地。低坡为茂密的森林，向上过渡到高山草原，高山冰川，栖息着众多的野生动物，生长着丰富的植被，吸引了大批的游人。

雷尼尔山

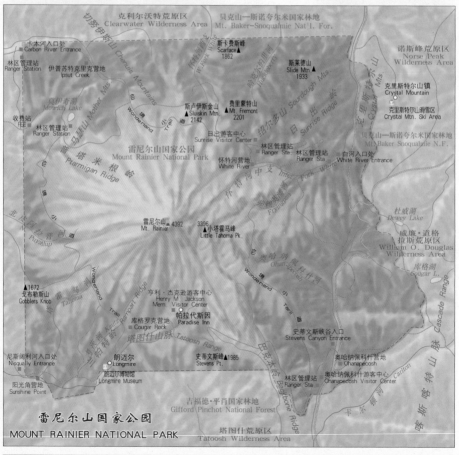

雷尼尔山国家公园
MOUNT RAINIER NATIONAL PARK

俄勒冈州 Oregon

英文缩写:	OR
面积:	248,646平方千米
人口:	383万
州府:	塞勒姆
面积排名:	第10位
加入联邦年代:	1859年
州花:	俄勒冈葡萄
州鸟:	西美草地鹨

位于美国西北部的太平洋沿岸地区。喀斯喀特山脉从北向南从本州东部穿过，西部沿海是太平洋雨林区，东部是沙漠高原区。全州降水分布不均，沿海地区年降水可达5,000毫米，东部沙漠则不足200毫米。

16世纪欧洲白人到来时，这里还是十余万印第安人的家乡。1805年~1806年刘易斯和克拉克一行受杰斐逊总统派遣来此勘察，发现这里有大量裘皮野兽。1811年来自纽约的商人在此建立太平洋毛皮公司。1834年杰森·李在本州的西部建立定居点之后，成千上万的人沿着"俄勒冈小道"，从密苏里州的独立城拔涉3,200千米，到达俄勒冈州的哥伦比亚地区。30年内共有30万人经过"俄勒冈小道"，进行了和平时期人类史上最大的迁徙。1848年建立俄勒冈边区，

1859年建州，成为联邦的第33个州。本州人口中白人约为93%，多为德国、英国、爱尔兰后裔，黑人为2.4%，印第安人2.4%，亚裔4.3%。居民中75%信仰基督教。

本州森林茂密，森林工业是主要产业之一，但近年由于火山喷发和过度砍伐造成木材产量锐减。1989年本州从联邦所属的林场采伐量为1,400万立方米，到2001年采伐量仅有40万立方米。20世纪70年代后高科技产业、生化产业高速发展。由于本州的气候和法国著名的葡萄酒基地阿尔萨斯相似，促使了葡萄种植及酿酒业发展，波特兰是全美酿酒厂最多的城市。2009年国民生产总值为1,652亿美元，人均4.31万美元，在边远西部地区最低。主要农产品有肉牛、奶类、马铃薯、苹果等，鲑鱼产量也很高。旅游业是本州的主要收入之一。

虽然19世纪上半叶的移民高潮、中叶的淘金热已经过去，但本州却以其美丽的风光、众多的瑰宝吸引着大量游人。本州的谷地中盛开着玫瑰，到处是葡萄园和酿酒厂。每年夏季都有大量的鲑鱼从大海向山溪的源头进行生殖回游。

主要高速公路有I—5、I—84等。教育发达，有十余所大学。主要大学有俄勒冈州立大学(A3)、俄勒冈大学(A3)等。

州府塞勒姆 Salem (B3)

人口约15.5万。位于本州西北部，1840年卫理公会传教士在此定居，将其印第安语名称凯米克塔改成《圣经》上的地名塞勒姆(撒冷)。大量移民的迁入使这里日益繁荣，1851年成为俄勒冈地区首府。

波特兰 Portland (B2)

人口约57万。为本州最大的城市，工商、文教中心，位于本州的西北部哥伦比亚河和威拉米特河的汇合处。1844年开始建设，1845年设市，1883年铁路修通，城市不断发展，目前为美国太平洋沿岸的第三大淡水港。主要产业有造船、化工、食品加工等。波特兰人非常珍惜该地的自然环境和秀美风光。城市立法禁止盖40层以上的楼房。市区有公园200多个。该地玫瑰四

季常开，每年6月的第二个周末为玫瑰花节。用玫瑰花装饰的各种彩车参加盛大游行，使该城有"玫瑰之都"的美誉。

葡萄酒酿造厂共有350多个，分布在从梅德福直至波特兰的广大西部地带，均对游人开放。

波特兰

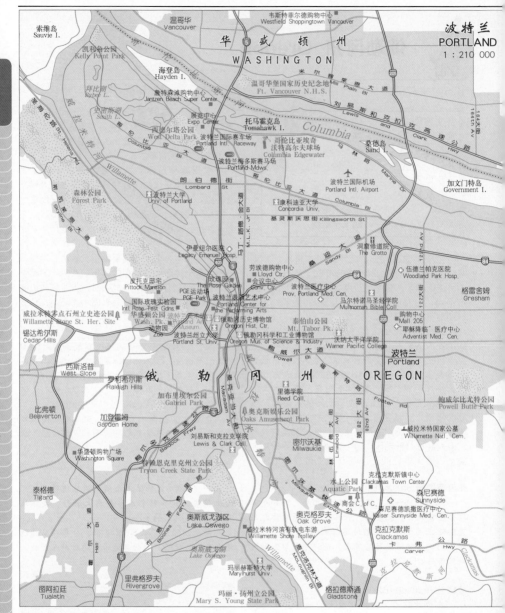

华 盛 顿 州
W A S H I N G T O N

波特兰
PORTLAND
1 : 210 000

索维岛
Sauvie I.

温哥华
Vancouver

韦斯特菲尔德购物中心
Westfield Shoppingtown Vancouver

凯利伯点公园
Kelly Point Park

海登岛
Hayden I.

拜比湖
Bybee L.

温哥华堡国家历史纪念地
Ft. Vancouver N.H.S.

刘易斯和克拉克公路
Lewis and Clark Hwy

184th St.

詹特森森滩购物中心
Jantzen Beach Super Center

展览中心
Expo Center

西德尔塔公园
West Delta Park

托马霍克岛
Tomahawk I.

Columbia

桑德岛
Sand I.

加文门特岛
Government I.

森林公园
Forest Park

波特兰大学
Univ. of Portland

哥伦比亚埃奇沃特高尔夫球场
Columbia Edgewater

波特兰梅多斯赛马场
Portland Mdws.

波特兰国际机场
Portland Intl. Airport

Marine Dr.

波特兰国际赛车场
Portland Intl. Raceway

朗伯德街
Lombard

哥伦比亚大道
Columbia Bl

康科迪亚大学
Concordia Univ.

基灵斯沃思街
Killingsworth St.

皮托克邸宅
Pittock Mansion

伊曼纽尔医院
Legacy Emanuel Hosp.

玫瑰园
The Rose Garden

劳埃德购物中心
Lloyd Ctr.

会议中心

Sandy

森迪大道

洞窟修道院
The Grotto

伍德兰帕克医院
Woodland Park Hosp.

格雷舍姆
Gresham

PGE运动场
PGE Park

波特兰表演艺术中心
Portland Center for
the Performing Arts

波特兰医疗中心
Prov. Portland Med. Cen.

马尔特诺马圣经学院
Multnomah Bible Coll

购物中心
Mall 205

国际玫瑰实验园
Intl Rose-Test Gdns

华盛顿公园
Wash. Pk.

波特兰历史博物馆
Oregon Hist. Ctr.

耶稣降临 医疗中心
Adventist Med. Cen.

威拉米特零点石州立史迹公园
Willamette Stone St. Her. Site

动物园
Zoo

波特兰艺术博物馆
Portland Art Museum

泰伯山公园
Mt. Tabor Pk.

锡达希尔斯
Cedar Hills

波特兰州立大学
Portland St. Univ.

俄勒冈科学和工业博物馆
Oregon Mus. of Science & Industry

沃纳太平洋学院
Warner Pacific College

波特兰
Portland

西斯洛普
West Slope

罗利希尔斯
Raleigh Hills

俄 勒 冈 州 OREGON

加布里埃尔公园
Gabriel Park

里德学院
Reed Coll.

Foster Rd

鲍威尔比尤特公园
Powell Butte Park

比弗顿
Beaverton

加登霍姆
Garden Home

Powell

Powell

威尔大道

奥克斯娱乐公园
Oaks Amusement Park

威拉米特国家公墓
Willamette Natl. Cem.

华盛顿购物广场
Washington Square

刘易斯和克拉克学院
Lewis & Clark Coll.

密尔沃基
Milwaukie

泰格德
Tigard

特赖恩克里克州立公园
Tryon Creek State Park

水上公园
Aquatic Park

克拉克默斯镇中心
Clackamas Town Center

森尼赛德
Sunnyside

奥斯威戈湖区
Lake Oswego

奥克格罗夫
Oak Grove

商会
C. of C.

凯泽森尼赛德医疗中心
Kaiser Sunnyside Med. Cen.

奥斯威戈湖
Lake Oswego

威拉米特河滨有轨电车游
Willamette Shore Trolley

克拉克默斯
Clackamas

卡弗
Carver

图阿拉廷
Tualatin

里弗格罗夫
Rivergrove

玛丽赫斯特大学
Marylhurst Univ.

玛丽·扬州立公园
Mary S. Young State Park

格拉德斯通
Gladstone

火山口湖国家公园
Crater Lake National Park (B3)

位于本州中南部偏西，以火山口湖为公园的主体。该火山口大约形成于7,700年前的火山喷发。喷发的岩浆冷却后，形成火山口的漏斗体。其后这里虽然仍有火山活动，但只形成了湖中的小岛，部分改变了湖底的地形，没能改变湖泊的基本面貌。火山口冷却后，雨雪形成清澈碧绿的湖水。火山口湖湖面跨度89.6千米，平均水深350米，最深处为594米，是美国最深的湖，在世界排名第7位。该湖以水色的深蓝、水质的清冽享誉全球。

火山口湖国家公

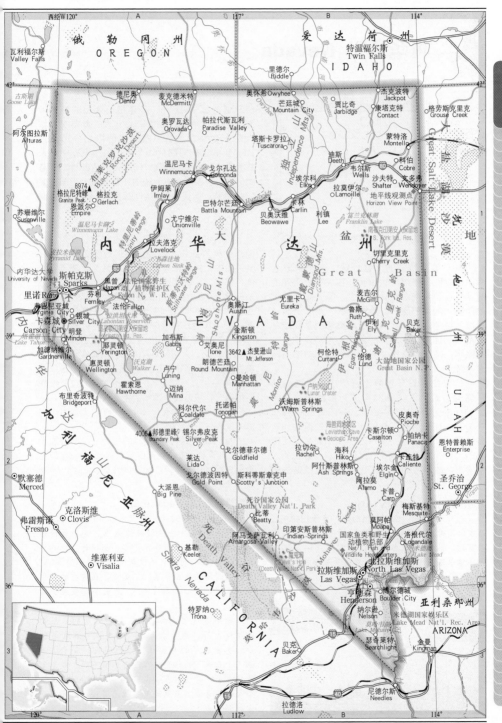

内华达州 Nevada

英文缩写：	NV
面积：	284,396平方千米
人口：	270万
州府：	卡森城
面积排名：	第7位
加入联邦年代：	1864年
州花：	山艾树
州鸟：	山蓝鹑

位于美国西部的大盆地区。属于内陆水系。州的西部是内华达山脉，挡住了太平洋的暖湿气流，致使本州降水稀少，是美国最干旱的州。州的北部是大盆地沙漠区，夏季炎热，最高气温曾达52℃。有时亚利桑那的季风能从东南吹到这里，带来一些雷雨。东部夏季有一些雨水，地上长满山艾一类的植物。南部则都是沙漠。

17世纪西班牙传教士宣称这里是西班牙所属的新西班牙。1821年成为墨西哥第一帝国的一部分。1846年美国、墨西哥战争后归属美国。1855年摩门教的布道团到拉斯维加斯谷地布道。1859年在本州西部和加利福尼亚接壤的弗吉尼亚城(A1)附近发现金矿，使该地人口骤增，发展成为一个矿山城。这里挖掘的矿产总值为2亿多美元，是建造旧金山的资金来源之一，也是南北战争中北方军的重要收入。1861年内华达边区从犹他边区中划分出来，1864年成为美国的第36个州。本州人口中白人约为84%，黑人为8.6%，印第安人为2.2%，亚裔为6.9%。从族裔看多为德国、墨西哥、英国、爱尔兰后裔。居民中66%信仰基督教，无宗教信仰者占20%。

长期以来，当地的经济主要是矿业和牧业。19世纪末，这里的采矿业在科罗拉多州、犹他州的竞争下几近破产，本州一度提请美国国会讨论本州的存留问题。1900年后又发现了新的金、银矿，才使本州免于破灭。1931年州议会立法使赌博合法化，之后赌博成为本州的支柱产业。本州以拉斯维加斯和里诺的赌博业驰名美国。2004年生产黄金680万盎司，占世界产量的8.7%；白银1,030万盎司。2009年国民生产总值为1,251亿美元，人均4.63万美元。主要农牧产品有肉牛等。本州有丰富的印第安人文化、风景如画的塔霍湖(A1)、昼夜24小时永不休息的拉斯维加斯赌城等，旅游业是本州的主要收入之一。

主要高速公路有I—15、I—80。大学有内华达大学(A2)等十余所。

联邦政府拥有本州87%的土地。拉斯维加斯西北105千米，曾是美国的核试验场(1962年停止地面试验，1992年停止地下试验)。

州府卡森城 Carson City (A1)

人口约5.5万。位于本州西部，建于1858年，是当时西部矿区的社会活动中心。50号公路从城中穿过，向西通往塔霍湖。塔霍湖是一座高山湖，湖水清澈，景色迷人，是旅游滑雪胜地。

塔霍湖

拉斯维加斯 Las Vegas (B2)

城区人口约57万，全市区人口约130万。位于本州东南，是一个梦幻般的城市。这里是世界上最大的赌城及顶级娱乐中心。据统计，1999年共有3,400万人到这里试过赌运，花费了280亿美元，仅赌场的收益就达70亿美元。在过去的25年中，本城的人口增加了3倍。是美国发展最快的城市。

赌博是这里经济之王。各大饭店的底层都是赌博大厅，成千上万台"老虎机"吞食着硬币，奏出悦耳的音乐吐出你的彩头；成千上万张"十三点"的赌桌被人围得水泄不通；成千上万只骰子，牵动着人心在转运。拉斯维加斯是一个人造的奇迹。虽然这里早就是游牧印第安人及少数移民居住的地方，但是一百年前这一谷地

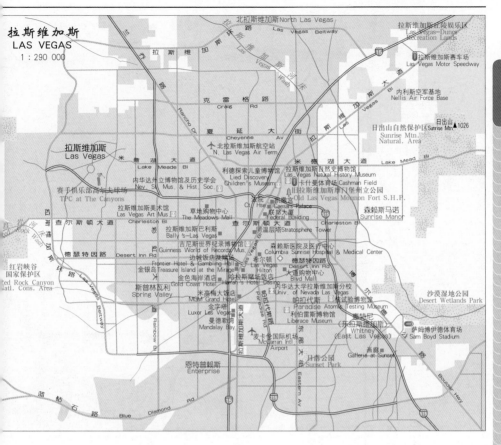

拉斯维加斯
LAS VEGAS
1:290 000

北拉斯维加斯 North Las Vegas
拉斯维加斯沙陵娱乐区 Las Vegas-Dunes Recreation Lands
拉斯维加斯赛车场 Las Vegas Motor Speedway
内利斯空军基地 Nellis Air Force Base
日出山自然保护区 Sunrise Mtn. Natural. Area 日出山 Sunrise Mtn. 1026
北拉斯维加斯航空站 N. Las Vegas Air Term.
拉斯维加斯 Las Vegas
利德探索儿童博物馆 Lied Discovery Children's Museum
拉斯维加斯自然史博物馆 Las Vegas Natural History Museum
内华达州立博物馆及历史学会 Nev. St. Mus. & Hist. Soc.
卡什曼体育场 Cashman Field
旧拉斯维加斯摩门堡州立公园 Old Las Vegas Mormon Fort S.H.P.
赛手俱乐部高尔夫球场 TPC At The Canyons
拉斯维加斯美术馆 Las Vegas Art Mus.
凯撒宫 Caesar's Palace
草地购物中心 The Meadows Mall
联邦大厦 Federal Building
森赖斯马诺 Sunrise Manor
查尔斯顿大道 Charleston Bl
拉斯维加斯巴利店 Bally's—Las Vegas
高温雷塔 Stratosphere Tower
查尔斯顿大道 Charleston Bl
吉尼斯世界纪录博物馆 Guinness World of Records' Mus.
森赖斯医院及医疗中心 Columbia Sunrise Hospital & Medical Center
德懋特因路 Desert Inn Rd
边境饭店及赌场 Frontier Hotel & Gambing Hall
希尔顿 Hilton
德懋特因路 Desert Inn Rd
金银店 Treasure Island at the Mirage
金色海岸酒店 Gold Coast Hotel
哈拉斯赌场饭店 Harrah's Hotel Casino
内华达大学拉斯维加斯分校 Univ. of Nevada Las Vegas
沙漠湿地公园 Desert Wetlands Park
斯普林瓦利 Spring Valley
米高梅大饭店 MGM Grand Hotel
帕拉代斯 Paradise
试验博物馆 Atomic Testing Museum
金字塔店 Luxor Las Vegas
利伯雷斯博物馆 Liberace Museum
惠特尼 Whitney (East Las Vegas)
萨姆博伊德体育场 Sam Boyd Stadium
曼德勒湾 Mandalay Bay
麦卡伦国际机场 McCarran Int. Airport
东拉斯维加斯 (East Las Vegas)
恩特普赖斯 Enterprise
画廊 Galleria at Sunset
日落公园 Sunset Park
红岩峡谷国家保护区 Red Rock Canyon Natl. Cons. Area

还基本上是沙漠荒原，只是铁路停靠的一个小站。1930年~1936年在距拉斯维加斯50千米的科罗拉多河上建成了著名的胡佛水坝，解决了当地的供水及电力问题，给本城的发展带来巨大的生机。1931年内华达州议会通过了允许建立赌业，增加税收以发展公共教育事业的法案，本市奇迹般地发展起来，成为远离各大城市荒漠中的赌博孤城。这里有世界最大的酒店群，昼夜通明，极尽豪华。这里有不同大小的表演场，邀请了世界顶级的歌唱

拉斯维加斯

家、舞蹈家、演员表演。这里还有各种艳舞秀。入夜在马路边有海盗船表演、火山爆发表演、舞蹈喷泉表演等，都是免费为游客提供的精彩娱乐活动。这里知名的大酒店都用不同的主题进行装修，游客不要错过参观游览的机会。酒店房间总数达12万间之多，其规模可见一斑。

里诺 Reno (A1)

人口约22万。位于本州西部。这里和拉斯维加斯一样因赌博和娱乐活动出名。城市很小而游客甚多，所以自诩为"世界上最大的小城"。由于城市位于特拉基河畔，紧靠风景秀美的塔霍湖，所以成为旅游滑雪之胜地。

根据内华达州法律规定，只要在拉斯维加斯和里诺居住6周，即可得到市民资格，有权在该市办理离婚手续。所以很多厌倦了其他各州离婚方面冗繁规定的人常常跑到这里办理离婚手续。这里又有"离婚之城"的称号。

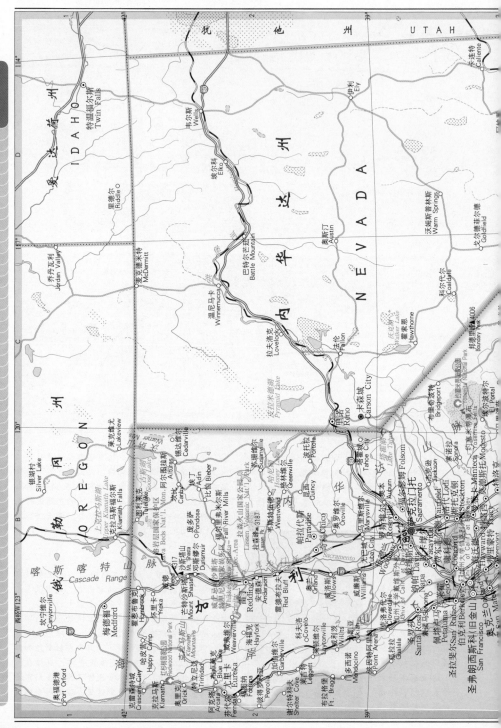

犹 他 州 UTAH

爱 达 荷 州 IDAHO

内 华 达 州 NEVADA

俄 勒 冈 州 OREGON

加 利 福 尼 亚 州

特温福尔斯 Twin Falls

里德尔 Riddle O

乔丹瓦利 Jordan Valley

银湖村 Silver Lake

坎宁维尔 Canyonville

梅德福 Medford

韦尔斯 Wells

埃尔科 Elko

麦克德米特 McDermitt

温尼马卡 Winnemucca

巴特尔山 Battle Mountain

拉夫洛克 Lovelock

奥斯汀 Austin

伊利 Ely

沃姆斯普林斯 Warm Springs

戈尔德菲尔德 Goldfield

科尔代尔 Coaldale

科尔维尔 Colville

法伦 Fallon

卡森城 Carson City

霍桑 Hawthorne

雷诺 Reno

塔霍城 Tahoe City

波特拉 Portola

克拉马斯福尔斯 Klamath Falls

图勒莱克 Tulelake

阿尔图拉斯 Alturas

比伯 Bieber

锡达维尔 Cedarville

埃迪 Adin

苏珊维尔 Susanville

格林维尔 Greenville

昆西 Quincy

马里斯维尔 Marysville

奥本 Auburn

罗斯维尔 Roseville

福尔瑟姆 Folsom

萨克拉门托 Sacramento

斯托克顿 Stockton

洛代 Lodi

曼特卡 Manteca

莫德斯托 Modesto

索诺拉 Sonora

杰克逊 Jackson

布里奇波特 Bridgeport

约塞米蒂国家公园 Yosemite Nat'l Park

韦斯特伍德 Westwood

帕拉代斯 Paradise

奇科 Chico

奥罗维尔 Oroville

红崖 Red Bluff

雷丁 Redding

安德森 Anderson

韦弗维尔 Weaverville

海福克 Hayfork

科维洛 Covelo

加伯维尔 Garberville

格伦 Glenn

威洛斯 Willows

奥兰 Orland

威廉斯 Williams

伍德兰 Woodland

戴维斯 Davis

费尔菲尔德 Fairfield

瓦卡维尔 Vacaville

康科德 Concord

奥克兰 Oakland

尤卡伊亚 Ukiah

威利茨 Willits

莱格特 Leggett

门多西诺 Mendocino

阿利纳角 Point Arena

瓜拉拉 Gualala

克洛弗代尔 Cloverdale

希尔兹堡 Healdsburg

圣罗萨 Santa Rosa

佩塔卢马 Petaluma

索诺马 Sonoma

圣拉斐尔 San Rafael

伯克利 Berkeley

圣弗朗西斯科(旧金山) San Francisco

圣马特奥 San Mateo

福图纳 Fortuna

费恩代尔 Ferndale

佩特罗利亚 Petrolia

希尔特湾 Shelter Cove

布拉格堡 Ft. Bragg

尤里卡 Eureka

阿尔卡塔 Arcata

特立尼达 Trinidad

奥里克 Orick

克拉马斯 Klamath

克雷森特城 Crescent City

奥福德港 Port Orford

喀斯喀特山脉 Cascade Range

Mount Shasta

威德 Weed

芒特沙斯塔 Mt. Shasta

邓斯缪尔 Dunsmuir

里弗米尔斯 Fall River Mills

拉森火山国家公园 Lassen Volcanic Nat'l Park

喀斯喀特山脉 Cascade Range

哈皮营 Happy Camp

耶雷卡 Yreka

沃纳山脉 Warner Mtns.

莱克维尤 Lakeview

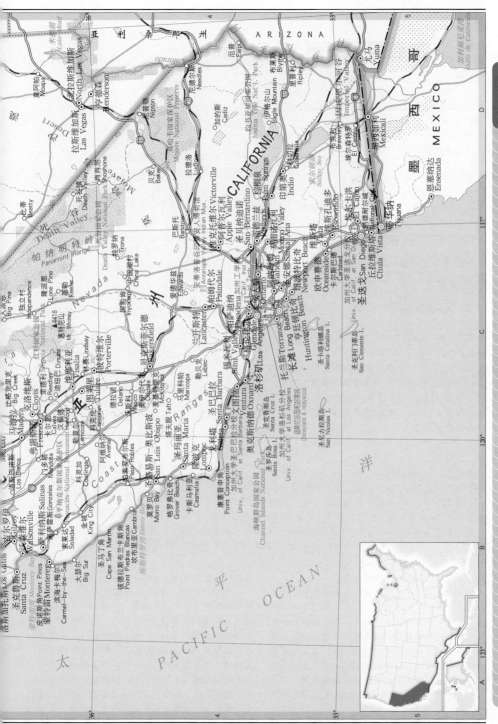

比例尺　1 : 5 000 000

加利福尼亚州 California

英文缩写:	CA
面积:	403,971平方千米
人口:	3,725万
州府:	萨克拉门托
面积排名:	第3位
加入联邦年代:	1850年
州花:	加利福尼亚金罂粟
州鸟:	珠颈翎鹑

　　位于美国西部，濒临太平洋。幅员辽阔，地理条件复杂，有沙漠、高山、草原、海滩等。本州中部加利福尼亚谷地是主要的农业区，物产丰饶。其北部为喀斯喀特山脉，西部沿太平洋岸线是海岸山岭，东部是内华达山脉。美国本土最高的山峰，海拔4,418米的惠特尼山(C3)位于内华达山脉的南部。美国陆上最低的谷地，海拔-86米的死谷(D3)，则在内华达山脉东南。两者相距还不到140千米。本州气候属地中海型气候，分为干湿两季，冬季多雨，夏季干燥，冬暖夏凉，深受人们的喜爱。但各地却差异很大，例如在东南部的沙漠中夏天温度可高达54℃，冬季在内华达山顶和北极一样寒冷。由于本州地处太平洋地震带，所以时有地震发生。其他自然灾害还有海啸、火山喷发等。

　　本州曾经是许多印第安人部落的居住地。1542年葡萄牙人卡布里罗受西班牙派遣来到这里，成为第一个来到本地区的欧洲人。1769年～1823年西班牙人在圣迭戈(D5)至索诺马(B3)一带设立了21个布道团，进行传教和扩张活动，使这里成了西班牙的殖民区。墨西哥独立后曾归属墨西哥。1848年经过美国、墨西哥战争，美国人占领了这一地区。同年本州许多地方发现金矿，使加利福尼亚成了黄金的代名词，人们从四面八方来此淘金。1850年建州，成为美国的第31个州。本州人口中白人约为61%、黑人约为6.1%、亚裔约为12.4%。按族裔划分，25%是墨西哥裔，德国、英国、爱尔兰后裔分别占9～7%，亚裔中有华人、韩国人、日本人等。印第安人占人口总数的0.7%，但人数却是各州中最多的。宗教信仰主要有基督教、犹太教、伊斯兰教、佛教等。

　　本州经济发达，好莱坞、硅谷等蜚声世界。好莱坞是世界上最大的电影中心。硅谷是美国重要的电子工业基地，也是世界著名的电子工业集中地，现在硅谷已成为世界各国半导体工业聚集区的代名词。农业产值遥遥领先于其他行业。蔬菜、水果、葡萄及葡萄酒产量位居全国前茅，沿海水产丰富。其后则是航天、娱乐(电视、电影、音像)、计算机硬件、软件和矿产。2009年国民生产总值为18,845亿美元(排各州第一，占全国国民生产总值13%)，人均5.06万美元。

　　本州交通发达，主要高速公路有I—5、I—8、I—15、I—10、等；洛杉矶国际机场、圣弗朗西斯科(旧金山)国际机场是全美最大机场之一；洛杉矶、长滩、奥克兰是世界知名的大港。全州有近百所大学，其中有斯坦福大学(B3)、加利福尼亚大学(B3)等名校。

州府萨克拉门托 Sacramento (B3)

　　人口约46.6万。位于本州中北部萨克拉门托河和亚美利加河的汇合处。1848年规划修建居民点，后来发展成为城市。同年马歇尔在附近的亚美利加河畔发现黄金，城市迅速发展。1854年定为州府。其后加利福尼亚铁路修通，这里发展成为铁路、公路、水运的枢纽。1963年建成通往旧金山的运河，本城成为直接入海的深水港。现本城仍为农产品交易中心，航空航天工业也很发达。

圣弗朗西斯科(旧金山) San Francisco (B3)

　　人口约82万。位于本州西部的太平洋和圣弗朗西斯科湾之间的半岛上，三面环水，是优良的海港。金门大桥建于1937年，向北连接了101号公路，主跨长1,280米，净高81米，是世界建桥史上的奇观。另一座横跨圣弗朗西斯科湾的大桥则是80号高速公路的咽喉，使圣弗朗西斯科和奥克兰相连，长13.3千米。城区建在40个小山上，地势起伏，使本城有"垂直城市"之称。这里气候温和，四季如春，鲜花盛开，海湾区是全

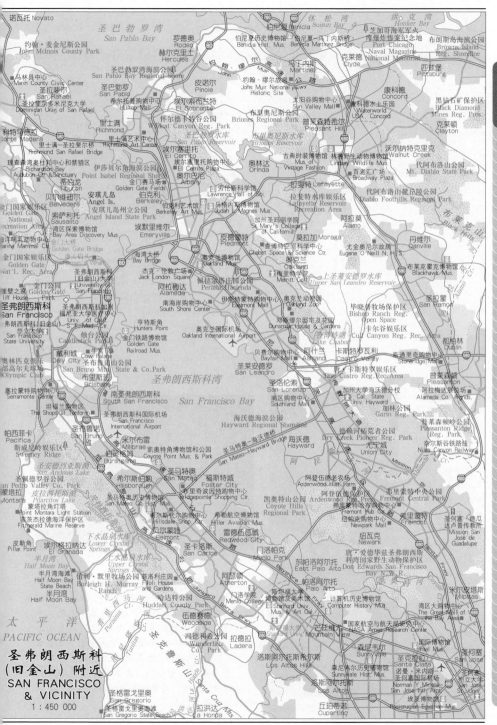

圣弗朗西斯科
（旧金山）附近
SAN FRANCISCO
& VICINITY
1:450 000

加利福尼亚州

圣弗朗西斯科(旧金山)市中心
SAN FRANCISCO CENTER
1:85 000

金门大桥 Golden Gate Bridge
堡角国家历史纪念地 Fort Point National Hist. Site
圣 弗 朗 西 斯 科 湾
水上公
Aquatic
金门国家娱乐区 Golden Gate Nat'l. Rec. /Area
圣弗朗西斯科游艇俱乐部 St. Francis Yacht Club
金门游艇俱乐部 Golden-Gate Yacht Club
吉拉尔 Ghirar
金门国家娱乐区总 GGNRA Hdqtrs.
戈弗雷炮台 Battery Godfrey
金门休闲区 Golden Gate Promenade
探索馆 Exploratorium
San Franc
炸药炮台 Battery Dynamite
美术馆 Palace of Fine Arts
莫斯科恩娱乐中心 Moscone Rec. Center
克罗斯比炮台 Battery Crosby
旧金山国家墓地 San Francisco National Cemetery
普雷西迪奥博物馆 Presidio. Museum
旅店 Travelodge
吠檀多寺庙(印度教) Vedanta Temple (Hindu)
贝克滩 Baker Beach
圣母利亚教堂 St. Mary the Virgin
太平洋高地 Pacific Heights
拉斐特公 Lafayette l
太 平 洋
PACIFIC OCEAN
南 湾
South Bay
阿圭洛门 Arguello Gate
普雷西迪奥公园 Presidio of San Francisco
普雷西迪奥高地 Presidio Heights
阿尔塔广场 Alta Plaza
地角 Lands End
中国滩 China Beach
山湖 Mountain Lake
黑尔医院 M. Hale Memorial Hospital
加 利 福 尼 亚 州
日本城 Japantown
林肯公园 Lincoln Park
锡克利夫 Seacliff
山湖公园 Mountain Lake Park
伊曼纽尔犹太教堂 Temple Emanu-El
旧金山消防博物馆 San Francisco Fire Dept. Mus.
俄罗斯文化博物馆 Mus. of Russian Culture
圣玛丽亚教堂 St. Mary's Cathedral
西米利堡 West Fort Miley
荣誉勋位宫 Palace of the Legion of Honor
加利福尼亚街 California St.
苏特罗浴池遗址 Sutro Baths
退伍军人医疗中心 V. A. Medical Center
圣母教堂 Holy Virgin Cathedral
圣弗朗西斯科(旧金山)大学 University of San Francisco
西阿迪申 Western Addition
太平洋海岸医院 Pacific Coast Hospita
海豹岩旅馆 Seal Rock Inn
旧金山图书馆安扎分馆 San Francisco Library Anza Branch
吉里 里士满 Richmond
罗西公园 Rossi Park
崖室之家 Cliff House
外里士满 Outer Richmond
巴尔博亚街 Balboa St.
圣伊格内修斯教堂 St. Ignatius Church
阿拉莫广场 Alamo Square
苏特罗公园 Sutro Heights Park
富尔顿街 Fulton St.
圣玛丽医疗中心 St. Mary's Medical Center
加州大学附属校区 Univ. of Calif. Exten
富尔顿街 Fulton St.
亚洲艺术博物馆 Asian Art Museum
温室 Conservatory
维多利亚旅馆 Victoria Inn on the Park
非洲正教教堂 African Orthodox Church
大洋滩 Ocean Beach
北湖 North Lake
金门公园 Golden Gate Park
彩虹瀑布 Rainbow Waterfall
马球场 Polo Fields
斯托湖 Stow Lake
草莓山 Strawberry Hill
莎士比亚花园 Shakespeare Garden
加州科学院 California Academy of Sciences
比尤纳维斯塔公园 Buena Vista Park
美国造币厂 United States
富尔顿街 Fulton St.
中湖 Middle Lake
金门公园体育场 Golden Gate Park Stadium
加州太平洋医疗中心戴维斯分会 California Pacific Med. Ctr., Davies Car
科罗纳海茨公园 Corona Heights Park
兰德尔博物馆 Randall Museum
墨菲风车 Murphy Windmill
林肯路 Lincoln Way
林肯路 Lincoln Way
多洛雷斯传教所公园 Mission Dolores Park
日落区 Sunset
加利福尼亚大学(医学中心) Univ. of California at San Francisco (Med. Ctr.)

美地价最贵的住宅区之一。

1772年西班牙人在此建要塞。1848年当地发现金矿,大批移民蜂拥而至,大批华人"契约劳工"到此挖金矿、修铁路。他们称此为"金山"。10年后澳大利亚发现新金矿,大批华人又去那里,所以此地改名为"旧金山"。本市以其濒临太平洋的良港优势成为美国对东方贸易的主要口岸,四周的金矿又使其发展成为金融中

金门大桥

金门公园温室

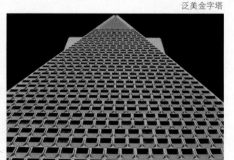
泛美金字塔

心。1906年这里曾发生大地震,并引发大火,城市几乎完全被毁,但很快重建。1915年为庆祝本城的重建和巴拿马运河的开通两大盛举在此召开万国博览会。其后这里又发生6次强震,造成巨大损失,但市中心的美洲银行、加州银行、联合银行总部等摩天大楼却安然无损,足见其防震程度。

美国最大的中国城、著名的金门大桥及金门公园都在这里。圣弗朗西斯科南部的圣克拉拉是著名的硅谷所在地。

联邦大厦

乐团经常在这里举办星光演奏会。

贝弗利山庄是毗邻好莱坞的高尚住宅区，也是好莱坞明星居住的地方。著名的加利福尼亚州立大学洛杉矶分校也在这里。

迪斯尼乐园位于本市以东57千米的阿纳海姆，创办人为电影制片人、动画片作家迪斯尼(1901.12.5～1966.12.15)。20世纪50年代他以丰富的想象力，创建了迪斯尼乐园。自此这里就成为世界著名的娱乐中心，每年吸引上千万游客。乐园中主要分为冒险园(在热带雨林的大象、犀牛中冒险)、边疆园(在霹雳山的矿井中穿行，在马克·吐温的游轮上航行)、童话园(进入《白雪公主》等著名动画片的世界)、未来园(经历最富刺激的太空飞行、星球大战)。每晚在主街上有迪斯尼游行和焰火晚会。

迪斯尼加利福尼亚冒险公园 是2001年开创的新园。以加州的风光景点为基础，分为三个主题公园：天堂码头、好莱坞电影、黄金州。

洛杉矶 Los Angeles (C4)

人口约383万。位于本州南部，是美国第二大城市和海港，本州的最大城市。1769年西班牙布道团到这里传教。1781年建市。1821年归属墨西哥。1850年美国、墨西哥战争后成为美国城市。加州的"淘金热"、南太平洋铁路的修通、太平洋港口的建设、以及南加州有利健康的气候，使城市飞速发展。1892年城区处处发现石油，使本城发展长上了新的翅膀。电影出现后，本城的好莱坞很快成为世界银屏中心。

好莱坞位于洛杉矶西北部。1896年爱迪生发明第一架电影机后，美国电影事业迅速发展，开始纽约和新泽西是电影制作的中心。由于当时的拍摄都靠日光进行，所以纽约和新泽西每年1/3以上的阴雨天都不能拍片。洛杉矶充足的阳光和多彩多姿的外景吸引了东部的电影工作者，至20世纪20年代，20家制片公司都来这里拍片。这里便成了电影业的圣地。好莱坞大道是好莱坞的中心，那里的星光步行道记述了影视业发展的历史。环球影城是环球电影公司利用巨大的摄影棚改造的游乐中心。好莱坞山下的"好莱坞露天剧场"是可容纳2万人的露天剧场，洛杉矶交响

市政厅

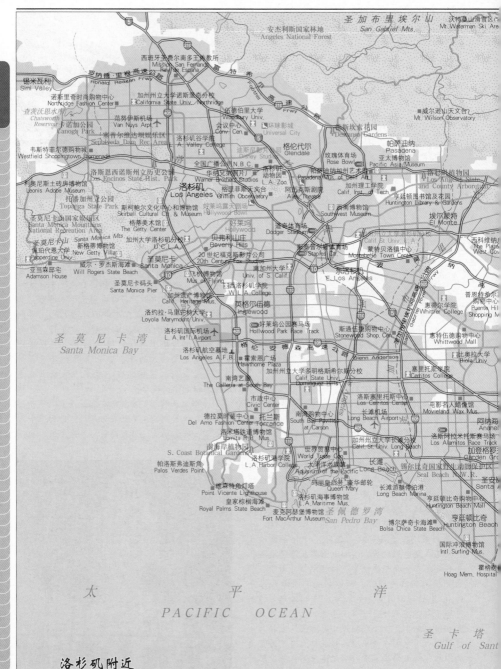

洛杉矶附近
LOS ANGELES & VICINITY
1 : 580 000

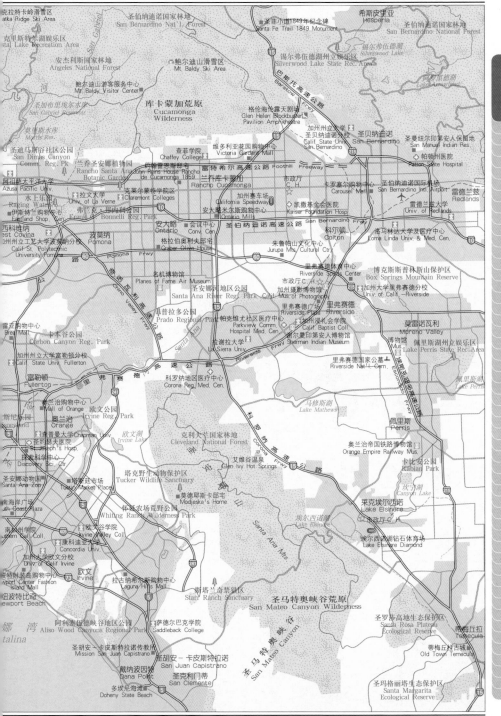

加利福尼亚州

洛杉矶市中心
LOS ANGELES CENTER
1:38 000

圣迭戈
SAN DIEGO
1:252 000

圣迭戈 San Diego (C5)

人口约131万。是本州第二大城市、重要港口。城市三面环海，四季如春，距墨西哥只有25千米，是重要旅游胜地。白人到达之前这里曾经是10万印第安人集居的地区。1542年西班牙派遣的探险家从墨西哥来到这里，这里遂成为西班牙扩张的据点和布道团的基地。1821年墨西哥独立后，从西班牙手中继承这一地区。1825年成为墨西哥控制的圣迭戈边区首府，以现在的老城为中心。1845年墨西哥由于得克萨斯问题同美国断交。次年发生美国、墨西哥战争，本地归属美国。第二次世界大战至今这里一直是重要的海军基地。市内公园众多，市中心的巴尔博亚公园是1915年、1935年~1936年世界博览会旧址；圣迭戈动物园有4,000多只动物在近乎自然的生活条件下展出；海洋世界有全美最好的水族展览和表演。

库雷岛 中途岛 Kure I. Midway Is.
珀尔-赫米斯礁 Pearl and Hermes Atoll
夏 威
太 夷 群
利相斯基岛 Lisianski I.
莱桑岛 Laysan I.
岛 平
马罗礁 Moro Reef
加德纳岛 Gardner
内克岛 Necker I. 洋
北回归线 Tropic of Cancer
H A W A I I
Hawaiian Is.
尼华岛 Nihoa
尼豪岛 Niihau
考爱岛 Kauai
瓦胡岛 Oahu
Pearl Harbor
火奴鲁鲁 (檀香山) Honolulu
拉奈岛 Lanai
莫洛凯岛 Molokai
毛伊岛 Maui
卡霍奥拉韦岛 Kahoolawe
20°
希洛 Hilo
PACIFIC OCEAN
20°
夏威夷岛 Hawaii

夏威夷州
HAWAII
1:25 000 000

西经W170°
东经E180°西经W
160°
夏威夷火山国家公园 Hawai Volcanoes National Park **卡拉埃角** Ka Lae Cape

楚科奇海 CHUKCHI SEA
波因特莱 Point Lay
波因特霍普 Point Hope
基瓦利纳 Kivalina **诺阿塔克** Noatak
克鲁森施滕角国家纪念地 Cape Krusenstern Nat'l Mon. **科策布** Kotzebue
Kobuk Nat'l
科策布湾 Kotzebue Sound
希什马廖夫 Shishmaref
基安纳 Kiana
威尔士 Wales
威尔士亲王角 Cape Prince of Wales
白令海峡
Bering Str.
苏厄德半岛 Seward Peninsula
科尤克 Koyuk
特勒 Teller
戈洛文 Golovin
诺姆 Nome
尤纳拉克利特 Unalakleet

62°
168°
174°

俄 罗 斯
RUSSIA

阿纳德尔湾 Anadyrskiy Zal.

甘伯尔 Gambell
萨文格 Savoonga
圣劳伦斯岛 St. Lawrence Island

科特利克 Kotlik
诺 顿 湾
Norton Sound
圣迈克 St. Mich
安维克 Anvik
谢尔登波因特 Sheldon Point
霍利克罗斯 Holy Cross
派勒特站 Pilot Sta.
胡珀贝 Hooper Bay
俄罗斯米申 Russian Mission
图努纳克 Tununak
贝塞尔 Bethel
奎斯 Kwet
56°
圣马修岛 St. Matthew Island
梅科尤克 Mekoryuk
基普努克 Kipnuk
伊克 Eek
孔吉加尼克 Kongiganak
努尼瓦克岛 Nunivak I.
古德纽斯贝 Goodnews Bay
托贾克 Togiak

白 令 海
BERING SEA

圣保罗岛 St. Paul I.
布里斯托尔湾 Bristol Bay

兰格尔角 Cape Wrangel **阿图岛** Attu I.
阿
留
普里比洛夫群岛 Pribilof Islands
圣乔治岛 St. George I.
内尔森勒贡 Nelson Lagoon
尼尔群岛 Near Islands
申
阿加图岛 Agattu I.
科尔德贝 Cold Bay
金科夫 King Cove
基斯卡岛 Kiska I. **拉特群岛** Rat Islands
群
希沙尔丁火山 Shishaldin Volcano 2857
福尔斯帕斯 False Pass
拉特岛 Rat I.
塔纳加岛 Tanaga I.
埃达克岛 Adak I.
阿特卡岛 Atka I.
乌尼马克岛 Unimak Island
岛
Aleutian Is.
福克斯群岛 Fox Islands
乌纳拉斯卡 Unalaska
阿姆奇特卡岛 Amchitka I.
50°
四山群岛 Islands of Four Mountains
阿特卡 Atka
乌纳拉斯卡岛 Unalaska Island
卡纳加岛 Kanaga I.
尼科尔斯基 Nikolski
奥姆纳克火山 Okmok Volcano 1069
乌姆纳克岛 Umnak Island
阿姆利亚岛 Amlia I.
安德列亚诺夫群岛 Andreanof Islands
太

B
180°
C
174°
D
168°
E
162°

比例尺　1 : 13 700 000

阿拉斯加州 Alaska

英文缩写:	AK
面积:	1,477,268平方千米
人口:	71万
州府:	朱诺
面积排名:	第1位
加入联邦年代:	1959年
州花:	毋忘我花
州鸟:	柳雷鸟

位于北美洲的最西北角，纬度很高，地近北极。落基山脉从加拿大向西延伸，经本州南部后折向西南入海，形成阿留申群岛。落基山脉的最高峰麦金利山(G2)，海拔6,194米，即位于本州。本州地理景观多样。中南和东南地区，气候温和降水丰富，多森林、冰川，集中了本州主要城镇和绝大部分人口。北部地区靠近北极，降水较少，但冰雪终年不化，人烟稀少，石油储量丰富。西部、北部沿海地区，南起诺姆(E2)，北到巴罗(F1)散布着300多个原住民村落。巴罗是美国最北的镇。阿留申群岛多火山。本州海岸(海岛)线总长5.4万千米，占全国一半以上。

这里的土著居民为印第安人、因纽特人和阿留申人，是一万多年以前的冰河时期经白令海峡从亚洲迁徙来的。1741年丹麦航海家维特斯·白令受沙皇彼得一世派遣，率俄国探险队登上阿拉斯加。1784年起俄国在此殖民。1799年归属俄国。1854年俄国在同英法等国的克里米亚战争中失利，害怕阿拉斯加会被英国夺走，遂以720万美元的价格将这片土地卖给了美国。1881年前后在朱诺、克朗代克、诺姆等地发现金矿，掀起淘金热。第二次世界大战期间美国在本州许多地区建立军事基地，突显出了本州战略地位的重要性。1959年建州，成为美国第49个州。后来又在北部海湾等地发现大油田，并于1977年铺设了纵贯阿拉斯加全长1,300千米的输油管线，从瓦尔迪兹(H3)港输出原油。本州人口中白人约为75%，德国、爱尔兰后裔居多，印第安等原住民约为16.5%，亚裔约为5.9%。居民中82%信仰基督教，10%信仰佛教。

2009年国民生产总值为467亿美元，人均6.58万美元。石油、天然气、交通等工业产值占80%以上。农林业产值较少。旅游业是本州的主要收入之一。本州65%的土地属联邦所有，24.5%属州所有。州内的国家公园、国家林地、国家野生动物保护区数量全国第一。

本州人烟稀少，公路自成体系，只有1号～4号数条道路。很多镇、村只能靠小飞机、小船或雪橇、狗拉爬犁到达。但是安克雷奇国际机场却是世界货物吞吐量最大的机场之一。从苏厄德(H3)向北经安克雷奇(H3)、费尔班克斯(H2)、到北极村(H1)仅从北部地区就运来了大批的资源，还是很好的旅游观光线路。

本州的高等学校有1917年建于费尔班克斯的阿拉斯加大学(H2)等，另外还有一些社区学院。

麦金利山

冰川

州府朱诺 Juneau(J3)

人口约1.7万。位于本州东南部，曾为主要金矿区。1944年金矿关闭后则以捕鱼、林业及旅游业为主。当地气候温和，市容整洁，市内多水道桥梁，有"小旧金山"之称。

安克雷奇 Anchorage (H3)

人口约29万。位于本州南部的港口城市，也是北美至远东航空线的中转站，为本州最大的城市和商业中心。经济以国防工程、石油和旅游为主。城市附近有著名的滑雪区。

夏威夷州 Hawaii

英文缩写：	HI
面积：	16,636平方千米
人口：	136万
州府：	火奴鲁鲁(檀香山)
面积排名：	第47位
加入联邦年代：	1959年
州花：	木槿
州鸟：	夏威夷雁

位于太平洋中部，距美国本土3,700千米，由132个火山岛组成。其中8个主要火山岛是：尼豪岛、考爱岛、瓦胡岛、莫洛凯岛、拉奈岛、卡霍奥拉韦岛、毛伊岛、夏威夷岛。以夏威夷岛最大，首府则位于瓦胡岛上的火奴鲁鲁(檀香山)。从纬度上说，夏威夷是美国地理位置最南的州。由于火山不断喷发，其火山岩浆不断堆积，其面积也在不断增加。至今夏威夷岛上的火山仍在频频活动，其他几个主要岛上的火山近百年已无活动。夏威夷州地处热带，但受所在海域的调节，气候却很温和，夏天很少超过27℃，冬天一般为16℃，只有高山顶上才有降雪。火山灰使当地土地非常肥沃，加上充沛的降水，所以这里植物繁茂，海鸟、昆虫、蛾蝶、花卉种类繁多。沙滩洁静，海水碧兰，棕榈茂盛，多山溪、飞瀑、彩虹，是闻名世界的旅游胜地。

大约公元500年～900年间，波利尼西亚人从南太平洋的塔希提岛等地乘独木舟飘流到此定居。1782年卡米哈米哈一世在夏威夷岛兴起，并于1810年统一全群岛，建立夏威夷王国。1840年卡米哈米哈三世制定宪法，美、英、法三国承认夏威夷的独立地位。1887年美国在群岛强行推行新宪法，限制卡米哈米哈国王的权利，后来囚禁夏威夷女王，并于1898年吞并该地区。1959年该地成为联邦第50个州。1993年克林顿总统为100年前推翻夏威夷王国一事发表道歉书。19世纪中叶以后，大量的移民来自中国、日本、朝鲜、菲律宾等地。这些移民及其后裔的人数已大大超过波利尼西亚人。全州80%人口聚居在瓦胡岛。由于每年都有大量的游客(特别是日本游客)到来，使这里的生活指数变得很高，成为全美生活消费最高的地区之一。居民人口中白人约占41%，原住民约占22%，其余多为亚洲移民。居民中68%信仰基督教，10%信仰佛教。岛上多种文化并存，但又保持了波利尼西亚文化的传统。这里的草裙舞，又叫呼拉舞，最初是当地土著敬神的舞蹈，训练极为严格，现在已成为当地综合文化的重要内容。

2009年国民生产总值为657亿美元，人均4.83万美元。海洋运输是这里的生命线。主要的空港位于火奴鲁鲁(檀香山)及夏威夷岛上的希洛。这里还是美国的海空军基地，联邦政府的国防开支为本州最大的经济来源。

公路主要有I—1、I—2、I—3、I—201，都在瓦胡岛上。旅游收入占比例很高。

州府火奴鲁鲁(檀香山) Honolulu

人口约37万。是夏威夷州的最大城市及港口。位于瓦胡岛的东南岸，是横跨太平洋海空运输和海底电缆的中枢站，以及群岛内的交通枢纽和政治、经济、文化中心。城市以港口为中心，市区有伊奥拉尼宫、夏威夷大学等。旅游区主要在怀基基滩，那里现代化的饭店林立。中国革命的伟大先驱孙中山先生青年时曾在这里求学，并组织了兴中会。

火奴鲁鲁(檀香山)

伊奥拉尼宫　　　　　　草裙舞竞赛者

夏威夷岛 Hawaii

　　人口约12万。面积10,414平方千米，是群岛中面积最大和最南端的岛。岛上的夏威夷火山国家公园，以世界上最大的活火山基拉韦厄火山为中心，是人们观赏和研究火山的基地。由于这里的火山不是爆炸型的，而是溢出型的，所以相对安全；加之当地土著人认为火山是他们最崇拜的女神，威力无比的皮拉的住所，这里的人们遇到火山爆发不是躲避，而是接近，并观赏大自然的威

力。所以越来越多的游客也到此观察火山活动的壮观。

夏威夷风光

瓦胡岛
OAHU
1：460 000

夏威夷岛
HAWAII
1：120 000

太 平 洋
PACIFIC OCEAN

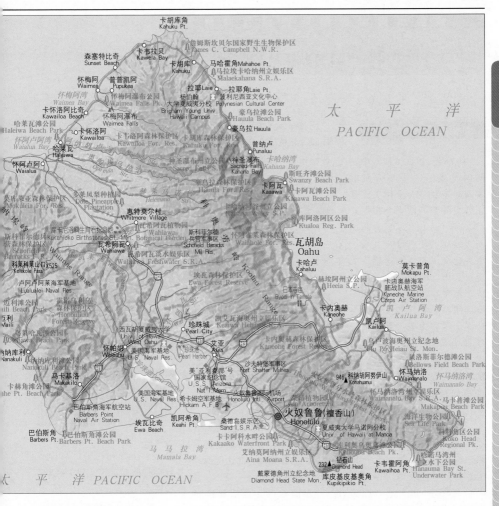

太 平 洋
PACIFIC OCEAN

卡胡库角
Kahuku Pt.

詹姆斯坎贝尔国家野生生物保护区
James C. Campbell N.W.R.

卡韦拉贝
Kawela Bay

森塞特比奇
Sunset Beach

卡胡库
Kahuku

马哈霍角
Mahaohe Pt.

怀梅阿
Waimea

普普凯阿
Pupukea

马拉埃卡哈纳州立娱乐区
Malaekahana S.R.A.

怀梅阿瀑布公园
Waimea Falls Pk.

拉耶 Laie

拉耶角 Laie Pt.

卡伊洛阿海滩
Kawailoa Beach

怀梅阿瀑布
Waimea Falls

杨伯翰
大学杨威夷分校
Brigham Young Univ.
Hawaii Campus

波利尼西亚文化中心
Polynesian Cultural Center

豪乌拉滩海公园
Hauula Beach Park

哈莱瓦角公园
Haleiwa Beach Park

卡怀洛阿
Kawailoa

豪乌拉 Hauula

怀阿卢阿湾
Waialua Bay

哈莱瓦
Haleiwa

卡怀洛阿森林保护区
Kawailoa For. Res.

卡胡库森林保护区
Kahuku Forest Res.

普纳卢
Punaluu

卡哈纳湾
Kahana Bay

怀阿卢阿
Waialua

神圣瀑布州立公园
Sacred Falls S.P.

神圣瀑布
Sacred Falls

斯旺齐海滩公园
Swanzy Beach Park

太 平 洋
PACIFIC OCEAN

奥库莱亚森林保护区
Mokuleia For. Res.

多莱凤梨种植园
Dole Pineapple
Plantation

赫莱马诺
Helemano

豪乌拉森林保护区
Hauula For. Res.

卡阿瓦 Kaaawa

卡阿瓦海滩公园
Kaaawa Beach Park

惠特莫尔村
Whitmore Village

卡内奥赫谷州立公园
Kaneohe Valley S.P.

库阿洛阿区公园
Kualoa Reg. Park

斯科菲尔德军营石纪念地
Kukaniloko Birthstones St. Mon.

瓦希阿瓦植物园
Wahiawa Botanical Garden

斯科菲尔德兵营军事区
Schofield Barracks Mil. Res.

怀阿霍雷森林保护区
Waiahole For. Res.

瓦希阿瓦
Wahiawa

瓦胡岛
Oahu

瓦艾厄雷山脉
Waianae Range

希阿瓦淡水娱乐区
Wahiawa Freshwater S.R.A.

卡哈卢
Kahaluu

莫卡普角
Mokapu Pt.

科莱科莱山口×525
Kolekole Pass

埃瓦森林保护区
Ewa Forest Reserve

库劳山脉
Koolau Range

比约迪寺
Byodi-in Temple

赫埃阿州立公园
Heeia S.P.

卡内奥赫陆战队队航空站
Kaneohe Marine
Corps Air Station

卢阿卢阿莱海军基地
Lualualei Naval Res.

凯卢阿湾
Kailua Bay

迈利海滩公园
Maili Beach Park

卡内奥赫
Kaneohe

凯卢阿
Kailua

迈利
Maili

火奴鲁鲁森林保护区
Honouliuli
Forest Reserve

珍珠城
Pearl City

凯艾瓦海奥州立历史公园
Keaiwa Heiau S.P.

卡内夏赫森林保护区
Kaneohe Forest Res.

乌卢波海奥州立纪念地
Ulu Po Heiau St. Mon.

纳纳库利
Nanakuli

西瓦胡夏威夷大学
Univ. of Hawaii
West Oahu

艾亚
Aiea

贝洛斯菲尔德滩公园
Bellows Field Beach Park

纳纳库利海滩公园
Nanakuli Beach Park

怀帕胡
Waipahu

美国海军基地
U.S. Naval Res.

珍珠港
Pearl Harbor

怀马纳洛
Waimanalo

怀马纳洛湾
Waimanalo Bay

马卡基洛
Makakilo

美"亚利桑那"号
国家纪念馆
Nat'l M'm'l

美国海军基地
U.S. Naval Res.

沙夫特堡军事区
Fort Shafter Mil Res.

946
科纳胡阿努伊
Konahuanui

怀马纳洛州立娱乐区
Waimanalo Bay S.R.A.

马卡普海滩公园
Makapuu Beach Park

卡赫角海滩公园
Makaha Pt. Beach Park

美国海军基地
U.S. Naval Res.

"亚利桑那"号
U.S.S. Arizona

希卡姆空军基地
Hickam A.F.B.

火奴鲁鲁国际机场
Honolulu Intl. Airport

海洋生物公园
Sea Life Park

巴伯斯角海军航空站
Barbers Point
Naval Air Station

凯阿希角
Keahi Pt.

火奴鲁鲁(檀香山)
Honolulu

夏威夷大学马诺阿分校
Univ. of Hawaii at Manoa

科科角
Regional Pk.

巴伯斯角
Barbers Pt.

巴伯斯角滩公园
Barbers Pt. Beach Park

埃瓦比奇
Ewa Beach

桑德岛娱乐区
Sand I.S.R.A.

卡卡阿科水畔公园
Kakaako Waterfront Park

凯卢阿奥奥隆海滩公园
Kailua Beach Pk.

哈洛马湾州
水下公园
Hanauma Bay St.
Underwater Park

马马拉湾
Mamala Bay

阿伊纳莫阿纳州立娱乐区
Aina Moana S.R.A.

钻石山
232 Diamond Head

卡韦霍角
Kawaihoa Pt.

戴蒙德角州立纪念地
Diamond Head State Mon.

库皮基皮基奥角
Kupikipikio Pt.

太 平 洋 PACIFIC OCEAN

瓦胡岛 Oahu

人口约91万。占全州人口的80%。每年接待游人100多万。本岛面积1,574平方千米，是群岛的第3大岛。火奴鲁鲁(檀香山)以西10千米的珍珠港是著名的军事基地。1941年12月7日，日本出动350架飞机偷袭该港，使美国太平洋舰队的主力全部被摧毁，引发了太平洋战争。如今在港内沉船处建有纪念碑及美"亚利桑那"号国家纪念馆、犹他战舰纪念馆。在"亚利桑那"号国家纪念馆旁边则是"密苏里"号巡洋舰。1945年9月2日日本在该舰上签字投降，标志着第二次世界大战的结束。波利尼西亚文化中心位于本岛的北部，保留

并展出太平洋岛国的文化。在那里人们可以欣赏土著的舞蹈及乘独木舟享受水面的祥和。

卡阿纳帕利滩

附录 Appendix

★ 美国与中国的关系

1978年12月16日，中美两国发表了《中华人民共和国和美利坚合众国关于建立外交关系的联合公报》。1979年1月1日，中美两国正式建立大使级外交关系。中美建交以来，两国领导人多次互访，两国在政治、经济、教育、文化、科技和军事等领域广泛开展了交流与合作。尽管中美关系的发展过程中曾经受到过一些干扰，但总体上保持着改善与发展的势头。近年来，两国关系保持稳定并取得新进展。

根据中国海关总署统计，2011年中美货物贸易额达4,466.5亿美元，同比增长15.9%；其中中国对美出口额3,245亿美元，同比增长14.5%，中国自美进口额1,222亿美元，同比增长19.6%，中方顺差2,023亿美元。中美互为第二大贸易伙伴，美国是中国第二大出口市场、第六大进口来源地。据中国商务部统计，截至2011年底，美国对华投资项目累计61,068个，美方实际投资676亿美元。中国企业在美直接投资约60亿美元。

近年来，中美两国在文化领域的交流与合作开展得更加广泛和深入，在科技、环保、能源等领域的合作继续加强，两国在军事领域开展了交流与合作。

★ 美国的八大地区

新英格兰地区，包括康涅狄格、缅因、马萨诸塞、新罕布什尔、罗得岛、佛蒙特6州；

中东部地区，包括特拉华、哥伦比亚特区、马里兰、新泽西、纽约、宾夕法尼亚5州1特区；

大湖地区，包括伊利诺伊、印第安纳、密歇根、俄亥俄、威斯康星5州；

大平原地区，包括艾奥瓦、堪萨斯、明尼苏达、密苏里、内布拉斯加、北达科他、南达科他7州；

东南地区，包括亚拉巴马、阿肯色、佛罗里达、佐治亚、肯塔基、路易斯安那、密西西比、北卡罗来纳、南卡罗来纳、田纳西、弗吉尼亚、西弗吉尼亚12州；

西南地区，包括亚利桑那、新墨西哥、俄克拉何马、得克萨斯4州；

落基山地区，包括科罗拉多、爱达荷、蒙大拿、犹他、怀俄明5州；

远西部地区，包括阿拉斯加、加利福尼亚、夏威夷、内华达、俄勒冈、华盛顿6州；

★ 普通教育和高等教育

按照美国的宪法及有关法律规定，州政府负责该州的教育，联邦政府可参与教育经费的预算，但不能直接管理。所以美国的教育类型较多，各州、各地并不统一。除了公立的学校外，还有很多私立学校。而且不少私立学校的教学质量还相当高，吸引了很多优秀学生。当然，这些私立学校的费用也很高。总体说来，美国的强制性义务教育对6岁～18岁的青少年施行。美国的小学通常是1年级～6年级，很多学校设1年级～8年级的课程，包括了小学和初中。高中一般都是独立设校，设9年级～12年级的课程。

美国共有本科大学2,819所（本科大学多有研究生院），两年制大学2,657所。美国的高等教育也是由州政府负责，因此各州的教育政策与施行方式均不相同，具多样性且选择多。除了公立的高等学校外，也有很多私立学校，而且很多名校都是私立学校。在美国差不多所有的学院和大学，都是由校董会来管理。公立大学的校董或由选民投票选举或由州长任命；私立大学则由有关机

附录

构遴选。不论公立或私立大学的校董通常都是有声望且对校方有特殊贡献的人物担任，他们对学校的各项决策都有相当的影响力。

美国的高等学校可分为二年制社区大学/学院、四年制大学/学院、研究生院(包含硕士、博士等课程)。全美共有二年制社区大学/学院2,600多所，四年制大学/学院或研究生院2,800多所。

二年制社区大学类似于中国的大学专科。主要是由当地的政府、工商业及社区团体合作，在各地区就近提供高等教育。学费较便宜，课程较职业导向，多以小班教学。在美国高中毕业后，也可根据个人的经济情况、学习兴趣等，选择此类大学，念完后取得副学士学位，即可转学至四年制大学继续学习，也可直接进入就业市场。

四年制大学/学院有些为独立的学校，但也有些是属于大学的一部份。大学可说是由几个学院组成。通常设置自然科学及社会人文科学的课程。学生修业四年(某些学科须修业五年)，完成所需的学分数且成绩合格者，将得到学士学位。

研究生院设置硕士、博士等课程。大部分的硕士课程需要到课堂听课。根据要求可通过写论文、交报告或修满一定的学分取得硕士学位。攻读博士学位最重要的是要有独创性的研究，一般来说在取得硕士后还要三年多才可完成。通常申请博士学位需先有硕士的资格，但有些学校也接受学士直接攻读博士。博士研究生必需先修完所须的学分，通过资格考试和口试，最后通过论文答辩后才能得到博士学位。

在美国高中毕业时通常要参加SAT(学业评定测试 Scholastic Assessment Test)考试，有些州则要参加ACT(美国大学测试American College Test)考试，SAT和ACT成绩是美国中学生进入大学的重要依据。

★ 美国有名的大学

常春藤盟校

是指美国东北部的8所私立大学，即哈佛大学、普林斯顿大学、耶鲁大学、哥伦比亚大学、康奈尔大学、布朗大学、宾夕法尼亚大学、达特茅斯学院。这8所大学始终走在美国高等教育的最前列，有着各自不同、鲜明的办学特点。在《美国新闻与世界报导》周刊每年公布的排行榜中，8所常春藤盟校全部在前14名，前三名大多是哈佛、普林斯顿、耶鲁。

起初"常春藤盟校"这个名称跟学术没有什么关系。它起源于20世纪初，8个东北部有名的私立大学组成了一个体育联盟(主要是橄榄球)，相互竞赛。由于属于"常春藤盟校"的8所大学历史都非常悠久，在学术上都很优秀，校园富有贵族气息，又都在东北部。久而久之，在人们的印象里就不约而同地把他们归纳成一个整体。"常春藤盟校"的名称沿用至今，已经成了大学"学术实力"的象征。直到现在，赞扬哪个大学好，人们还会称它为"西部的常春藤"、"南部的常春藤"等。

常春藤盟校都以苛刻的入学标准著称，近年来尤其如此。很多学校还在特别的领域内拥有很高的学术声誉，例如：

哥伦比亚大学的法学院、商学院、医学院和新闻学院；

康奈尔大学的酒店管理学院和工程学院；

达特茅斯学院的塔克商学

耶鲁大学珍本书图书馆

院；

哈佛大学的商学院、法学院、医学院、教育学院和肯尼迪政府学院；

宾夕法尼亚大学的沃顿商学院、医学院、护理学院、法学院和教育学院；

普林斯顿大学的伍德罗·威尔逊公共与国际事务学院；

耶鲁大学的法学院、艺术学院、音乐学院和医学院。

20世纪上半叶"常春藤盟校"一类的名校几乎都被富家子弟垄断。但是，今天情况已有变化，几乎所有大学都有50%以上的学生得到不同形式的资助。所以，来自世界各地（包括中国）不同肤色的学生，已成为这些美国大学的重要组成部分。

★ 申请赴美留学简介

美国教育发达，有很多一流的大学、一流的研究生院、一流的老师、一流的教学和科研设施，是出国留学的首选。近年来，中国的人均收入增长很快，对于一些家庭来说，支持子女自费留学已有可能。但是总体说来，中国的人均收入比美国还是低很多，因此对于大量工薪阶层来说，想要自费留学绝非易事。到美国留学所需的费用主要有：学费、书籍费、食宿费还有医疗保险费、交通费等。各大学收费不同，一年所需的学费大约为7千～4万美元，私立大学比公立大学要贵。所以决定出国留学是一件慎重的事情。

美国的大学本科对外国学生一般没有奖学金和资助，所以外国学生一般只能自费。但研究生是有可能得到奖学金或助教资助/助研资助的。对于绝大多数想到美国学习研究生的朋友，申请奖学金是一个能够帮助实现这一梦想的有效途径。那么怎样申请赴美留学？怎样才能申请到奖学金呢？

★ 申请赴美留学

美国大学和研究生院的主要招生季节是秋季，所以中国学生多是申请秋季入学。申请时：

1. 你应该向所要申请的大学索取入学申请表，并认真完全地填写。

2. 通常学校还要求你写一篇文章，说明你申请该校的理由，这是你展现自我的绝好机会，要利用这个机会最好地反映你的学术能力、英语能力、经济能力和各种长处。这篇文章一定写好，因为意义重大。

3. 请熟悉你的老师、雇主写好推荐信。

4. 提交你中学／大学的成绩单。

5. 按学校的要求提供标准测试（SAT，ACT，GRE）和语言能力测试（TOEFL）成绩单。

6. 申请学校和政府为外国学生设立的各种奖学金和资助。

以上材料最好用快递寄出，便于查询，以防丢失。寄出材料时还必须要附上要求规定的报名费。大学成绩

单到毕业学校的教务处或学生处办理。奖学金的评定并不是单纯由成绩决定。影响你是否拿奖的因素很多，除以上材料外，你以前的其他成就，如在某刊物上发表过的文章，担任过学生会领导或参加过其他社会、学术活动的情况等，都影响着招生委员会对你的评判。申请学校时，一定要以合适的方式把自己的优势全面、客观地表现出来。如果学校同意你的申请，则会发给你录取通知和奖学金通知。如果你同意学校给你的安排，你就签署一份象声明书之类的东西，附上一笔入学定金寄给学校，入学定金的高低也是随学校不同而不同，一般说也是学校越好定金越贵。学校收到定金后则会再发给你I～20表，你凭该表即可到美国使领馆申请赴美留学签证。

★ 中国驻美、美国驻华使领馆地址、电话

中国驻美使领馆址：
美国华盛顿哥伦比亚特区西北区外国使馆中区3505号。
电话：001—202—495000。
中国驻美使馆签证处：
电话：001—202—3386688；
传真：5889760。
美国驻华使馆馆址：
北京市朝阳区安家楼路55号。
电话：(010)85313000。
美国驻华使馆（非移民）签证处：
电话：40008-872-333
（从中国拨打）；
(86-21)3881-4611
（从国外拨打）。